# FIDEL
# Y LA RELIGION

# FIDEL Y LA RELIGION

## Conversaciones con Frei Betto

OFICINA DE PUBLICACIONES
DEL CONSEJO DE ESTADO, LA HABANA, 1985

© Frei Betto, 1985
© Sobre la presente edición:
Oficina de Publicaciones del Consejo de Estado, 1985

Oficina de Publicaciones del Consejo de Estado,
Calle 17 # 552, esq. a D, Vedado, La Habana 4, Cuba

# CONTENIDO

*Nota a la edición cubana*     9
Caminos de un encuentro     15

**PRIMERA PARTE.** Crónica de una visita     25
1  10 de mayo     27
2  13 de mayo     35
3  14 de mayo     49
4  14 de mayo     53
5  18 de mayo     61
6  19 de mayo     73
7  20-22 de mayo     81

**SEGUNDA PARTE.** La entrevista     85
1  23 de mayo     87
2  24 de mayo     173
3  25 de mayo     251
4  26 de mayo     313

*Índice de temas principales tratados en la entrevista*     381

# NOTA A LA EDICIÓN CUBANA

*Hay verdades que andan ocultas en la madeja tejida por milenios de oscurantismo. En los primeros años de la Revolución, Fidel Castro señaló: "Nos casaron con la mentira y nos obligaron a vivir con ella, y por eso parece que el mundo se hunde cuando oímos la verdad."*
*El pesado velo echado sobre las posibilidades de propiciar estrechos vínculos políticos entre cristianos y comunistas, se descorre en esta entrevista que Fidel concedió al sacerdote dominico brasileño Frei Betto. Lo que podrá leer y estudiar el lector cubano en la segunda parte de este libro, es un acontecimiento "insólito" y, si no se quiere podar el lenguaje y nos atenemos a la estricta definición del diccionario, podríamos decir: quien estudie esta charla se encontrará ante un "suceso o cosa rara, extraordinaria y maravillosa", esto es, un* milagro.
*Un católico militante de profunda fe cristiana y un dirigente comunista bien conocido por su indeclinable posición de principios, encuentran tema para un amplio diálogo y, es más, cuando termina el intercambio, ambos se sienten más seguros de sus propias convicciones y más interesados en estrechar y profundizar relaciones en la lucha política práctica. Tanto uno como otro, por demás, ha procurado sus argumentos –y esto quizás sea del mayor interés para los investigadores– en las fuentes originales del cristianismo y del marxismo. Ninguno de ellos ha cedido un ápice en sus prin-*

*cipios y ambos se entienden profundamente en temas tan importantes como la moral, los problemas económicos y políticos contemporáneos, y la necesidad de unir a cristianos y comunistas en la lucha por un mundo mejor.*

*No se trata, sin embargo, de la unidad concebida sólo en el plano de una táctica de lucha. No se trata de una cuestión coyuntural o de una simple alianza política. Lo es, desde luego, por definición. Pero el vínculo que aquí se establece, sobre el plano ético o moral, acerca del papel del hombre, ya sea cristiano o comunista, en defensa de los pobres, tiene el carácter de una alianza estratégica duradera y permanente. Se trata de una proposición con sólidos fundamentos morales, políticos y sociales. Ya esto es de por sí un acontecimiento trascendental en la historia del pensamiento humano. La nota ético-moral aparece en estas líneas cargada de todo el sentido humano que agrupa a los luchadores por la libertad y en defensa de los humildes y explotados.*

*¿Por qué puede suceder este milagro? Teóricos sociales, filósofos, teólogos y toda una vasta capa de intelectuales en diferentes países se deben hacer esta pregunta. Es más, seguramente los cristianos habrán de sentirse obligados por sus creencias a formulársela. Los marxista-leninistas se verán asimismo incitados a hacer otro tanto. El pueblo de Cuba, a quien va dedicada esta edición, ha hecho una Revolución, conoce bien a Fidel Castro y sabe de qué se trata.*

*El dogma tan predilecto de los reaccionarios sobre la imposibilidad de entendimiento entre cristianos y comunistas, se viene al suelo sobre el fundamento de una comprensión profunda de ambas doctrinas. El marxismo-leninismo es por esencia antidogmático. Se atiene al principio, formulado por Lenin, de que "el punto de vista de la vida, de la práctica, debe ser el punto de vista primero y fundamental de la teoría del conocimiento", principio que Fidel ha sabido aplicar en el mundo moderno con una maestría excepcional.*

*Pues bien, el punto de vista de la práctica es mostrado en este libro. En él se señala la posibilidad –y la urgencia– de un entendimiento humano y profundo entre todos aquellos* que luchan honestamente en favor de los pueblos, cualesquiera sean sus ideas acerca de Dios y la religión.

Para apreciar una vez más la consecuencia del pensamiento de Fidel, es bueno subrayar que lo planteado por él aquí son ideas que le han acompañado a lo largo de su vida revolucionaria, expuestas cada vez con mayor amplitud y profundidad, y que acaso ahora se concretan en la plenitud de su riqueza y madurez conceptual. Recordemos la conversación con los católicos en Chile, en 1971, y el encuentro con los religiosos en Jamaica, en 1977, y aquella frase suya de los años iniciales de la Revolución: "Quien traiciona al pobre, traiciona a Cristo."

En esta lectura se podrán conocer importantes raíces en la formación ética de Fidel Castro. Se podrá observar la influencia ejercida en él por la educación que recibió, durante la primera y segunda enseñanzas, en los mejores colegios católicos de Cuba. En esa formación está presente, desde luego, la tradición que nos viene del siglo pasado, y que se expresa con nitidez en la trascendencia histórica del mensaje moral de Varela, Luz Caballero y, sobre todo, de José Martí. Quizás sea este elemento ético uno de los aspectos más trascendentales del diálogo.

Se ha iniciado, así, no sólo a nivel táctico y político sino a nivel estratégico y moral, un intercambio profundo de ideas entre fuerzas que hasta ayer parecían incapaces de entenderse. Se produce en América Latina por ser este un continente en ebullición, donde una aguda crisis económica, política y social se refleja en todas las esferas de la vida cultural y espiritual del pueblo, como anuncio de los inexorables cambios que tendrán lugar por una vía o por otra. Se inicia este diálogo en América Latina, porque ya la Revolución Cubana abrió para el socialismo, en estas tierras, una etapa profundamente renovadora, que procuró ir a sus esencias y raíces; por el aporte incuestionable que han hecho y hacen a este tema la Revolución Nicaragüense y los procesos que tienen lugar actualmente en El Salvador y otros países; y también porque parte de la Iglesia Católica y otras corrien-

*tes cristianas latinoamericanas y caribeñas se están planteando de una manera nueva, pero que tiene raíces muy antiguas, cuál es el papel y la misión del creyente ante los problemas sociales y políticos.* **Dos de las más importantes vertientes históricas del pensamiento y de las emociones de los hombres: el cristianismo y el marxismo, presentadas como irreconciliables por los adversarios del progreso humano, encuentran aquí nuevos y sorprendentes caminos de comprensión. Esta es una cuestión sobre la que todos los hombres sinceramente preocupados por la suerte de la humanidad, están de seguro interesados en meditar.**

ARMANDO HART

# FIDEL Y LA RELIGION

*A Leonardo Boff,
sacerdote, doctor y, sobre todo,
profeta.*

*A la memoria de Frei Mateus Rocha,
quien me enseñó la dimensión liberadora
de la fe cristiana y, como Provincial
de los dominicos brasileños, estimuló
esta misión.*

*A todos los cristianos latinoamericanos
que, entre incomprensiones y en la
bienaventuranza de la sed de justicia,
preparan, a la manera de Juan Bautista,
los caminos del Señor en el socialismo.*

# CAMINOS
# DE UN ENCUENTRO

El proyecto de esta obra surgió en mí en 1979. Le había propuesto a mi querido compadre y editor Enio Silveira la idea de un libro que tendría como título *La fe en el socialismo*. Realizarla exigiría viajar a los países socialistas para entrar en contacto con las comunidades cristianas bajo un régimen calificado de materialista y ateo. Múltiples tareas terminaron distanciándome de la idea, además del hecho de que su ejecución resultaba demasiado cara.

Inmediatamente después del triunfo de la Revolución Sandinista, los centros pastorales que existen en Nicaragua me invitaron para asesorar encuentros y entrenamientos, especialmente con los campesinos. Viajé a ese país dos o tres veces al año para animar retiros espirituales, impartir cursos de iniciación bíblica y ayudar a las comunidades cristianas en la articulación entre la vida de fe y el compromiso político. Cumplí un programa patrocinado por el CEPA (Centro de Educación y Promoción Agraria), que estaba compuesto por siete encuentros pastorales con los campesinos en la montaña de Diriamba, en El Crucero. Esos viajes me acercaron a los sacerdotes que sirven al régimen popular de Nicaragua. El 19 de julio de 1980 participé como invitado oficial en las conmemoraciones del primer aniversario de la Revolución. En la noche de ese mismo día, el padre Miguel D'Escoto, ministro de Relaciones Exteriores, me llevó a la casa de Sergio Ramírez, actual Vicepresidente de la República. Fue entonces cuando, por primera vez, conversé con Fidel Castro, a quien había visto aquella mañana en la concentración popular en que él había hablado. Recordé el impacto que me causaron sus declaraciones a los sacerdotes con los que se reunió en Chile, en noviembre de 1971, que yo leí en una prisión política de Sao Paulo donde me encontraba recluido cumpliendo una sentencia de cuatro años "por razones de seguridad nacional". En aquella ocasión, dijo que "en una revolución hay una serie de factores morales que son decisivos, nuestros países son muy pobres para poderle dar al hombre grandes riquezas materiales; pero sí le da un sentido de la igualdad, le da un sentido de la dignidad humana". Narró que en la visita protocolar que hizo al cardenal Silva Henríquez, de Santiago de Chile, le habló "de las necesidades que nuestros pueblos tenían objetivamente de liberarse, de la necesidad de unir los cristianos y los revolucionarios en esos propósitos. Que no era un interés particular de Cuba, pues nosotros no teníamos problemas de esta índole en nuestro país, pero viendo el contexto de América Latina, era deber e interés de revolucionarios y cristianos, muchos de ellos hombres y mujeres humildes del pueblo, estrechar filas en un proceso de liberación que era inevitable." El cardenal regaló al dirigente cubano un ejemplar de la Biblia, preguntándole "si no le molestaba". "¿Por qué va a ser molestia?", respondió Fidel. "Si este es un gran libro, si yo lo leí, si yo lo estudié cuando era niño; pero voy a refrescar muchas cosas que me interesan." Uno de los padres le preguntó qué creía de la presencia de sacerdotes en la política: "¿Cómo puede, por ejemplo –yo pienso–, ningún guía espiritual de una colectividad humana desentenderse de sus problemas materiales, de sus problemas humanos, de sus problemas vitales? ¿Es que acaso esos problemas materiales, humanos, son independientes del proceso histórico? ¿Son independientes de los fenómenos sociales? Hemos vivido todo eso. Yo siempre me remonto a la época de la esclavitud primitiva. Surge el cristianismo incluso en esa época." Observó que los cristianos "pasaron de una fase en que fueron los perseguidos, a otras fases en que fueron perseguidores", y que la Inquisición "fue una fase de oscurantismo, cuando se llegó a quemar a los hombres." Ahora, el cristianismo podía ser "una doctrina no utópica sino real, y no un consuelo espiritual para el hombre que sufre. Puede producirse la desaparición de las clases y surgir la sociedad comunista. ¿Dónde está la contradicción con el cristianismo? Todo lo contrario: se produciría un reencuentro con el cristianismo de los primeros tiempos, en sus aspectos más justos, más humanos, más morales." Ante el clero chileno, Fidel recordó su época de alumno de colegios católicos: "¿Qué ocurría en la religión católica? Un relajamiento muy grande. Era meramente formal. No tenía ningún contenido. Ahora, casi toda la educación estaba permeada de eso. Yo estudié con los jesuitas. Eran hombres rectos, disciplinados, rigurosos, inteligentes y de carácter. Yo siempre digo eso. Pero conocí también la irracionalidad de aquella educación. Pero para ustedes, aquí entre nosotros, yo les digo que hay un gran punto de comunidad entre los objetivos que preconiza el cristianismo y los objetivos que buscamos los comunistas; entre la prédica cristiana de la humildad, la austeridad, el espíritu de sacrificio, el amor al prójimo y todo lo que puede llamarse contenido de la vida y la conducta de un revolucionario. Porque, ¿que es lo que nosotros estamos predicándole a la gente? ¿Que mate? ¿Que robe? ¿Que sea egoísta? ¿Que explote a los demás? Es precisamente todo lo contrario. Aunque por motivaciones diferentes, las actitudes y la conducta ante la vida que propugnamos son muy similares. Vivimos en una época en que la política ha entrado en un terreno casi religioso con relación al hombre y su conducta. Yo creo que a la vez hemos llegado a una época en que la religión puede entrar en el terreno político con relación al hombre y sus necesidades materiales. Podríamos suscribir casi todos los preceptos del Catecismo: no matarás, no robarás..." Después de criticar al capitalismo, Fidel afirmó que "hay diez mil veces más coincidencias del cristianismo con el comunismo, que las que puede haber con el capitalismo. [...] No crear esas divisiones entre los hombres. Vamos a respetar las convicciones, las creencias, las explicaciones. Cada uno que tenga su posición, que tenga su creencia. Pero sí, en el terreno de estos problemas humanos que nos interesan a todos y es deber de todos, es precisamente en este terreno en que nosotros tenemos que trabajar." Refiriéndose a las religiosas cubanas que trabajan en los hospitales, resaltó que "las cosas que hacen, son las cosas que uno quiere que haga un comunista. Cuidando leprosos, tuberculosos y otros tipos de enfermos contagiosos, hacen lo que nosotros queremos que haga un comunista. Una persona que se consagra a una idea, al trabajo, que es capaz de sacrificarse por los demás, hace lo que nosotros queremos que haga un comunista. Así lo digo francamente."

Allí, en la biblioteca de Sergio Ramírez, esa conversación entre el revolucionario de la Sierra Maestra y los sacerdotes chilenos, que ahora consulto, estaba presente en mi memoria y servía de base a nuestro intercambio de ideas sobre la cuestión religiosa en Cuba y en América Latina. En aquella ocasión, en Chile, uno de los participantes le preguntó si su fe entró en crisis antes o durante la Revolución. Respondió que nunca le habían inculcado la fe: "Bien pudiera decir que nunca la tuve. Fue mecánico, no fue racional." Recordando su experiencia en la guerrilla, comentó que "nunca se había hecho una iglesia en la montaña. Pero llegó un misionero presbiteriano, y de algunas llamadas sectas, y conquistaron algunos adeptos. Estas personas nos decían: no se puede comer grasa animal. ¡Óiganme!, no comían grasa, ¡no comían! Y no había aceite vegetal y el mes entero no comían grasa de puerco. Era su precepto y lo cumplían. Todos esos pequeños grupos eran mucho más consecuentes. Yo tengo entendido que el católico americano es también un poco más práctico en cuanto a la religión. Socialmente no. Porque cuando ellos te organizan la invasión de Girón y las guerras de Viet Nam y cosas por el estilo, no pueden ser consecuentes. Entonces yo diría que las clases ricas mixtificaron la religión, la pusieron a su servicio. Ahora, ¿que es un sacerdote? ¿Es acaso un terrateniente? ¿Es acaso un industrial? Yo siempre me leía las polémicas aquellas entre el comunista y el sacerdote que era Don Camilo, el cura aquel famoso de la literatura italiana. Yo diría que fue uno de los primeros intentos de romper esa atmósfera..." En relación con Cuba, un sacerdote le preguntó en qué medida los cristianos fueron freno o motor en la revolución. "Nadie puede decir que los cristianos fueron freno. Hubo alguna participación cristiana en la lucha, al final, como cristianos; hubo, incluso, algunos mártires. Del Colegio de Belén asesinaron tres o cuatro muchachos, en el norte de Pinar del Río. Hubo sacerdotes que, por su cuenta, se sumaron, como sucedió en el caso del padre Sardiñas. Como freno, lo que surgió en los primeros momentos fue un problema de clases. No tenía nada que ver con la religión. Fue la religión de los terratenientes y de los ricos. Y cuando se produce el conflicto social-económico, intentaron usar la religión contra la Revolución. Ese fue el fenómeno que pasó, la causa de los conflictos. Había un clero español bastante reaccionario." Al final de la larga charla con los sacerdotes chilenos, Fidel Castro resaltó que la alianza entre cristianos y marxistas no era simplemente una cuestión táctica: "Queríamos ser aliados estratégicos, quiere decir, aliados definitivos."

Casi seis años después del viaje al Chile de Allende, el Primer Secretario del Partido Comunista de Cuba volvió al tema religioso, en esta ocasión durante su visita a Jamaica en octubre de 1977. La diferencia esta vez era que hablaba ante un auditorio en su mayoría protestante. Reafirmó que "en ningún momento la Revolución Cubana estaba inspirada en sentimientos antirreligiosos. Nosotros partíamos de la más profunda convicción de que no tenía que existir contradicción entre la revolución social y las ideas religiosas de la población. Incluso en nuestra lucha hubo una amplia participación de todo el pueblo, y también participaron creyentes religiosos." Dijo que la Revolución había puesto especial cuidado de no presentarse, ante el pueblo y ante los pueblos, como enemiga de la religión. "Porque, si eso ocurría, íbamos a estar realmente prestando un servicio a la reacción, un servicio a los explotadores, no sólo en Cuba, sino sobre todo en América Latina." Expresó que muchas veces se había preguntado: "¿Por qué las ideas de la justicia social tienen que chocar con las creencias religiosas? ¿Por qué tienen que chocar con el cristianismo? [...] Yo conozco bastante de los principios cristianos y de las prédicas de Cristo. Tengo mi concepto de que Cristo fue un gran revolucionario. ¡Ese es mi concepto! Era un hombre cuya doctrina toda se consagró a los humildes, a los pobres, a combatir los abusos, a combatir la injusticia, a combatir la humillación del ser humano. Yo diría que hay mucho en común entre el espíritu, la esencia de su prédica y el socialismo." Regresó también al tema de la alianza entre cristianos y revolucionarios, y declaró: "No existen contradicciones entre los propósitos de la religión y los propósitos del socialismo. No existen. Y les decía que debíamos hacer una alianza, pero no una alianza táctica." Agregó, recordando su viaje a Chile: "Ellos me preguntaron si era una alianza táctica o estratégica. Yo digo: una alianza estratégica entre la religión y el socialismo, entre la religión y la revolución."

Recordando estos pronunciamientos, hablé a Fidel de la evolución de las Comunidades Eclesiales de Base y de cómo el pueblo sufrido y creyente encontraba ahora en su propia fe, en la meditación sobre la Palabra de Dios, en la participación en los sacramentos, la energía necesaria para su lucha por una vida mejor. A mi entender, América Latina no estaba dividida entre cristianos y marxistas, sino entre revolucionarios y aliados de las fuerzas de la opresión. Muchos partidos comunistas habían cometido el error de profesar un ateísmo académico que los alejaba de los pobres impregnados de fe. Ninguna alianza se sostendría en torno a principios teóricos o discusiones librescas. La práctica liberadora era el terreno en el cual habría de producirse o no el encuentro entre militantes cristianos y militantes marxistas, ya que así como entre los cristianos hay muchos que defienden los intereses del capital, también entre los que se dicen comunistas existen muchos que jamás se divorcian de la burguesía. Por otro lado, como hombre de Iglesia, me encontraba particularmente interesado en la Iglesia Católica en Cuba. Lo que conversamos en relación con este tema específico, está reflejado en la entrevista que aquí se reproduce.

Muchos temas de la conversación en Managua son abordados de nuevo en esta entrevista. En mí había quedado desde entonces la impresión de que el hombre Fidel es una persona abierta, sensible, a quien se puede hacer cualquier tipo de pregunta e, incluso, cuestionar. Aunque asegura no haber tenido jamás una fe religiosa auténtica, no quedó inmune del todo a la formación en colegios católicos, antecedida por el hecho de provenir de una familia cristiana. Cinco días después de ese diálogo en la casa de Sergio Ramírez, durante un encuentro con varios sacerdotes y religiosas nicaragüenses en que estuve presente, repetiría Fidel las ideas básicas que defendió en Chile y destacó en Jamaica. Este grupo de cristianos expresaba un adelanto que el propio Fidel no había previsto. La Revolución Sandinista fue obra de un pueblo tradicionalmente religioso y contó con la bendición del episcopado. Era la primera vez en la historia que los cristianos, motivados por su propia fe, participaban activamente de un proceso insurreccional apoyados por sus pastores. Los religiosos nicaragüenses insistían en que no se trataba de una alianza estratégica. Existía una unidad entre cristianos y marxistas, entre todo el pueblo. Por su parte, el Comandante de la Revolución Cubana confesaba tener la "impresión de que el contenido de la Biblia, es un contenido altamente revolucionario; yo creo que las enseñanzas de Cristo son altamente revolucionarias, y coincidentes en absoluto con el objetivo de un socialista, de un marxista-leninista". Reconocía autocríticamente que "hay muchos marxistas que son doctrinarios. Y creo que ser doctrinario en este problema, dificulta esta cuestión. Yo creo que nosotros debemos pensar en el reino de este mundo, ustedes y nosotros, y debemos evitar precisamente los conflictos en las cuestiones que se refieren al reino del otro mundo. Y digo que hay doctrinarios todavía, a nosotros no nos resulta fácil, pero nuestras relaciones son de progresiva mejoría con la Iglesia, a pesar de tantos factores, como este principio del antagonismo. Desde luego que pasamos de la situación del antagonismo a unas relaciones absolutamente normales. En Cuba no hay una sola iglesia cerrada. Y en Cuba, incluso, nosotros hemos planteado la idea de colaborar con las Iglesias, colaboración material, de construcción, de recursos, o sea, de una ayuda material a las Iglesias como se hace con otras instituciones sociales. Pero nosotros no somos el país que tengamos que convertirnos en el modelo de eso mismo que yo planteaba. Aunque sí creo que se está produciendo esa circunstancia. Se está produciendo esa circunstancia todavía mucho mejor en Nicaragua, se está produciendo esa circunstancia mucho mejor en El Salvador. De manera que las mismas cosas que nosotros hemos planteado están empezando a llevarse a la práctica en la vida y en la realidad de la historia. Ahora yo creo que las Iglesias van a tener mucha más influencia en estos países, que la que tuvieron en Cuba, porque las Iglesias han sido factores importantísimos en la lucha por la liberación del pueblo, para la independencia de la nación, por la justicia social."

Antes de despedirnos, el dirigente cubano me invitó a visitar su país. Pude hacerlo por primera vez solamente en septiembre de 1981, como miembro de la numerosa delegación brasileña al Primer Encuentro de Intelectuales por la Soberanía de los Pueblos de Nuestra América. Al margen del evento, el Centro de Estudios de América (CEA) y la actual Oficina de Asuntos Religiosos, dirigida por el doctor Carneado, me invitaron para una serie de conversaciones sobre la religión y la Iglesia en América Latina. Antes de partir de Cuba, me propusieron que regresara en otras oportunidades, con el propósito de continuar el diálogo iniciado.

Quedé con la impresión de que, en lo que respecta a cuestiones teológicas y pastorales, tanto el Partido Comunista cubano como la Iglesia Católica eran tributarios aún de los conflictos surgidos entre ellos al inicio de la Revolución, lo cual dificultaba una visión más abierta y acorde con los significativos avances ocurridos en la Iglesia latinoamericana a partir del Concilio Vaticano II (1963-1965). Puse una condición a la invitación que había recibido: poder estar también al servicio de la comunidad católica cubana. No hubo resistencia y, en febrero de 1983, comparecí en calidad de invitado especial en la reunión de la Conferencia Episcopal de Cuba en El Cobre, en el santuario de la Virgen de la Caridad, patrona nacional. Los obispos apoyaron, entonces, mi actividad pastoral en este país.

Desde que entregué al editor Caio Graco Prado los originales de mi libro *Qué son las comunidades eclesiales de base,* editado en la colección Primeros Pasos, y le hablé de los viajes a Cuba, me propuso la idea de una entrevista sobre temas religiosos con el comandante Fidel Castro. Desde septiembre de 1981 hasta el momento de esta entrevista, viajé doce veces a la isla, gracias al apoyo de católicos de Canadá y posteriormente de Alemania, que me facilitaron los pasajes, excepto cuando se trató de algún evento cultural patrocinado por el gobierno cubano. En uno de esos viajes, formulé por escrito el proyecto de la entrevista y del libro, sin que hubiese respuesta.

En febrero de 1985 volví como jurado del premio literario de Casa de las Américas. Fui invitado entonces a una audiencia privada con Fidel Castro. Era la primera vez que conversábamos en Cuba. Retomamos el tema abordado en Managua, enriquecido por la polémica en torno a la Teología de la Liberación. El interés despertado en el dirigente cubano provocó que el diálogo prosiguiera en los días siguientes. Fueron nueve horas dedicadas a la cuestión religiosa en Cuba y en América Latina. Retomé el proyecto de esta entrevista, aceptado por él para una fecha posterior. El editor Caio Graco Prado no escatimó esfuerzos ni recursos para efectuarlo. En mayo regresé a la isla. Sobre el tema de la religión transcurrieron 23 horas de conversaciones entre el autor y el comandante Fidel Castro, cuya transcripción ofrecemos, ahora, a los lectores. De modo especial expreso aquí mi agradecimiento a la valiosa colaboración de Chomi Miyar, quien se ocupó de la grabación y transcripción de las cintas, y al Ministro de Cultura, Armando Hart, quien estimuló el diálogo.

Frei Betto<br>La Habana, 29 de mayo de 1985

# PRIMERA PARTE

## Crónica de una visita

# 1

Viernes, 10 de mayo de 1985. Llega en visita oficial a Cuba el Presidente de Argelia, Chadli Bendjedid. Fidel Castro le ofrece esa misma noche una recepción en el Palacio de la Revolución. Entre los invitados, una pequeña comitiva brasileña que había llegado a la isla el día anterior: el periodista Joelmir Beting, Antonio Carlos Vieira Christo –mi padre–, María Stella Libanio Christo –mi madre– y yo. Los tres primeros pisan territorio cubano por primera vez. Yo, que ya había estado allí otras veces, al servicio de la Iglesia o en calidad de participante de eventos culturales, ahora volvía con un único propósito: entrevistar a Fidel.

Nuestro anfitrión, Sergio Cervantes, un negro que parece un brasileño, avisa que es necesario llevar corbata a la recepción. Hace diecisiete años que no me enredo una corbata en el pescuezo. Ni siquiera tengo traje. En Porto Alegre, cuando visité en 1975 a Mafalda y Erico Verísimo, el autor de *O Tempo e o Vento,* éste me dijo que hacía años había quemado todas sus corbatas. Yo hice lo mismo imaginariamente. ¡En La Habana, de repente, titubeo! ¿Debo romper el protocolo y presentarme con uno de los dos pantalones de mezclilla que traje? ¿Debo rechazar la invitación, como protesta por las formalidades socialistas? ¿Qué diablo de costumbre es esta, que tanto en el Congreso Nacional, en Brasilia, como en el Palacio de la Revolución, en Cuba, se considera que un pedazo de trapo estampado, envuelto alrededor del cuello, es señal de bien vestir? A pesar de mis lucubraciones, de mil protestas imaginarias en un constante ir y venir en mi cabeza, vacilo y acepto, prestados, la corbata y el traje de Jorge Ferreira, un amigo cubano. Me quedan a la medida y allá voy yo todo empaquetado, soportando las burlas de Joelmir.

El Palacio de la Revolución, situado en la plaza del mismo nombre, detrás del monumento a Jose Martí, es una solemne construcción de la época de Batista, que recuerda la arquitectura fascista del primer gobierno de Getulio Vargas, en Brasil. La interminable escalinata se parece al anfiteatro de Maracaná. En la puerta, protegida por guardias de honor, presentamos nuestras invitaciones. Nos detuvimos a la entrada, hasta que terminaron los himnos de Cuba y Argelia. En el inmenso salón, todo en mármol y piedra, decorado con plantas naturales, vitrales de colores y murales abstractos, los invitados escuchan los discursos en español y árabe que preceden al momento en que Fidel condecora a Chadli Bendjedid con la medalla "José Martí", la más importante del país. Además de la delegación visitante se encuentran presentes el cuerpo diplomático y dirigentes cubanos, miembros del Buró Político, del Comité Central y Ministros. Una vez terminadas las formalidades laudatorias, entre ruedas informales circulan bandejas con mojitos, daiquirís y jugos. Me acerco a Armando Hart, Ministro de Cultura, un hombre que no sabe separar el raciocinio de la emoción, rara cualidad. Lamentamos la muerte en combate de Alí Gómez García, de 33 años, venezolano, quien había caído el día anterior defendiendo a Nicaragua de los mercenarios de Reagan. En febrero pasado formé parte del jurado que concedió el premio en el género de testimonio en lengua española al texto que envió Alí al concurso literario de Casa de las Américas: *Falsas, maliciosas y escandalosas reflexiones de un ñángara*. Raúl Castro, hermano más joven de Fidel y Ministro de las Fuerzas Armadas, camina en nuestra dirección y Hart nos lo presenta. Al saber que soy religioso, comenta:

—Pasé tantos años en colegios internos que asistí a misa por toda mi vida. Fui alumno de los hermanos de La Salle y de los jesuitas. Imagínate que yo había estudiado en Santiago de Cuba y, al participar en el ataque al cuartel Moncada, en 1953, me di cuenta de que no conocía la ciudad... No me quedé en la Iglesia, pero me quedé con los principios de Cristo. No renuncio a esos principios. Ellos me dan la esperanza de salvación, pues la Revolución los realiza en la medida en que despide a los ricos con las manos vacías y da pan a los hambrientos. Aquí todos se pueden salvar, pues no hay ricos y Cristo dice que es más fácil que un camello pase por el ojo de una aguja...

Raúl dice esto con muy buen humor. Se puede ver que es una persona afable. Sin embargo, tiene fama de duro fuera de Cuba. Caprichos del imperialismo, que mediante sus poderosos medios de comunicación dibuja en nuestras cabezas la caricatura de sus enemigos. Pinta a Raúl como un sectario y a John Kennedy como un muchacho buen mozo. Pero quien planeó, organizó, patrocinó y financió la invasión de Bahía de Cochinos, en 1961, en flagrante falta de respeto a la soberanía del pueblo cubano, fue el joven, risueño, demócrata y católico marido de Jacqueline. En su trato personal, Raúl es relajado y sabe hablar sonriendo, lo cual es raro en los políticos capitalistas, siempre circunspectos. ¿Y cómo puede ser duro el compañero de una mujer tan dulce como Vilma Espín?

Pienso que va a ser imposible saludar a Fidel, siempre tan rodeado de invitados, camarógrafos y fotógrafos. Luego nos invitan a pasar a un pequeño salón más familiar. Estamos en la entrada, cuando el Comandante, en uniforme de gala, pasa con Chadli Bendjedid. Al vernos, se acerca. Se le nota la timidez. Sí, un hombre de ese tamaño, que le grita al Tío Sam en sus propias barbas lo que piensa, y hace discursos de cuatro horas, casi pide permiso por ser quien es. Le presento a Joelmir Beting y a mis padres.

–Usted logró hacer dos revoluciones. La primera fue la cubana y la segunda, ¡lograr que mi padre saliera de Brasil por primera vez y en avión!

–No se preocupe, lo hago regresar en tren –dice Fidel.

En febrero yo había estado con el Comandante en casa de Chomi Miyar, su secretario particular, médico y fotógrafo. Le di mi receta de *bobó* de camarón. Pero en Cuba no hay aceite de dendé,[1] con el que se deben cocer los adobos. Sólo en marzo encontré un portador para hacerle llegar el dendé.

–Hice tu receta de los camarones –dice–. Quedaron buenos, pero no puedo decir óptimos, porque faltaba el dendé. Después me llegó el famoso aceite. Además, hice algunas modificaciones y quiero consultarlas contigo.

Doña Stella aprovecha la oportunidad para comentar que entre ella y yo hay discrepancias en cuanto al *bobó* de camarón. A pesar de que, algo edipianamente, la considere la mejor cocinera del mundo, gracias a lo cual estoy vivo y con salud, su receta de *bobó*, calientes y fríos, no coincide con la que aprendí en Victoria. El secreto de los *capixabas*[2] es batir la yuca cocida en el agua en que se cocen los camarones. Así se atenúa el gusto de la yuca en favor del sabor de los camarones.

Estábamos enfrascados en plena polémica culinaria cuando cortésmente Fidel se excusa para atender al presidente de Argelia, que lo esperaba. Nos fuimos para una esquina y, después de que el mandatario argelino se acomoda, el Comandante vuelve a acercarse a nosotros. Quiere saber cuánto tiempo estaremos en Cuba. Lamenta el hecho de que Joelmir tenga que partir el próximo miércoles, para llegar a Brasil el jueves y tomar el vuelo para Alemania Federal el viernes. Fidel estaría ocupado con Chadli Bendjedid hasta el lunes, y el martes participaría en la conmemoración del cuadragésimo aniversario de la victoria de los aliados en la Segunda Guerra Mundial. Pensativo, con un tabaquito entre los dedos, el pulgar derecho rozándole los labios casi

---

[1] Tipo de coco del Brasil. (*Nota del editor.*)

[2] Habitantes de la provincia de Espíritu Santo, en la costa oriental de Brasil. (*Nota del editor.*)

sumidos entre las canas de la barba, moviendo la cabeza como quien dice no, se decide enseguida:

–Vamos a hacer una cosa. No es Joelmir quien quiere hablar conmigo, soy yo quien quiere hablar con él. Nos podemos ver el lunes por la noche y seguramente en otro momento el martes. Tengo que dividir y subdividir mi tiempo.

Después de posar para una foto rodeado por mis padres, les pregunta:

–¿Qué les parece la recepción? La recepción es siempre un lugar de comida agradable donde, sin embargo, nunca pruebo nada para atender a los visitantes y para poder hacer después un poco de ejercicio.

Se vuelve hacia Cervantes y pregunta sobre nuestra programación en la isla. Nuestro amigo le da una información general: visita al Museo Hemingway, al hospital de Centro Habana, al reparto Alamar, etcétera. Fidel reacciona:

–Cosas de turistas. Lo del hospital está bien, pero ellos necesitan conocer mejor este país. Ir a la Isla de la Juventud, ver allí cómo estudian más de 10 mil becados extranjeros procedentes de África y otros continentes. Ir a Cienfuegos, ver la construcción de la central electronuclear. Visitar una pequeña comunidad campesina y conocer cómo está preparada, incluso, para la defensa militar. Pondré mi avión a la disposición de ustedes. No es cómodo, pero es seguro.

Llama a Chomi, su secretario, y le pide que anote toda la programación que propone. Contamos que aquella mañana habíamos visitado la Junta Central de Planificación, donde nos recibió el compañero Alfredo Ham. Este nos explicó que la Junta elabora planes anuales, quinquenales y perspectivos hasta el año 2000. Así, de manera planificada, la inversión de Cuba en los planos social y económico cuenta ante sí con pocas sorpresas. El país produce actualmente, en la fábrica de Holguín, más de 600 combinadas de caña anuales, responsables de la cosecha de más del 55 por ciento de la producción cubana. Joelmir pregunta si la planificación se realiza de arriba hacia abajo. Alfredo responde que nada es definitivo sin la aprobación final del Consejo de

Ministros y la Asamblea Nacional del Poder Popular, integrada por diputados electos cada cinco años. Por otra parte, Cuba puede planificar con cierto margen de seguridad su proceso de desarrollo, porque está libre de la especulación del mercado capitalista. El 85 por ciento de sus relaciones comerciales se realiza con los países socialistas y están protegidas por acuerdos del CAME (Consejo de Ayuda Mutua Económica), del cual Cuba es miembro y en el que cuenta con las mismas medidas de protección aseguradas también a Viet Nam y Mongolia.

En 1986 comienza a funcionar el Tercer Plan Quinquenal cubano. En los primeros años de la Revolución, se exportaba azúcar, tabaco, ron y café. Ahora ocupan los primeros lugares en la lista de las exportaciones el azúcar, los cítricos, el níquel y la pesca. En el transcurso de diez años, de 1971 a 1981, no hubo ningún cambio, ni en los precios de los productos básicos disponibles en el mercado interno, ni en los salarios mínimos de los trabajadores cubanos. La reforma efectuada en 1981 establece un salario mínimo de 85 pesos. Un peso cubano equivale a 1,13 dólares norteamericanos. El salario medio es de 185 pesos. El salario máximo es de 600 pesos, o sea, no llega a diez salarios mínimos. El alquiler de la vivienda, que se paga al Estado, no llega a equivaler el 10 por ciento del salario, independientemente del tamaño del inmueble. El consumo básico se controla a través de la *libreta,* cuaderno que regula el abastecimiento, de modo que los 10 millones de habitantes de Cuba no conocen esa tragedia que azota a la mayoría de la población del mundo y de América Latina: el hambre. El excedente de la producción se vende, a un precio más alto, en el mercado paralelo, que es oficial. En la libreta, un kilo de carne de res cuesta 1 peso y 35 centavos; un litro de leche, 25 centavos.

En 1981, año del último censo, el 52 por ciento de la población tenía menos de 30 años. En los primeros años de la Revolución, la tasa de crecimiento demográfico era de más del 2 por ciento anual, considerada muy alta en el país. Hoy es del 0,9 por ciento. En 1959 se graduaron en las universidades menos de 2 mil estudiantes. En 1984, se graduaron 28 mil. ¡Cuba dispone actualmente de 20 500 médicos, uno por cada 488 cubanos! La progresiva falta de enfermos permite al país dar asistencia médica a 28 naciones.

Alfredo Ham nos dice, además, que el aumento percápita anual del consumo y los servicios a la población está entre el 2,5 y el 3 por ciento aproximadamente. La inflación, que no se puede calcular por criterios capitalistas debido a que no hay especulación financiera, y que es regulada por el Estado de manera que no grave el valor real del salario de los trabajadores, es de alrededor del 3 por ciento anual. El ingreso real crece cada año por encima de la inflación. El país está en condiciones de absorber toda la fuerza de trabajo y el pequeño índice de desempleo existente —aproximadamente el 6 por ciento de la población económicamente activa— se debe al hecho de que el presupuesto familiar, relativamente alto, permite que ciertas personas estén desocupadas mientras no ingresan en el trabajo que desean, como es el caso de un joven universitario o el técnico medio graduado que quiera optar por una plaza determinada en el lugar de su preferencia, y no quiera hacer otro trabajo, aunque muchas veces recibe el mismo salario que un ingeniero. El consumo medio diario de calorías está entre 3 mil y 3 500, muy por encima de la media mínima de 2 240 que establece la FAO. El producto interno bruto es superior a 24 mil millones de dólares. La industria participa en un 50 por ciento.

# 2

En la noche del lunes, 13 de mayo, Fidel Castro recibe a la pequeña comitiva brasileña en su despacho en el Palacio de la Revolución. En torno a la mesa de trabajo, estantes repletos de libros, casetes, un radio de transistores. Sobre la mesa, papeles, un recipiente de cristal lleno de caramelos, una caja redonda con tabacos cortos y pequeños, los preferidos del Comandante. Debajo de un enorme cuadro, con el rostro de Camilo Cienfuegos pintado con líneas suaves, butacas de cuero y una mesa de mármol de la Isla de la Juventud. Al fondo, una mesa grande de reuniones, con cuatro sillas por cada lado y dos en cada extremo. Otro óleo, enorme, muestra el trabajo agrícola de los jóvenes estudiantes. El despacho es amplio, confortable, climatizado, sin lujo. Fidel nos recibe en su uniforme verde olivo y nos invita a sentarnos a la mesa. Está interesado en conversar especialmente con Joelmir Beting, que debe regresar antes a Brasil. Indaga sobre el trabajo de Joelmir, cómo divide su día, de qué tiempo dispone para estudiar, qué hace para grabar en su cabeza tantas informaciones económicas. Pregunta también sobre el viaje que realizamos a la Isla de la Juventud y a Cienfuegos, y al respecto comenta:

–La central nuclear de Cienfuegos se construye con todas las exigencias de seguridad absoluta, para resistir maremotos, temblores de tierra, incluso hasta la caída de un jet de pasajeros en ruta.

Mi madre elogia la cocina cubana, especialmente los productos del mar. El cocinero que es Fidel concuerda:

—Lo mejor es no cocer ni los camarones ni la langosta, pues el hervor del agua reduce sustancia y sabor y endurece un poco la carne. Prefiero asarlos en el horno, o en pincho. Para el camarón bastan cinco minutos al pincho. La langosta once minutos si es al horno, seis minutos al pincho sobre brasa. De aliño, sólo mantequilla, ajo y limón. La buena comida es una comida sencilla. Considero a los cocineros internacionales derrochadores de recursos; un consomé desperdicia gran parte de los subproductos al incluir la cáscara de huevo; debe usarse solo la clara, para poder usar después en un pastel u otra cosa la masa de carne y vegetales que quede. Uno de estos cocineros, muy famoso, es cubano. Estuvo preparando no hace mucho pescado al ron y otras mezclas, en ocasión de la visita de una delegación. Lo único que me gustó fue el consomé de tortuga, pero con los desperdicios señalados.

Se vuelve hacia Joelmir Beting:

—¿Cómo es tu ritmo diario de trabajo?

—Una hora y media de programa de radio todas las mañanas. Media hora de televisión por la noche. Y redacto una columna de comentarios económicos editada diariamente en 28 periódicos brasileños.

De nuevo Fidel le dice:

—¿Y cómo encuentras tiempo además para leer e informarte? Todos los días dedico una hora y media a la lectura de los cables internacionales, de casi todas las agencias. Me llegan mecanografiados en una carpeta, con un índice de su contenido. Los cables se agrupan según un orden temático: todo lo concerniente a Cuba, luego la cuestión del azúcar, fundamental en nuestras exportaciones, la política norteamericana, etcétera. Si leo que se ha descubierto en algún país un nuevo medicamento o equipo médico innovador y de gran utilidad, mando a solicitar rápido información sobre el mismo. No espero las revistas médicas especializadas, que demoran de seis meses a un año para salir con la información pertinente. Esta semana supe que se desarrolló en Francia un nuevo equipo para destruir las piedras del riñón con ultrasonido, mucho más económico que el producido en la RFA; dos días después un compañero partió para París para recoger información. También hemos pedido información sobre un nuevo medicamento recién descubierto en Estados Unidos que interrumpe el infarto. La salud pública es uno de los sectores que yo sigo de cerca con mucho interés. Las investigaciones científicas dentro y fuera de Cuba, los problemas económicos nacionales e internacionales también. Desgraciadamente, el tiempo no alcanza para recoger y analizar todas las informaciones que a uno le interesan. Quería actualizarme mejor para esta conversación contigo y mandé a buscar todas las noticias económicas internacionales importantes de los últimos dos meses. ¡Recibí cuatro volúmenes de 200 páginas cada uno! No es fácil seguir la dinámica de los acontecimientos, las aventuras del dólar y las consecuencias en la economía mundial de la nefasta política económica de Estados Unidos.

Joelmir Beting dice:

–El dólar es hoy una moneda de intervención y no de referencia. Intervención armada en nuestros países. La subida del dólar refleja la ruina de la economía de los Estados Unidos. La referencia del rublo es el oro. El rublo tiene respaldo, el dólar no. Por eso la Unión Soviética se ve perjudicada por la valorización del dólar, desde que Nixon cortó, por teléfono, el respaldo en oro de la moneda norteamericana. De cierta manera, esa moneda, que hoy compra el mundo, es una moneda falsa. Hoy, es un misterio la cantidad de dólares que hay fuera de los Estados Unidos.

Fidel hojea la carpeta con la transcripción de los cables internacionales del lunes. Según él, la carpeta no está muy gruesa, porque los políticos y periodistas no tienen por costumbre trabajar los fines de semana.

–Nadie sabe la computadora que el hombre tiene en la cabeza –dice–. Muchas veces me pregunto por qué tanta gente se dedica a la política. Es una tarea ardua. Sólo vale la pena si se pone en función de algo útil, si puede resolverse realmente algún problema. En conversaciones como ésta, con visitantes, trato de aprender. Trato de conocer lo que pasa en el mundo y particularmente en América Latina.

–Usted, como Comandante en Jefe, tiene bajo su responsabilidad la administración de Cuba y las relaciones internacionales –observa Joelmir Beting–. ¿Serían necesarios dos comandantes?

–Todo aquí está descentralizado y obedece a planes bien hechos. Y existe un grupo central que facilita la administración. Antes era una verdadera lucha romana, cada organismo, cada ministerio, en lucha con la Junta de Planificación, disputando asignaciones. Ahora todo es responsabilidad de todos. El Ministro de Educación también participa en las decisiones fundamentales concernientes al plan, al igual que el de Salud Pública y los demás organismos de servicios, lo mismo que los económicos. Y las decisiones son rápidas, sin burocracia. Para tomarlas no necesitan hablar conmigo, sólo si fuera algo muy importante o cuando se trata de algún área que yo sigo de cerca, como es el caso de la salud.

–¿O una obra de choque como la central nuclear?

–Me di cuenta de que esa obra se estaba atrasando. Una cuestión de método de control. El equipo responsable tenía sus reuniones de evaluación trimestrales. Supe, por ejemplo, que la alimentación, el transporte y otras condiciones de vida material de los obreros no recibían toda la atención necesaria. Hice una visita acompañado de un equipo de colaboradores. Pregunté por las condiciones de vida en la obra, por la calidad de la ropa y el calzado de trabajo, del transporte que los llevaba a visitar a sus familiares, los suministros materiales de la obra, los déficit de equipos de construcción y otros aspectos. Lo que me interesa es la atención al hombre. Un trabajador siente más amor por su obra si dispone de condiciones dignas, y se le demuestra el aprecio a su trabajo y la constante preocupación por sus problemas materiales y humanos. Vi que los transportaban en camiones a las provincias de donde proceden. Pregunté: ¿cuántos ómnibus hacen falta, treinta? Vamos a hacer un esfuerzo para obtenerlos. Utilizaremos los que tenemos de reserva. Hice sugerencias, di incluso la idea de organizar una base de campismo en el área de la obra, de manera que los familiares puedan visitarlos y descansar con ellos en las proximidades de su propio lugar de trabajo. Los organismos que atienden esa obra necesitaban, desde luego, recursos y un apoyo más directo; lo recibieron.

Fidel enciende su pequeño tabaco con una fosforera plateada de gas. Pasa sus dedos finos por las canas de la barba, y continúa:

–Trabajo directamente con un equipo de veinte compañeros, de los cuales diez son mujeres. Forman un grupo de coordinación y apoyo. Cada uno trata de saber lo que ocurre en los principales centros de trabajo y de servicios del país, mediante el contacto con ellos. Sin entrar en choque con los ministerios, ese equipo facilita la agilización de las decisiones. Son personas y no departamentos. Cuando visité la central nuclear y supe de las reuniones trimestrales, señalé que el curso de la obra no podía esperar ni un mes, mucho menos tres. Las reuniones eran un inventario de dificultades que debían resolverse rápidamente. Ahora, todos los días, la obra tiene que informar del curso de los trabajos a la oficina del equipo, qué problemas tienen, etcétera. Sistemáticamente son visitados por un miembro del equipo especializado en esta tarea. Los problemas no pueden esperar, se deben solucionar inmediatamente. Así hacemos con otras obras importantes y decisivas.

–En Cienfuegos –interviene Joelmir Beting– me di cuenta de que, para el personal de la obra, es una gran motivación saber que el Comandante va siguiendo de cerca el trabajo.

–No hay ningún despacho del mundo con menos personas que el mío. ¿Con cuántos funcionarios tú trabajas? –le pregunta Fidel a Chomi, Secretario del Consejo de Estado y colaborador cercano de Fidel.

–Con seis personas –responde el ex Rector de la Universidad de La Habana.

El periodista brasileño pregunta:

–¿Quién es la fuerza arbitral en la demanda de recursos?

–Antes era la Junta de Planificación. En la actualidad está más descentralizada. El Poder Popular, por ejemplo, administra las escuelas, los hospitales, transporte, comercio, prácticamente todos los servicios locales. El Poder Popular de una provincia como Santiago de Cuba, por ejemplo, elige al director del hospital. Lógicamente se consulta al Ministerio de Salud Pública, que le ofrece cuadros profesionales y la metodología de trabajo en el hospital.

–¿Esa descentralización es un hecho nuevo?

–No, aquí siempre dividimos las funciones y atribuciones.

–¿Ese es el modelo cubano?

–En ese modelo hay mucho de cubano. El sistema electoral, por ejemplo, es totalmente cubano. Cada circunscripción electoral, aproximadamente 1 500 habitantes, elige al delegado del Poder Popular. Los vecinos postulan y eligen candidatos sin intervención del Partido. Ellos son los que proponen a los candidatos, como máximo ocho y como mínimo dos. El Partido no se inmiscuye en eso; garantiza sólo el cumplimiento de las normas y los procedimientos establecidos. El día de las elecciones, cada dos años y medio, quien obtiene más de un 50 por ciento de los votos está electo; si no ocurre así hay una nueva vuelta. Esos delegados electos forman la Asamblea Municipal y eligen al Comité Ejecutivo municipal. Inmediatamente esos delegados, junto al Partido y las organizaciones de masas, participan en la promoción de las candidaturas para la elección de los delegados a la Asamblea Provincial y de los Diputados a la Asamblea Nacional, integrada por 500 parlamentarios. Más de la mitad de los Diputados de la Asamblea Nacional provienen del Poder Popular, salen de la base. Y en la circunscripción hay reuniones periódicas en las que los vecinos discuten, en presencia de los delegados que eligieron, cómo están actuando éstos, e incluso pueden revocarlos.

–Cuando visité un hospital, vi que las madres tienen el derecho de acompañar a sus hijos enfermos –observa Joelmir Beting.

–Para un niño enfermo –explica Fidel Castro– la mejor enfermera del mundo es su madre. Antes no podían entrar y se quedaban en la puerta del hospital, ansiosas, esperando noticias de los hijos. Se suponía que las madres, como no poseían conocimientos técnicos, podían dificultar el tratamiento médico. Hace muchos años adoptamos otro sistema que ha dado grandes resultados. En cualquier hospital pediátrico la madre tiene derecho a acompañar al hijo ingresado, recibe la ropa adecuada para estar en el hospital y recibe gratuitamente la alimentación. En el último congreso de las mujeres cubanas, celebrado en marzo de este año, las madres solicitaron que se concediera a los padres el mismo derecho. Muchas veces una mujer, ocupada con otros hijos, no puede estar en el hospital acompañando al que está enfermo. Ya se está estudiando esa solicitud. Incluso estamos analizando, porque también ha sido solicitado por las mujeres, la posibilidad de que los hijos, hermanos o padres acompañen a un familiar hospitalizado. Antes sólo se permitía a las mujeres; estas estiman que tal práctica hace recaer sobre ellas casi todo el trabajo familiar, limitando sus posibilidades en el desempeño de sus actividades en el trabajo, y dificultando su promoción social. Hoy las mujeres constituyen ya el 53 por ciento de la fuerza técnica del país.

–El nuevo Plan Quinquenal 1986-1990, ¿tiene innovaciones en su metodología?

–Si, hay más racionalidad. Se da prioridad a lo económico, fundamentalmente a los productos de exportación. Puede que una provincia quiera construir un nuevo estadio deportivo o un teatro. Sin embargo, la construcción de una fábrica que ayudará a aumentar las exportaciones tiene prioridad. Se construyen el estadio y el teatro cuando es posible, pero nunca a costa de una obra económica priorizada.

De esta manera, ningún aspecto del Plan es resultado de la disputa entre organismos del Estado. Se sigue una política global, racionalizada, asumida por todos los organismos. Se evita la lucha del Ministerio de Educación, por ejemplo, con la Junta de Planificación. El Plan establece la planificación, priorizando sectores, y de esta manera organiza la distribución de los recursos. El hecho de que hayamos construido en estos 26 años casi todas las obras sociales necesarias en los sectores de educación, salud, cultura y deporte nos permite ahora realizar el grueso de las inversiones en proyectos económicos, sin sacrificar el desarrollo social. Los servicios sociales crecerán sobre todo en calidad, y no tanto en instalaciones nuevas, aunque se siga construyendo un cierto número de éstas.

Con voz pausada, clara, indaga Joelmir Beting:

–¿Se realiza en Cuba la proyección social?

–Sí, en lo esencial –responde el Presidente del Consejo de Ministros.

–¿Existe una capacidad ociosa en el sector de la salud?

–Estamos invirtiendo, como señalaba, para mejorar la calidad, como es el caso de la construcción de hospitales pediátricos. Creamos el médico de la familia, que atiende directamente a un grupo de familias en su área de residencia. Este no es el médico que atiende la enfermedad, es el médico que está al cuidado de la salud, pues orienta a la familia en las medidas preventivas. En la Isla de la Juventud, que ustedes visitaron, hay escuelas secundarias con estudiantes de 22 nacionalidades diferentes. Al comienzo, teníamos temor de que introdujeran enfermedades que ya estuvieran erradicadas aquí o incluso desconocidas. Se ha tenido un éxito completo en eso y se ha demostrado que cualquiera de las enfermedades que constituyen azotes en África u otros continentes son absolutamente controlables por la ciencia médica y los medicamentos modernos. Aunque se hacen exámenes médicos antes de venir de sus países, si algún caso a pesar de eso vino enfermo, nunca se devolvió a su país. Fue atendido y curado en Cuba. Afortunadamente, en nuestro país no existen vectores de la mayor parte de esas enfermedades. Nuestro Instituto de Medicina Tropical ha hecho grandes avances en este campo, lo que sirve también para proteger a los cubanos que trabajan en el Tercer Mundo. En la Isla de la Juventud los recursos nutritivos de los alumnos son superiores al promedio nacional en las demás escuelas. Gracias a esas iniciativas, como dije, nunca tuvimos que devolver a un estudiante a su país de origen por problemas de salud. Gozan realmente de una salud espléndida, y están muy fuertes.

–Obtenida la cantidad, ustedes invierten en la calidad.

–La Revolución ha creado la base material. Existen sectores que aún son deficitarios, carentes, y exigen grandes inversiones, como es el caso de la vivienda, aunque estamos avanzando. Actualmente se construyen más de 70 mil viviendas por año.

–¿Y cómo está el transporte?

–Durante los diez primeros años de la Revolución no importamos automóviles. El bloqueo económico y comercial al que fuimos sometidos, y nuestras propias prioridades, dirigieron los recursos a otros sectores, como la salud y la educación. El automóvil que se importa aquí, no puede ir en detrimento de exigencias sociales. Actualmente ingresan alrededor de 10 mil por año, y se les da prioridad en la venta a los especialistas, técnicos y trabajadores más destacados.

–¿Y el transporte colectivo?

–Importamos los motores, alguna que otra pieza, y construimos el resto del ómnibus aquí. Actualmente estamos desarrollando la producción de motores. Y de cada tres automóviles que llegan, dos son asignados para su venta a trabajadores directamente vinculados a la producción y los servicios; se les venden casi al precio de costo, en un período de hasta siete años, con un interés mínimo. La asamblea de los trabajadores de cada centro decide quién los merece. Una parte de los autos que se importan se destinan, por supuesto, a los servicios de alquiler y a la administración del Estado.

—¿Existe la propiedad privada en el campo?

—Sí, tenemos todavía casi cien mil agricultores independientes. Cultivan café, papa, tabaco, hortalizas, un poco de caña y otros productos. En la actualidad, más de la mitad de los productores independientes, que eran 200 mil, se han organizado en cooperativas de producción, que han tenido gran éxito. Sus ingresos son altos. Su incorporación a cooperativas es absolutamente voluntaria. Ese movimiento marcha sobre bases muy sólidas. Esto evita al Estado movilizar mano de obra para ayudarlos en las cosechas, como se hacía antes. Por otra parte, la cooperativa introduce mejoras en la calidad de la vida de los agricultores. Facilita la construcción de escuelas, nuevas viviendas, agua potable, electrificación, etcétera. Más del 85 por ciento de las viviendas del país están electrificadas. Los créditos y los precios los fija el gobierno a niveles estimulantes para los productores. El excedente de la producción recibe un precio aún más alto y se destina al mercado paralelo. No cobramos impuestos a los campesinos y, como todo cubano, sus familias tienen derecho a la salud y a la educación gratuitas. Los cooperativistas tienen ingresos anuales equivalentes de 3 mil a 6 mil dólares, superiores a los de los productores individuales, cuyo costo de producción en parcelas aisladas es más alto y sus actividades productivas más difíciles de mecanizar. Desde el comienzo de la Revolución creamos aquí cooperativas de crédito y servicio. Servicio es todo lo referente a instrumentos de trabajo como tractores, silos, camiones, combinadas, etcétera. Ahora las cooperativas de producción son propietarias de esos equipos.

—¿Un agricultor puede contratar mano de obra?

—Puede, según las leyes del país, que protegen a los trabajadores. Para cortar más de 70 millones de toneladas de caña anualmente, hoy necesitamos solo 70 mil macheteros, gracias a la mecanización progresiva. Hace 15 años se empleaban 350 mil. La mayoría de esa mano de obra es suministrada por los propios trabajadores agrícolas. Casi no hay que movilizar voluntarios, y hace ya muchos años no tene-

mos que movilizar soldados o estudiantes de nivel medio superior para esas tareas. Nuestro problema en Cuba no es el desempleo; por el contrario, en la mayoría de las provincias tenemos escasez de mano de obra.
 –¿Los estudiantes ya no participan en la actividad productiva? –pregunto yo.
 –En las escuelas en el campo, sí. Tenemos alrededor de 600 escuelas de ese tipo con más de 300 mil alumnos. Han sido un éxito extraordinario. En las ciudades, los alumnos de nivel medio pueden ir voluntariamente 30 días al campo cada año. Más del 95 por ciento lo hace. Ellos ayudan a las cosechas de vegetales, cítricos, tabacos y cultivos por el estilo. Si una sociedad universaliza el derecho al estudio, debe universalizar el deber del trabajo, o de lo contrario se podría crear un pueblo de intelectuales ajeno por completo al trabajo físico y a la producción material. Un ejemplo de esa combinación estudio-trabajo son las escuelas de la Isla de la Juventud. Mucho de lo que se ha hecho allí se basa en mi propia experiencia. Estuve doce años en un colegio interno. Sólo podía ir a mi casa cada tres meses. Se nos prohibía salir del colegio, incluso los domingos. No había educación mixta. Ahora en la Isla de la Juventud, en una misma escuela, se encuentran muchachos y muchachas. El espacio es abierto, no hay muros, pueden salir al exterior todos los días a sus actividades productivas, deportivas o culturales. No sólo se dedican a estudiar, como en mi época, lo que resultaba tedioso, a veces insoportable, y el rendimiento académico era muy inferior. No obstante, el objetivo principal del trabajo de los estudiantes es pedagógico y no productivo. En la actualidad tenemos en el país un millón de estudiantes en el nivel secundario. El 92 por ciento de los jóvenes de 6 a 16 años está en la escuela. La matrícula del nivel medio ya se equipara a la del primario, donde están prácticamente el ciento por ciento de los niños de 6 a 12 años.
 Hago una breve intervención:
 –El socialismo, con la erradicación de los antagonismos económicos, acaba con las diferentes clases sociales, lo que

es un fenómeno objetivo, pero no reduce necesariamente la diferencia social, vista desde su ángulo subjetivo. Quien sólo se dedica al trabajo intelectual se puede sentir superior a los trabajadores directos.

Fidel toma nuevamente la palabra:

–Sí, por eso es importante que el trabajo manual sea tarea de todos. Además de pensar, las personas necesitan saber hacer las cosas. "Hacer es la mejor manera de decir", afirmaba Martí. Por eso, los estudiantes de la ciudad van 30 días al campo. Antes iban 42 días, pero hay ya muchos estudiantes y no suficientes lugares donde enviarlos. Los que van, lo hacen voluntariamente. No obstante, el índice llega, como dije, al 95 por ciento. Los servicios de educación y salud emplean hoy más de 600 mil trabajadores, en una población de 10 millones de habitantes. Es como si Brasil tuviera 8 millones de personas en esas actividades. La mayoría son mujeres. O sea, por cada cien ciudadanos, seis personas se ocupan de la educación o de la salud.

–¿Existe una superoferta de médicos en Cuba, o escasez de enfermos? –quiere saber Joelmir Beting.

–Antes de contestarte quería añadir que tenemos 3 millones de trabajadores en todo el país. Un profesor por cada 12 estudiantes aproximadamente. Treinta mil alumnos en las escuelas que forman exclusivamente profesores de primaria. Hace quince años, el 70 por ciento de los profesores primarios no eran diplomados, hoy todos son graduados. Hemos creado una reserva de profesores de primaria. Diez mil de ellos no están impartiendo clases: reciben sus salarios y se perfeccionan en cursos universitarios. Un profesor cubano de primaria ya ha estado nueve años en el nivel primario, cuatro en el secundario, y tiene hoy la oportunidad de hacer seis en el universitario cuando empieza a trabajar en la escuela, mediante cursos dirigidos una parte del tiempo y a tiempo completo, con salario, durante dos años, para obtener la licenciatura de Maestro Primario. Nuestro proyecto es que, en un futuro cercano, todos los profesores de primaria sean graduados universitarios. Tenemos ya 20 500 médicos y graduaremos 50 mil en los próximos quince años Ya sabemos dónde van a trabajar cada uno de ellos. Pensamos también introducir el año sabático para los médicos: cada siete años de trabajo, un año de estudio en tiempo completo. Nunca sobrarán médicos, si existe un programa de salud ambicioso y una planificación adecuada de los servicios y de la formación de cuadros técnicos.

–¿La burocracia es la enfermedad congénita del socialismo? –pregunta el periodista brasileño, con un poco de ironía.

–La burocracia es un mal de los dos sistemas, tanto del socialismo como del capitalismo. Como podemos utilizar mejor los recursos humanos, creo que vamos a ganar esta batalla. A mi entender, lo más irracional del capitalismo es la existencia del desempleo. El capitalismo desarrolla la tecnología y subutiliza los recursos humanos. Puede ser que el socialismo no utilice los recursos humanos de manera óptima todavía; sin embargo, no somete al ser humano a la humillación del desempleo, y vamos avanzando cada vez más en eficiencia y productividad del trabajo.

Ya es más de la 1:00 de la madrugada. Fidel se levanta y comienza a caminar de un lado para otro, pensando en voz alta cómo organizará su día siguiente –el último de Joelmir Beting en Cuba– para continuar conversando con el visitante brasileño. Acuerda con él una entrevista por la tarde y otra por la noche.

# 3

Martes, 14 de mayo de 1985. A las 16:00 horas, Fidel Castro nos recibe a Joelmir Beting y a mí en su despacho del tercer piso del Palacio de la Revolución. Por los pasillos, el Presidente del Consejo de Estado nos conduce a un conjunto de salas donde trabaja su Equipo de Coordinación y Apoyo. Nos presenta a casi todo el grupo, explicando la responsabilidad de cada uno. El periodista brasileño pregunta sobre las importaciones de petróleo, materia prima básica del sistema energético de la isla.

–Una parte de la electricidad la producimos con bagazo en período de zafra –responde Fidel–. Todos los centrales azucareros funcionan con bagazo de caña. En nuestro país se producen 20 millones de toneladas de bagazo, equivalentes a más de cuatro millones de toneladas de petróleo. Aprovechamos el ciento por ciento del bagazo. Tenemos cinco fábricas produciendo madera con bagazo. Varias fábricas de papel hecho a partir del bagazo. Aquí no vamos a producir alcohol para alimentar automóviles con fines recreativos. Utilizamos la miel como alimento animal y la producción de proteínas; además, es la materia prima para producir el ron y el alcohol de uso doméstico o industrial.

–¿Y el mosto? –indaga el comentarista de la TV Bandeirantes.

–Se está usando mucho en la alimentación animal. Lavan el mosto, lo secan al sol y se lo dan al animal. Diez fábricas producen piensos a partir de la miel. Por un proceso especial de fermentación se obtiene hasta el 50 por ciento de proteínas. Sirve para la alimentación de aves, de cerdos y de ganado. Cambiamos una tonelada de ese alimento animal por una tonelada de leche en polvo a la República Democrática Alemana.

–He oído decir –afirma Joelmir Beting– que, debido a una ley de protección del medio ambiente, a partir de 1986 todo automóvil que transite en los Estados Unidos consumirá alcohol de yuca como combustible, que costará 45 centavos de dólar por litro. Brasil estaría en condiciones de situar alcohol en los puertos norteamericanos a 30 centavos dólar el litro, pero la legislación de ese país lo impide para defender la industria local. Brasil produce en la actualidad 2 500 litros de alcohol de caña por hectárea, lo que corresponde al consumo de un carro por año.

Fidel toma la palabra nuevamente:

–¡Me imagino cuántas hectáreas son necesarias para tantos carros! Es triste pensar que tanta tierra sirve para alimentar carros y no personas.

Mi compañero de viaje explica:

–Son cuatro millones de hectáreas de caña para producir 10 mil millones de litros de alcohol por año, lo que representa, para el país, un ahorro de 600 millones de dólares al año.

–Cuba produce más de ocho millones de toneladas de azúcar al año, en un área de 1 800 000 hectáreas. Queremos extender esa área en 200 mil hectáreas más.

–Brasil importa trigo –dice Joelmir–. Gasta en eso el doble de lo que economiza con la producción de alcohol, es decir, 1 200 millones de dólares por año. Si Brasil destinara un millón de hectáreas al trigo, ahorraríamos más de lo que ahorramos con los 4 millones de hectáreas de caña para alcohol. El pro trigo, que no existe, sería más lucrativo que el pro alcohol. Desgraciadamente, para el gobierno brasileño la energía de la máquina es más importante que la energía del hombre.

–Es en esa energía humana donde primero invertimos aquí en Cuba.

Más adelante explica:

—En la actualidad estamos construyendo 157 nuevas obras en el sector de la salud. Tenemos más de 20 mil estudiantes en Medicina. Cada año ingresan más de 5 500 jóvenes escogidos por vocación y expediente en esa carrera.

El Comandante en Jefe nos invita a pasar a una pequeña sala al lado de su despacho. Dos personas trabajan rodeadas de minicomputadoras IBM. Allí está la memoria del Gobierno cubano. Todos los datos debidamente computados, incluso el nombre, por especialidad, de los 500 mejores médicos del país. A petición de Fidel, la compañera que opera las máquinas toca las teclas con sus dedos finos y largos. Los datos aparecen en varios colores: La Habana tiene hoy 1 902 173 habitantes. La capital de Cuba dispone de 7 856 médicos, 10 481 enfermeras y 11 136 técnicos de la salud; un médico por cada 242 habitantes, una enfermera por cada 181 habitantes. En el país hay 20 403 médicos, para una población exacta de 9 952 699 habitantes. Pediatras hay 1 880, uno por cada 1 500 niños.

A la salida del local de las computadoras, Fidel Castro nos invita a ir a la sala donde están reunidos todos los ministros del sector económico. Nos presenta e intercambia algunas informaciones sobre la preparación del Tercer Plan Quinquenal. Son casi las 18:00 horas cuando salimos del Palacio de la Revolución. Dentro de pocos minutos el Comandante debe asistir al acto solemne en conmemoración de los 40 años de la victoria de los aliados en la Segunda Guerra Mundial, que se realizará en el nuevo edificio de la Embajada de la Unión Soviética.

# 4

A las 10:30 de la noche del mismo día, Fidel Castro nos recibe de nuevo en su despacho. Joelmir Beting debe partir de Cuba a la mañana siguiente y es la última oportunidad de conversar en este viaje. En el despacho están, además, ocho ministros del área económica y Carlos Rafael Rodríguez, Vicepresidente del Consejo de Estado. Junto a la pared, frente a la mesa rectangular de reuniones, una pizarra y una tiza, que el anfitrión pone a disposición del periodista brasileño. Preparándose para esta conversación, Joelmir Beting había leído las entrevistas más recientes de Fidel Castro sobre el problema de la deuda externa del Tercer Mundo y en especial la de América Latina, incluso la que diera al periódico *Excélsior* de México, donde el dirigente cubano destaca que la deuda es impagable.

–La solución política de la deuda externa –dice el periodista especializado en cuestiones económicas– exige cambios en la legislación bancaria de los Estados Unidos y de Europa. Cambios en el bloque acreedor. La participación del Parlamento es fundamental. Por eso, Fidel debe enviar sus sugerencias a los Parlamentos. Cuba debe lanzar un documento sobre la cuestión de la deuda externa. El problema no se resolverá si no hay una negociación de gobierno a gobierno, y no de gobierno a banquero acreedor. En la actualidad, el entendimiento no se produce entre Brasilia y Washington, sino entre Brasilia y Wall Street. De esta manera, el Gobierno norteamericano se lava las manos y sólo participa a través del Fondo Monetario Internacional, que es un fiscal de los bancos. El FMI debería ser un foro de gobierno a gobierno. Hoy, el dólar no es ya una divisa de referencia, sino un instrumento de intervención en las relaciones económicas mundiales. En realidad, el dólar es una moneda falsa, porque no tiene respaldo en la economía norteamericana. No tiene respaldo en el producto interno bruto de los Estados Unidos. Es como si los Estados Unidos estuvieran comprando el mundo con una moneda falsa. Es un fenómeno que el propio capitalismo no registraba. La última impugnación a este fenómeno ocurrió con el general De Gaulle, y no se logró ningún resultado.

Fidel pone en el platico su taza de té:

—América Latina tomó prestados dólares devaluados y ahora debe pagar con dólares de mayor valor.

—Eso es piratería financiera, por no decir otra cosa —replica Joelmir—. La propuesta de un nuevo orden económico debe vincular el comercio y la deuda, cosa que no admiten los siete grandes del mundo capitalista, reunidos ahora en Bonn. Es necesario proteger al Tercer Mundo del monopolio tecnológico de los países ricos. En el sector de la informática, Brasil acaba de aprobar una legislación de reserva de mercado.

—¿Qué significa eso? —pregunta Fidel.

—Significa que ninguna industria extranjera puede construir una fábrica de minicomputadoras y de computadoras personales en Brasil. Tiene que ser capital nacional.

—¿Cuándo fue eso?

—En septiembre último.

—¿Con qué objetivo?

—Proteger la creación tecnológica y el mercado interno para industrias nacionales.

El invitado brasileño escribe en la pizarra el número 12 y continúa:

—Brasil necesita pagar intereses de 12 mil millones de dólares en este año 1985. La mitad podría capitalizarse en la deuda como "dinero nuevo" y sólo enviar el resto. En vez de pagar todo se debería transformar esa capitalización en capital de riesgo de las multinacionales. Por ejemplo: van a abrir una fábrica de automóviles en Brasil. En vez de hacer una inversión directa, utilizan una parte de los intereses capitalizados. Por tanto, la deuda de Brasil pasa a la General Motors, desde el momento que cree una fábrica de automóviles en Brasil.

–El dinero que Brasil debe pagar, no se paga. Se aplica en Brasil como una inversión de las transnacionales. ¿Es eso? –pregunta Fidel.

– Si.

–¿Tú viste lo que dijo Alfonsin en Chicago? Que deberían reinvertirse en Argentina los intereses que esta nación debe pagar por la deuda. ¿Es eso mismo?

–Si. Pero hay un problema físico: los Estados Unidos fijan la tasa de intereses. Los bancos establecen la tasa de intereses, que es la tasa de retorno del capital. Hecha la conversión de eso para capital de riesgo, quien fija la tasa de remesa de ganancias es Brasil y no los bancos.

–¿Qué cantidad de remesa de ganancias permite Brasil en la actualidad?

–La Fiat italiana hizo una inversión de 680 millones de dólares en Brasil; no como una inversión directa pero sí como un empréstito de la matriz italiana a la filial brasileña, a través de un banco. Una operación triangular. Sobre esa deuda, la Fiat envía intereses de la filial a la matriz y paga a Brasil sólo el 12,6 por ciento del impuesto de renta.

–¿Paga el 12,6 por ciento en la remesa de intereses? –pregunta el dirigente cubano.

–Si, si la Fiat hiciera la remesa de ganancias, y no de intereses, tendría que pagar el 35,7 por ciento de impuesto a Brasil. La remesa de ganancia y el capital de riesgo directo pagan el 35 por ciento de impuesto. Los intereses sobre la deuda pagan sólo el 12 por ciento. Por tanto, la Fiat solamente hará la conversión de la deuda en capital si Brasil cambia su legislación fiscal a favor del capital, y no de la deuda.

—Se trata de librarse del impuesto y pagar lo menos posible —comenta Fidel.

—Así es. Sólo habrá capitalización de intereses si ocurriera una reducción de la carga fiscal sobre el capital directo, pues el retorno de la inversión directa se tasa en un 35 por ciento de impuesto, y el retorno del empréstito en un 12 por ciento.

—¿Brasil no le pone límites al capital que retorna, le impone un impuesto?

—Así es.

—¿Cuál puede ser la ganancia de esos 680 millones de dólares?

—Puede ser del 5 al 8 por ciento al año.

—Es baja —observa Fidel Castro—. Eso no estimula las inversiones.

—Es baja porque el costo financiero de la filial para la matriz es alto. La Fiat tiene que pagar intereses a la matriz. Y lanza ese costo en la contabilidad de Brasil.

—¿Qué cantidad de ganancias eso genera, en las condiciones actuales? ¿Con la inversión de casi 600 millones de dólares, qué retorno trae para la matriz? Supongamos una inversión directa, sin el banco.

—En el caso de la Fiat, 8 por ciento sobre las ventas totales.

—¡Sobre las ventas totales! —exclama el anfitrión—. ¿Cuánto será en proporción con los 680 millones de dólares? ¿Menos del 10 por ciento?

—Menos del 10 por ciento. Ocho por ciento líquido.

—Con tan bajo reembolso por el capital invertido, ¿qué estímulo pueden tener las transnacionales para invertir en Brasil?

—El estímulo es la ocupación del mercado, en la primera etapa. Hay una capacidad ociosa mundial y Brasil ocupa un mercado importante de América Latina, que puede ser un mercado trampolín para el resto del continente. Brasil tiene una legislación de capital extranjero muy liberal. El costo financiero es una ganancia camuflada, clandestina, porque el retorno del capital es hecho como deuda. Para la matriz es el mismo capital que retorna. La matriz es la acreedora de la filial. Se trata de una reciente invención del capitalismo internacional en Brasil. Todas las transnacionales, en Brasil, deben a sus matrices 18 mil millones de dólares, a través de los bancos.

–¿Eso no está computado en la deuda externa? –pregunta Fidel mientras enciende un pequeño tabaco.

–Sí, representa la quinta parte de la deuda.

–¿Porque se supone que ese dinero fue prestado?

–Sí, por la matriz a la filial, mediante los bancos.

–¿En Corea del Sur, qué cantidad de ganancias traerían esos 600 millones de dólares?

–El triple.

–¿Por qué allá invirtieron tanto? ¿Por eso? ¿Por qué las transnacionales invirtieron tanto en Taiwán y en Corea del Sur?

–Porque son una especie de zona franca fiscal.

–¿Allá deben ganar más del 20 por ciento de lo que invirtieron?

–Más –afirma Joelmir Beting.

–¿Más del 20 por ciento?

–Sí, después de un período de madurez.

–¿Y en Brasil, mucho menos?

–Mucho menos.

–Entonces, ¿por qué invirtieron tanto en Brasil en estos últimos años? ¿Qué fue lo que los motivó?

–La motivación es el potencial de mercado. Es la escala de mercado. Brasil es una *Belindia:* Bélgica más la India. Es una isla de contrastes. Dentro de Brasil tenemos 32 millones de consumidores con la renta percápita de Bélgica. Es un gran mercado. Se fabrican un millón de automóviles anualmente. Es el séptimo mercado de automóviles del mundo.

–Automóviles de lujo –subrayo.

–Se fabrican televisores y equipos electrodomésticos. Son 32 millones de consumidores en una población de 133 millones.

–Los consumidores no llegan a un 25 por ciento de la población –observa el Comandante–. Me dijeron que el 10 por ciento de la población poseía más del 50 por ciento de la renta nacional. Es decir, una cuarta parte de los brasileños constituye un importante mercado masivo. ¿Cuántos están fuera de ese mercado?

–El resto.

–¿Cien millones?

–Sí, cien millones están literalmente fuera.

–Y en esos cien millones, ¿cuántos están en la esfera de la miseria?

–Treinta millones en estado de miseria absoluta. En pobreza relativa, 40 millones. Ya suman 70 millones. Los 32 millones que están en el límite forman un mercado de patrón internacional. Entre los 70 millones de pobres y los 32 millones de consumidores, hay una clase trabajadora que sobrevive de lo esencial. Los 70 millones de pobres son 70 millones de prisioneros políticos del sistema. Este estado de miseria absoluta equivale a lo más malo que hay en la India: hambre, enfermedad, desempleo permanente. Hay 18 millones de niños menores de 10 años sin casa y sin familia. Niños abandonados, como perros callejeros, diseminados por todo Brasil.

Agrego un dato:

–Sesenta y cuatro millones de brasileños tienen menos de 19 años.

–¿Esos niños abandonados provienen también de las familias de los 30 millones de trabajadores? –pregunta Fidel intrigado.

–No, provienen sólo de los 70 millones de personas –explica el periodista económico.

–¿Es de ahí de donde salen los 18 millones de niños abandonados?

–Sí, de esa India. Pero en la Bélgica de 32 millones hay un mercado masivo mayor que el de Argentina, de Uruguay y de México. Es el mayor mercado latinoamericano.

—¿Dónde están los médicos y los ingenieros brasileños?
—Entre los 32 millones.
—¿Y los profesores?
—También entre los 32 millones.
—¿Cuánto gana un maestro de primaria?
—Alrededor de 80 dólares.
—Es posible también que haya maestros de primaria entre los 40 millones en pobreza relativa —comenta el mandatario cubano.
—En los últimos cinco años de la gran crisis de la deuda externa, en esa clase de los 32 millones de brasileños hubo una pérdida de un 27 por ciento en el poder adquisitivo.
—¿Entre los 32 millones? ¿Y entre los 30 millones de trabajadores?
—Una pérdida del 12 por ciento.
Doy una estadística más:
—En la actualidad, hay en Brasil 12 millones de desempleados.
Fidel parece concluir:
—No se puede decir que hay grandes estímulos, ahora, para que las transnacionales inviertan en Brasil.
—Sí, debido al difícil problema de la deuda externa, de la transición del Gobierno y de la posibilidad de una gran confusión internacional.
—¿Usted tiene el dato de las inversiones de las transnacionales en el mundo? Me parece que están alrededor de los 600 mil millones de dólares.
—No, son 930 mil millones de dólares.
—¿Llegan a 930?
—Sí, esa es la deuda externa del Tercer Mundo.
Fidel aclara:
—Ah, no, yo no pregunto por la deuda, sino la inversión directa.
—Llegaba a 640 mil millones de dólares en 1982.
—El 75 por ciento de eso está en los países industrializados.
—Sí —asiente Joelmir Beting.

–Unos 150 mil millones en el Tercer Mundo.
–Aproximadamente.

Hay un receso para el café, e inmediatamente Fidel Castro concede al periodista brasileño una larga entrevista, exclusiva, relacionada con el análisis y la propuesta cubanas en la cuestión de la deuda externa de los países pobres. Presencio la entrevista, sin tomar notas. La divulgación de ese material está a cargo del entrevistador, que me permite transcribir aquí la primera parte de su conversación con el dirigente cubano.

Son las 5:30 de la mañana. El anfitrión se levanta:

–Aún tengo que hacer ejercicios y comer algo. Llevo más de 15 horas sin probar absolutamente nada.

Entra por una puerta y nos invita a seguirlo. Entramos juntos en un elevador privado que nos deja en el garaje, en el sótano del Palacio de la Revolución. Entramos en el Mercedes-Benz que utiliza el Comandante y salimos por las calles de La Habana, aún oscuras en estos días que preceden al verano. Detrás del carro que nos lleva, otro Mercedes con escoltas. Poco después el carro se estaciona frente a la puerta de la casa en que nos hospedamos. Fidel Castro se baja, se despide calurosamente de Joelmir Beting, que dentro de dos horas debe estar en el aeropuerto, y también me extiende la mano. En la saleta de la casa, aún bajo la emoción del largo encuentro, Joelmir y yo tomamos un trago de whisky y comemos quesos cubanos. Afuera, la noche, ruborosa, se aleja ante la llegada discreta del día.

# 5

Después del regreso de Joelmir Beting a Brasil, comienzo a esperar el momento de ser llamado para entrevistar al Comandante. Una larga y demorada espera, como toda espera ansiosa. Mis padres y yo ocupamos los días visitando La Habana: Federación de Mujeres –donde nos recibió cariñosamente Vilma Espín–, un círculo infantil, la coordinación nacional de los Comités de Defensa de la Revolución. Paseamos por la parte céntrica de la ciudad, tomamos helado en Coppelia, la mejor heladería del mundo, donde sólo se utilizan productos naturales, hacemos compras en las tiendas de los hoteles internacionales, a las que sólo tienen acceso los turistas y donde se paga en dólares. En la visita al Arzobispo de La Habana, Jaime Ortega, mi madre obtiene una bellísima estampa en colores de la imagen de la Virgen de la Caridad, la patrona de Cuba, mulata como tantas Marías latinoamericanas y encontrada también, como Nuestra Señora Aparecida, en las aguas por pescadores pobres, en 1607.

Descarto la posibilidad de entrevistar a Fidel Castro el fin de semana. En la tarde del sábado, mis padres parten hacia la playa de Varadero, considerada la más bella de Cuba. No puedo acompañarlos porque, por la noche, doy una conferencia pública en el convento de los dominicos sobre "La espiritualidad de Jesús". Hay unas setenta personas en el salón, entre ellas algunos amigos comunistas: el brasileño Hélio Dutra y su esposa, Ela; la chilena Marta Harnecker, autora de varias obras sobre los fundamentos del marxismo;

Jorge Timossi, de la Casa de las Américas. Están también dos queridos amigos: Cintio Vitier, uno de los mejores poetas cubanos, y Fina, su esposa. Entre los sacerdotes presentes, se destaca la figura simpática del padre Carlos Manuel de Céspedes, Vicario General de La Habana y Secretario de la Conferencia Episcopal cubana. Hay también laicos, jóvenes y adultos, religiosos y seminaristas. Abordo el tema en el salón de conferencias del convento, que recuerda la memorable presencia de los frailes dominicos en Cuba, de Bartolomé de las Casas, defensor de los indios, de los fundadores de la Universidad de La Habana en 1728. Ahora en toda la isla hay sólo cinco frailes, dos de ellos en el convento del Vedado.

> Cuando oímos hablar de espiritualidad, el término nos evoca retiros espirituales, lugares alejados y tranquilos, santicos con fotos de crepúsculos en el mar o de lagunas que parecen espejos de agua. Vida espiritual es algo que suena contrario a la vida carnal, material, y que supone un alejamiento del mundo, de la rutina diaria, un privilegio raro para los pobres mortales que no disfrutan del recogimiento ofrecido por monasterios contemplativos. En la Iglesia hay innumerables "espiritualidades": la dominica, la franciscana, la ignaciana, la mariana, la de los cursillos de cristiandad, etcétera. ¿Qué significa, teológicamente, adoptar una espiritualidad? Significa adoptar un *modo de seguir a Jesús*. Podemos seguirlo a la manera de Francisco de Asís o de Teresa de Ávila, de Tomás à Kempis o de Teilhard de Chardin. Aunque entre las clases populares latinoamericanas se hayan desarrollado numerosas espiritualidades nativas, devocionales, romeras, en torno a Marías negras y morenas como la Caridad, la Guadalupe o la Aparecida, lo que predominó a nivel de la Iglesia institucional fueron las espiritualidades importadas de Europa, como también se importó la teología. En los colegios religiosos se enseñaba un modo europeo, burgués, de seguir a Jesús, en contradicción no sólo con nuestra realidad, caracterizada por flagrantes

contradicciones sociales, sino también con las propias exigencias del Evangelio. La dificultad que Roma demuestra en comprender mejor la Teología de la Liberación es el resultado de su incapacidad en admitir en la Iglesia otra teología que no sea la que se elabora en Europa. ¿Puede haber en una misma Iglesia diferentes enfoques teológicos? Cuando yo vivía en el monte de Santa María, en Victoria, un obrero vecino mío me pidió un libro que narrase "la vida de Jesús". Le di un ejemplar del Nuevo Testamento. Cuando me encontraba con él, le preguntaba: "Dígame, señor Antonio, ¿ya leyó la vida de Jesús?" Un día, me dijo: "Betto, me leí todos los evangelios y aprendí mucho. Pero te voy a confesar algo: encontré muy repetidas las historias de Jesús." Ese es un buen ejemplo de cómo, solamente en los Evangelios, hay cuatro teologías diferentes: la de Mateo, la de Marcos, la de Lucas y la de Juan. La teología es la reflexión de la fe dentro de una determinada realidad. Lucas escribe su relato evangélico pensando en los paganos, mientras que Mateo se dirige a los judíos. ¿Quién hace teología en la Iglesia? Son todos los cristianos. La teología es el fruto de la reflexión que la comunidad cristiana, inmersa en una realidad, hace de su fe. Así, todo cristiano teologiza como toda ama de casa, en el mercado, economiza. Pero no todas las amas de casa son economistas, como tampoco todos los cristianos son teólogos. Son teólogos aquellos que dominan las bases científicas de la teología y, al mismo tiempo, captan la reflexión de la fe de la comunidad y le dan una elaboración sistemática.

Después del Concilio Vaticano II, la Iglesia de América Latina pasó a elaborar su propia teología. Dejó de importarla de Europa. Antes, todo seminarista debía saber un poco de francés para estudiar teología en las obras del padre Congar, De Lubac, Guardini o Rahner. Esta teología nacida en el interior de las Comunidades Eclesiales de Base del continente, fruto de los desafíos que el proceso de liberación de los oprimidos lanza a la fe cristiana, ha sido sistematizada por hombres como Gustavo Gutiérrez y Leonardo Boff. Difiere de la Teología Liberal de Europa en la propia metodología. Si la teología es una respuesta de la fe a los desafíos de la realidad, ¿cuáles fueron los hechos más importantes ocurridos en Europa en este siglo? Sin duda, las dos guerras mundiales. Ese acontecimiento hizo surgir en la cultura europea una angustiante pregunta con respecto al ser, al valor del ser humano, al sentido de la vida. Toda la filosofía de Husserl y de Heidegger, de Sartre y de Karl Jaspers, la literatura de Albert Camus y de Thomas Mann, el cine de Buñuel y de Fellini, son un intento de responder a esa pregunta. La teología no es una excepción. En su articulación con la realidad europea, ella busca la mediación de la filosofía personalista, cuyo eje es el ser humano. Ahora bien, ¿cuál es el acontecimiento característico de la América Latina en este siglo? Es la existencia colectiva, mayoritaria, de millones de hambrientos. Es la no-persona. Y para comprender las razones políticas y estructurales de la existencia masiva de la no-persona, a la teología no le basta la mediación de la filosofía. Es preciso recurrir a las ciencias sociales, incluso a la contribución del marxismo. Es esa articulación la que instituye la metodología de la Teología de la Liberación, adecuada a la vivencia liberadora, evangélica, de la fe cristiana en la América Latina. Temer el marxismo es lo mismo que temer la matemática por considerarla sospechosa de sufrir la influencia pitagórica... Nadie puede hablar hoy con honestidad de las contradicciones sociales sin rendir algún tributo a los conceptos sistematizados por Marx. No importa si son o no son conceptos marxistas, lo que importa es que traduzcan científicamente la realidad que expresan. Incluso el papa Juan Paulo II, al hablar de las tensiones de clases y de las desigualdades sociales en la encíclica *Laborem Exercens,* sobre el trabajo humano, está asumiendo la contribución de Marx. Antes de temer el marxismo, porque se declara ateo, debemos preguntarnos qué tipo de sociedad justa hemos construido en el mundo que se confiesa cristiano.

La espiritualidad no se refiere sólo a nuestra vida espiritual. Se refiere al hombre todo, en su unidad espíritu-cuerpo. Para el hebreo no existe esa división entre materia y espíritu. San Pablo llega a hablar de "cuerpo espiritual", lo que nos suena contradictorio. El conocimiento espiritual es, en la Biblia, un conocimiento experimental. Sólo se conoce, de hecho, lo que se experimenta. Esa división espíritu-cuerpo nos llega a través de la filosofía griega, que penetra en la teología cristiana a partir del siglo IV. Para los griegos, somos tanto más espirituales cuanto más negamos la realidad física, corpórea, material. En el Evangelio, es la totalidad del ser humano lo que se llama a la vida en el Espíritu. Por tanto, la espiritualidad no es un modo de *sentir* la presencia de Dios. Ni una manera de *creer*. "No todo el que dice: ¡Señor, Señor!, entrará en el reino de los cielos, sino el que hace la voluntad de mi Padre, que está en los cielos", dice Jesús. La espiritualidad es, pues, *un modo de vivir,* es la vida según el Espíritu. José Martí, el gran héroe y precursor de la liberación de Cuba, decía que "hacer es la mejor manera de decir". Para el cristiano, la mejor forma de creer es vivir. De nada vale la fe sin obras, como afirma Santiago: "¿De qué servirá, hermanos míos, el que uno diga tener fe, si no tiene obras? ¿Por ventura a este tal la fe podrá salvarle? Caso que un hermano o una hermana estén desnudos, y necesitados del alimento diario, ¿de qué les servirá que algunos de nosotros les diga: Id en paz, defendeos del frío, y comed a satisfacción: si no les dais lo necesario para reparo del cuerpo? Así la fe, si no es acompañada de obras, está muerta en sí misma." (2, 14-17.)

Nuestro modo de vida es el resultado de lo que creemos. Nuestra forma de ser Iglesia es reflejo de nuestra concepción de Dios. Para conocer una Iglesia, la mejor pregunta es: ¿qué piensan sus fieles de Dios? Es un error imaginar que todos los creyentes creen en el mismo Dios. Muchas veces me pregunto qué semejanza hay entre el Dios en el cual creo y aquel en el cual cree Reagan. Olvidamos que, en el Antiguo Testamento, lo que preocupa a los profetas es la idolatría, esos dioses creados según los intereses humanos. Todavía hoy existe mucha idolatría por ahí. En nombre de Dios, los españoles y portugueses invadieron la América Latina y masacraron a millones de indios. En nombre de Dios, multitudes de esclavos fueron traídos de África para trabajar en nuestras tierras. En nombre de Dios, se estableció el proyecto de dominación burguesa en el continente. ¿Será que ese nombre invocado por conquistadores, señores de esclavos u opresores capitalistas, es el mismo Dios de los pobres invocado por Jesús? Recuerdo el drama de Albert Schweitzer, que era músico, médico y teólogo. Influido por las investigaciones protestantes sobre la historicidad de Jesús, llegó a la conclusión de que el joven de Nazaret no esperaba morir tan pronto y, por ello, había sido sorprendido por la conspiración tramada a su alrededor. Ahora bien, un Dios nunca se equivoca. Si Jesús no fue capaz de prever el momento de su muerte es porque no era Dios, concluyó Schweitzer. Hace algunos años, un pastor inglés, Robinson, publicó un libro que se convirtió en un best-seller, *Honest to God,* honesto con Dios, traducido en el Brasil como *Um Deus diferente,* un Dios diferente. El autor decía que necesitamos ser honestos con Dios y confesar que no lo conocemos. Lo que conocemos son caricaturas, como el dios invocado en los protocolos oficiales, en los momentos difíciles de la vida, en los discursos políticos. ¿Cómo se conoce a una persona, por lo que se piensa de ella o por lo que ella revela? Si el verdadero conocimiento deriva de la revelación, es en Jesucristo, presencia histórica de Dios, en quien mejor podemos conocerlo. Aunque la teología medieval defina a Dios como omnisciente, omnipresente, omnipotente, etcétera, al abrir los Evangelios lo que encontramos es un ser frágil que vive entre los pobres, que llora la muerte del amigo, siente hambre, discute con sus apóstoles, siente rabia ante los fariseos, insulta a Herodes, conoce la tentación y, en la agonía, pasa por una crisis de fe al experimentar el abandono del Padre.

Tal vez Albert Schweitzer no hubiese perdido la fe en la divinidad de Jesús si hubiese reconocido que la divinidad no se expresa por el hecho de que Jesús poseyese en la cabeza una especie de computadora que le permitiese preverlo todo. Para el Nuevo Testamento, el principal atributo de Dios es el amor. En su primera carta, el apóstol Juan es bastante claro: "Carísimos, amémonos los unos a los otros: porque la caridad procede de Dios. Y todo aquel que ama, es hijo de Dios y conoce a Dios. Quien no tiene amor, no conoce a Dios: puesto que Dios es caridad." (4, 7-8.) Para los griegos, que influyeron en la definición medieval de Dios, el amor jamás puede ser atributo de un dios; por el contrario, es una carencia, en la medida en que supone una relación con el objeto amado. En ese sentido, Jesús es Dios porque amó como sólo Dios ama y, por eso, no cometió pecado. Era un hombre no centrado en sí mismo, sino centrado en el Padre y en el pueblo. Esa concepción de un Dios-amor funda una Iglesia basada en la fraternidad, en la colegialidad, y no en el autoritarismo. Es una concepción que permite a los cristianos descubrir la presencia de Dios en todos aquellos que, no teniendo fe, son capaces de actitudes de amor. Dios está presente incluso en quien no tiene fe. Y Él se identifica históricamente con todos esos que más necesitan de nuestro amor: los oprimidos. "Tuve hambre y me disteis de comer, tuve sed y me disteis de beber...", dice Jesús en el capítulo 25 de Mateo. El amor es necesariamente liberador.

Una vez aclarada esta cuestión de Dios-amor, un Dios que exige justicia y defiende los derechos de los pobres, es más fácil hablar de la espiritualidad de Jesús. Si consideramos los relatos evangélicos, vemos con claridad que la espiritualidad de Jesús no era la de la separación del mundo, de quien se aleja de lo cotidiano para servir mejor a Dios, de quien niega las realidades terrestres. En Juan 17, 15, pide al Padre que proteja del mal a sus discípulos, sin sacarlos del mundo. Toda la existencia de Jesús es una inmersión en el conflicto ideológico, en el terreno donde se batían diferentes concepciones y opciones a favor o en contra de los oprimidos. La espiritualidad de Jesús tampoco era la del moralismo. Esa es la espiritualidad de los fariseos, que hacen de sus virtudes morales una especie de conquista de santidad. Muchos cristianos fueron formados en esa línea y pierden vigor en su fe porque no logran corresponder al moralismo farisaico que se proponen. Dios parece habitar la cima de una montaña y la espiritualidad es enseñada como un manual de alpinismo que debe ser utilizado por el cristiano interesado en vencer las difíciles laderas. Como somos de naturaleza frágil, recomenzamos nuestra escalada a cada momento... Es la incesante repetición del mito de Sísifo, cargando la piedra montaña arriba. Ahora bien, uno de los mejores ejemplos del no-moralismo de Jesús es el relato de su encuentro con la mujer samaritana. Desde el punto de vista de la moral vigente en aquel momento, se trataba de una marginada por ser mujer, samaritana y concubina. Sin embargo, es a esta mujer a quien Jesús revela primero el carácter mesiánico de su misión. Existe entre ellos un diálogo interesante:

"La mujer le dijo: Señor, dame de esa agua, para que no tenga yo más sed, ni haya de venir aquí a sacarla. Jesús le dijo: Anda, llama a tu marido, y vuelve acá. Respondió la mujer: No tengo marido. Dícele Jesús: Tienes razón en decir que no tienes marido, porque cinco maridos has tenido, y el que ahora tienes, no es marido tuyo; en eso verdad has dicho. Díjole la mujer: Señor, veo que tú eres un profeta. Nuestros padres adoraron a Dios en este monte, y vosotros, los judíos, decís que en Jerusalén está el lugar donde se debe adorar. Respondióle Jesús: Mujer, créeme a mí: ya llega el tiempo en que ni en este monte ni en Jerusalén adoraréis al Padre. [...] Pero ya llega el tiempo: ya estamos en él, cuando los verdaderos adoradores adorarán al Padre en espíritu y en verdad." (Juan 4, 15-23.)

En ningún momento Jesús la recrimina por haber tenido seis hombres en su vida. Lo que a él le interesa comprobar es que ella es verdadera. No miente, no adopta una postura farisaica y, por lo tanto, está en condiciones de adorar "en espíritu y en verdad", en la apertura subjetiva a Dios y en el compromiso objetivo con la verdad. Así, Jesús demuestra que la vida cristiana no es un movimiento del hombre hacia Dios; antes está el amor de Dios que se dirige hacia el hombre. Dios nos ama irremediablemente. Sólo nos resta saber si nos abrimos más o menos a ese amor, pues toda relación de amor exige reciprocidad y supone entera libertad. La moralidad cristiana no se deriva, pues, de nuestra farisaica intención de no tener ningún pecado; es una consecuencia de nuestra relación de amor con Dios, como el amor impone fidelidad en una pareja. La parábola del Hijo Pródigo es un buen ejemplo de la gratuidad del amor del Padre. "Estando todavía lejos, vióle su padre y enterneciéronsele las entrañas, y corriendo a su encuentro le echó los brazos al cuello, y le dio mil besos." (Lucas 15, 20.) El perdón y la alegría del padre se manifiestan en el simple hecho del retorno del hijo, incluso antes de que se explique y se disculpe. Así es el amor de Dios para con nosotros.

Vemos que la espiritualidad de Jesús era la *vida en el Espíritu, dentro del conflicto histórico, en comunión de amor con el Padre y con el pueblo.* Una espiritualidad que era resultado de su apertura al don del Padre y de su compromiso liberador con las aspiraciones de vida de los oprimidos. Para Jesús, el mundo no se divide en puros e impuros, como querían los fariseos; se divide entre los que están a favor del partido de la Vida y los que apoyan el partido de la Muerte. Todo lo que genera más vida, del gesto de amor a la revolución social, está en la línea del proyecto de Dios, de la construcción del Reino, pues la vida es el mayor don que nos da Dios. Quien nace, ya nace en Dios por ingresar en la esfera de la vida. Al mismo tiempo, la espiritualidad de Jesús contradice la de los fariseos, que está hecha de ritos, de obligaciones, de ascetismos, de observancias disciplinarias. En la de los fariseos, el centro de la vida espiritual es lo fiel; en la de Jesús, es el Padre. En la de los fariseos, la espiritualidad se mide por la práctica de normas culturales; en la de Jesús, por la apertura filial al amor y a la misericordia de Dios. En la de los fariseos, la santidad es una conquista humana; en la de Jesús, un don del Padre para los que se abren a Su gracia. Ese vigor espiritual de Jesús provenía de su intimidad con Dios, a quien le llamaba familiarmente *Abba,* papá (Marcos 14, 36). Jesús, al igual que todos nosotros, los creyentes, tenía fe, y para alimentarla pasaba largas horas orando. Lucas registra esos momentos en que el espíritu de Jesús se dejaba inundar por el Espíritu del Padre: "se retiraba a lugares solitarios y se daba a la oración" (5, 16); "se retiró a orar en un monte, y pasó toda la noche haciendo oración a Dios" (6, 12); "habiéndose retirado a hacer oración" (9, 18). En esa comunión con el Padre, él encontraba fuerzas para luchar por el proyecto de la Vida, enfrentándose a las fuerzas de la Muerte, representadas especialmente por los fariseos, contra los cuales los Evangelios presentan dos violentos manifiestos (Mateo 23 y Lucas 11, 37-57). Y, en ese sentido, todos los que luchan por la Vida se incluyen en el proyecto de Dios aunque no tengan fe. "Los justos le responderán, diciendo: Señor, ¿cuándo te vimos nosotros hambriento y te dimos de comer; sediento, y te dimos de beber? ¿Cuándo te vimos peregrino, y te hospedamos; desnudo y te vestimos? [...] Y el rey, en respuesta, les dirá: En verdad os digo, siempre que lo hicisteis con alguno de estos mis más pequeños hermanos, conmigo lo hicisteis." (Mateo 25, 37-40.)

Es en el prójimo, y especialmente el prójimo carente de vida, necesitado de justicia, en el que Dios quiere ser servido y amado. Es con ellos con los que Jesús se identifica. Por tanto, no hay contradicción entre la lucha por la justicia y la realización de la voluntad de Dios. La una exige a la otra. Todos los que actúan en esa línea del proyecto de Dios por la Vida, son considerados hermanos de Jesús (Marcos 3, 31-35). Ese es, por excelencia, el modo de seguir a Jesús, sobre todo en la realidad actual de América Latina. Prefiero decir que Jesús tenía una *espiritualidad del conflicto*, o sea, un vigor en el compromiso con los pobres y con el Padre que le daba una inmensa paz interior. La verdadera paz no se obtiene con murallas; es consecuencia de la confianza en Dios. Lo contrario del miedo no es el coraje, es la fe. Esa fe le daba a Jesús la disposición necesaria para la realización del proyecto de la Vida, aunque sea sacrificando su propia vida en enfrentamiento con las fuerzas de la Muerte, como la opresión, la injusticia, la religión esclerosada en normas y ritos.

Una vez terminada la conferencia, se hacen pocas preguntas. El auditorio parece inhibido. Es tarde en la noche y voy con Jorge Timossi y Marcela a tomar un poco de ron a casa de Marta Harnecker.

# 6

En la tarde del domingo 19 de mayo de 1985, doy la segunda conferencia en nuestro convento cubano. Hay menos gente, aproximadamente unas cincuenta personas. El tema es "El proyecto de la Vida en Jesús".

La forma que tiene Jesús para realizar la voluntad de Dios es en el compromiso con el proyecto de la Vida. Esto queda bien claro en este relato de San Marcos:

"En otra ocasión, caminando el Señor por junto a unos sembrados un día de sábado, sus discípulos se adelantaron, y empezaron a coger espigas. Sobre lo cual le decían los fariseos: ¿Cómo es que hacen lo que no es lícito en sábado? Y Él les respondió: ¿No habéis jamás leído lo que hizo David, en la necesidad en que se vio, cuando se halló acosado del hambre, así él como los que le acompañaban? ¿Cómo entró en la casa de Dios en tiempo de Abiatar, príncipe de los sacerdotes, y comió los panes de la proposición, de que no era lícito comer sino a los sacerdotes, y dio de ellos a los que le acompañaban? Y añadióles: El sábado se hizo para el hombre y no el hombre para el sábado. En fin, el Hijo del hombre aun del sábado es dueño." (Marcos 2, 23-28.)

El relato muestra un conflicto entre el grupo de Jesús y el grupo de los fariseos. Jesús y sus discípulos recogían espigas, lo que la ley de Dios prohibía hacer el sábado, considerado sagrado, por lo que no era permitido realizar ningún tipo de trabajo. Jesús lo sabía y, como era su costumbre, no trató de justificarse. Prefirió apelar al testimonio de una persona muy respetada por los fariseos, David. Este procedió aparentemente mucho peor que Jesús y sus discípulos. No solamente dejó de respetar el sábado sino también la propia casa de Dios, el templo. No recogió simples espigas de trigo, sino que tomó los panes de la ofrenda –las hostias, como diríamos hoy–, los comió y también los dio a sus compañeros. Jesús sabía que el procedimiento de David estaba igualmente en desacuerdo con las normas religiosas. Sin embargo, ¿qué razón tan fuerte llevó a Jesús no sólo a justificar el proceder de David, sino también a actuar de modo semejante? La respuesta está en el versículo 25: "¿No habéis jamás leído lo que hizo David, en la necesidad en que se vio, cuando se halló acosado del hambre, así él como los que le acompañaban?" O sea, la necesidad material del hombre, base fundamental de la vida, es lo más sagrado para Jesús. La idolatría priva al ser humano de sacralidad, transfiriéndola hacia las observancias litúrgicas y al material del culto, como el templo. Para Jesús, no se puede hablar de vida espiritual separada de las condiciones materiales de existencia. No hay nada más sagrado que el hombre, imagen y semejanza de Dios. El hambre de este hombre es una ofensa al propio Creador. De nada sirve una religión que cuida de la supuesta sacralidad de sus objetos y da la espalda a aquellos que son los verdaderos templos del Espíritu. En Sao Bernardo do Campo, ciudad donde trabajo con obreros, cada vez que hay huelgas e interviene el gobierno en el sindicato, los sacerdotes de la parroquia local abren las puertas para que los metalúrgicos puedan realizar sus asambleas. Otros sacerdotes se escandalizan y consideran que es una profanación del templo. No comprenden que en la línea de Jesús no hay nada más sagrado que el derecho a la vida. Y una huelga, una asamblea sindical, es un esfuerzo colectivo por la conquista de mejores condiciones de vida. De ahí la conclusión de Jesús en el relato de Marcos: "El sábado se hizo para el hombre y no el hombre para el sábado." Lo más sagrado que pueda existir –como el sábado– debe estar al servicio de la vida humana, y no a la inversa. Una iglesia que sitúa sus intereses patrimoniales por encima de las exigencias de justicia, de vida, del pueblo en el cual se inserta, es ciertamente una iglesia que pone al hombre por debajo del sábado y, como los fariseos, invierte las prioridades evangélicas.

En su práctica, Jesús no separa las necesidades espirituales de las exigencias materiales de la vida humana. Eso aparece de manera muy clara en la parábola de la multiplicación de los panes (Marcos 6, 34-44). Una multitud, "cinco mil hombres", había acabado de oír el sermón de Jesús. Los discípulos se acercan al Maestro y sugieren: "Este es un lugar desierto, y ya es tarde. Despáchalos, a fin de que vayan a las alquerías y aldeas cercanas a comprar que comer." El hambre del pueblo no sería un problema de quien predica la vida espiritual. Pero Jesús reacciona: "Dadles vosotros de comer." No se puede echar a una multitud hambrienta. Este es también un problema que ustedes deben asumir. Es interesante observar que los discípulos emplean el verbo *comprar* y el Maestro *dar*. Aún los discípulos no captan la propuesta de Jesús: "Vamos, pues, y gastemos doscientos denarios para comprar panes, si es que les habremos de dar de comer." Hay quien piensa que el dinero es suficiente para resolver las carencias del pueblo. Es la teoría del *bolo,*[1] primero hacerlo crecer, acumular mucho capital, para después repartirlo entre todos. Jesús les responde: "¿Cuántos panes tenéis? Id y miradlo." Él no indaga qué cantidad de dinero tienen los discípulos, sino

---

[1] Teoría del pastel, adoptada por la política económica del régimen militar brasileño. Defendía el principio de que, primero, hay que hacer crecer el pastel, para después compartirlo con el pueblo, lo cual nunca ocurrió bajo los militares. *(Nota del autor.)*

qué cantidad tienen en bienes, en panes. Es muy diferente querer resolver las exigencias de la vida de la colectividad mediante la distribución de la renta, como pretenden los países de la socialdemocracia, o por medio de la distribución de bienes, como lo hace Cuba. Para poder acumular tantos recursos, países como Suecia, donde incluso los trabajadores tienen un elevado nivel de vida, necesitan mantener a las empresas transnacionales explotando a los países del Tercer Mundo. Cuba, para socializar los pocos bienes de que dispone y erradicar la miseria, no necesita explotar a ningún otro pueblo. Marcos continúa diciendo que los apóstoles comprobaron que había cinco panes y dos peces. "Así se sentaron repartidos en cuadrillas de ciento en ciento, y de cincuenta en cincuenta." Para resolver su problema, el pueblo se organiza. Jesús toma los panes y los peces, "levantando los ojos al cielo, los bendijo, y partió los panes" para que los discípulos hagan la distribución. En todo el Evangelio, el reparto del pan es señal de la bondad del Padre y de la instauración de la fraternidad. El alimento está asociado a la plenitud de la vida. Así es en el relato de las Bodas de Caná y en el encuentro del Resucitado con los discípulos de Emaús. "Y todos comieron y se saciaron. Y de lo que sobró recogieron doce canastos llenos de pedazos de pan y de los peces." Si al final sobran doce cestos con los residuos, ¿cuántos cestos de más habría en esa multitud? y ¿qué contenían? Ahora bien, en cualquier lugar donde se reúne un gran número de personas, inmediatamente aparecen los vendedores de emparedados, de refrescos y dulces. En el tiempo de Jesús, el alimento se llevaba en cestos. Por otro lado, cinco panes y dos peces dan como resultado siete, y siete en la Biblia significa "muchos", como nuestro ocho acostado significa "infinito". Por eso se dice que nuestros pecados serán perdonados, no sólo siete, sino setenta y siete veces. Por tanto, había muchos peces y muchos panes. ¿Quiere decir que no hubo milagro? Milagro sí, magia no. Magia sería el espectacular recurso de tomar cinco panes de un lado y dos peces del otro, cubrirlos con un paño, decir "abracadabra" y situar de un lado una panadería y del otro una pescadería. ¿Qué es el milagro? Es el poder de Dios de alterar el rumbo natural de las cosas. Ese poder actúa sobre todo en el corazón humano. Aquel día los que tenían bienes los compartieron con los que no tenían, alcanzó para saciar a todos y sobró. Al mismo tiempo, todo este relato es la prefiguración de la reserva escatológica. Los doce cestos que sobran con alimentos se relacionan con las doce tribus de Israel, protagonistas del proyecto de Dios en la historia, y con el grupo de los doce apóstoles, pilares de la Iglesia.

La fuente de la espiritualidad de Jesús, de la fuerza que lo impulsaba a luchar decididamente por el proyecto de la Vida, era su intimidad con el Padre, que se nutre en la oración. El Evangelio se refiere a las oraciones de Jesús y trasmite sus enseñanzas al respecto. Nos enseña el Padre Nuestro e incentiva las oraciones de petición y de alabanza. Sin embargo, los textos hablan del prolongado tiempo que Jesús pasaba orando. A mi modo de ver, aquí está uno de los puntos críticos de la espiritualidad cristiana en el Occidente y de la superficialidad de nuestra fe. No sabemos rezar profundamente. Sabemos pedir, alabar, meditar, pero eso es solamente la puerta de entrada de la vida de oración. Sólo más adelante es posible alcanzar el vigor místico que animaba a Jesús. En ese aprendizaje, lo mejor es recurrir a las experiencias de los cristianos que vivieron intensamente en la intimidad con Dios y nos trasmitieron su itinerario.

Dios es más íntimo para nosotros que nosotros para nosotros mismos, dijo San Agustín. Así, la oración más profunda es aquella que brota del silencio de los sentidos y de la mente y dilata el corazón para que el Espíritu se manifieste. Dice San Pablo: "El mismo Espíritu viene en ayuda de nuestra flaqueza, porque nosotros no sabemos pedir lo que nos conviene; mas el mismo Espíritu aboga por nosotros con gemidos inefables, y el que escudriña los corazones conoce cuál es el deseo del Espíritu, porque intercede por los santos según Dios." (Romanos 8, 26-27.) Ese dejar que el Espíritu rece en nosotros requiere gratuidad en la relación con Dios, tal como se da en la relación de una pareja. Momentos de silencio interior en que experimentamos esa Presencia indecible que fertiliza nuestra fe. De ahí brota la vida cristiana enraizada en la experiencia teologal. A ese nivel, superamos la vida cristiana como mero condicionamiento sociológico, como una especie de ideología confesional que, en principio, se opondría a una ideología atea. Todos nacemos ateos. Como dice el Concilio Vaticano II, en la *Gaudium et Spes,* el ateísmo también está presente en la falta de testimonio de los cristianos. No pienso que nos deba inquietar tanto como la idolatría vigente en varias expresiones de fe que nada tienen que ver con el Dios anunciado y encarnado por Jesús, como es el caso de los que profesan el nombre de Dios en defensa del capital, del colonialismo, de la discriminación social y racial, de la represión contra los trabajadores. Y no es al nivel de las verdades de fe donde se debe establecer el diálogo entre cristianos y marxistas, sino al nivel de la práctica liberadora, de las exigencias de justicia, del servicio desinteresado a la vida de la colectividad. Ese es el nivel del amor, criterio fundamental de nuestra realización humana y de nuestra salvación. San Pablo llega a decir que aunque tuviéramos la fe capaz de mover montañas y no tuviéramos amor, ello de nada serviría: seríamos como un metal que suena, o campana que retiñe (1 Corintios 13, 1-13). Es en la práctica liberadora donde se dará la separación entre los que, en nombre de Dios, luchan por el proyecto de la Vida y los que se inscriben en el partido de la Muerte. Esa misma práctica acerca a los cristianos y a los ateos comprometidos con la construcción de una sociedad fraterna, donde los bienes de la vida sean igualmente repartidos. Sin embargo, la posible apertura de esos ateos al llamado de la fe, dependerá sin duda del testimonio y de la coherencia de los cristianos, para que el don de Dios encuentre, como la semilla, el terreno preparado.

Hubo pocas preguntas. Un joven se quejó de que no se había hecho una buena propaganda sobre la charla. Un señor reaccionó diciendo que se habían dado muchos avisos. Tal vez, ese enfoque del cristianismo resultase inusitado para un auditorio como aquel. El bloqueo impuesto a Cuba por Estados Unidos también aisló, de cierta forma, a los cristianos de la isla. Muchos permanecieron al lado del imperialismo, contra el socialismo y el comunismo que se estableció profesando el ateísmo. Sin embargo, en los últimos años nuevos vientos soplan en esa Iglesia cubana. Al movilizar todas sus fuerzas para revisar su práctica pastoral y establecer nuevas líneas en su acción evangelizadora, la Iglesia de Cuba vive ahora un nuevo Pentecostés.

# 7

El lunes, 20 de mayo de 1985, la isla despierta, sobresaltada, bajo el impacto de una nueva agresión imperialista: empieza a funcionar en los Estados Unidos, con capacidad de transmisión en onda media, la Radio Martí. El hecho de que una emisora anticubana ostente el nombre del más venerado héroe nacional e inspirador de la Revolución, hiere los sentimientos del pueblo. Todos los días, durante catorce horas, la emisora divulga noticias y comentarios de la Voz de las Américas, música y discursos en los que se alaba la política de Reagan y se agrede al Gobierno cubano.

El Gobierno de Cuba reacciona de inmediato. En la mañana del mismo día, *Granma,* órgano oficial del Comité Central del Partido Comunista, trae en su primera página una "Información al Pueblo", firmada por el Gobierno, en la que se anuncia la suspensión del acuerdo sobre cuestiones migratorias suscrito por las delegaciones de los dos países el pasado 14 de diciembre, en Nueva York; la cancelación de los viajes a Cuba de los ciudadanos cubanos residentes en los Estados Unidos, "salvo los que sean autorizados por causas estrictamente humanitarias"; la adopción de medidas relacionadas con las comunicaciones entre los dos países, y, entre otras, la decisión de que "el Gobierno de Cuba se reserva el derecho de emitir transmisiones radiales hacia Estados Unidos en ondas medias, a fin de informar cabalmente los puntos de vista de Cuba sobre los problemas de ese país y de su política internacional".

Me pregunto si será posible entrevistar al hombre que, una vez más, ocupa el centro de la atención por su ausencia de temor frente a las agresiones del gobierno norteamericano. En todo caso, no salgo de la casa en espera de la llamada telefónica de su oficina. El aparato no suena, el día se arrastra sobre la lenta y áspera agonía de mi silenciosa ansiedad, las señales gráficas de los libros que intento leer no consiguen romper el bloqueo de las fantasías que inundan mi mente.

A las 10:30 de la noche del martes, 21 de mayo de 1985, suena el teléfono. Es la oficina del Comandante que me avisa que no me mueva de la casa. A media noche, un pequeño Alfa Romeo, conducido por un combatiente del Ministerio del Interior, me recoge y sale disparado, primero por Quinta Avenida, luego por Paseo, como si disputara el desafío de cruzar todos los semáforos verdes antes de que cayera la luz roja.

Me recibe el comandante Fidel Castro en su gabinete de trabajo. Con él, Jesús Montané Oropesa, miembro del Comité Central y uno de los más antiguos compañeros de Fidel en la lucha del Movimiento 26 de Julio contra la dictadura de Batista. El olor suave, casi dulzón, de los tabacos, impregna la sala. Tomo asiento en una butaca vestida con piel de buey, y con un nudo en la garganta oigo al Comandante explicar que, debido a la inauguración de la emisora norteamericana, la cual, injuriosamente, lleva el nombre de José Martí, y debido también a otros tantos trabajos, tal vez no sea posible realizar en este momento la entrevista. Debo extender mi estancia en Cuba o regresar dentro de pocas semanas. Por mi mente cruza la agenda cargada, sofocante, que me espera en Brasil. No hay posibilidad alguna de quedarme más tiempo en la isla o de regresar en los próximos meses, debido a serios compromisos de trabajo. Insisto en que aprovechemos la ocasión. Él resiste, argumenta que desea prepararse mejor para la entrevista sobre un tema tan delicado e importante como el de la religión. Antes, desea leer *Jesucristo libertador* e *Iglesia, carisma y poder*, de Leonardo Boff, y los textos del Vaticano II y de Medellín que se encuentran, en español, sobre su mesa. Quiere estudiar también las obras de Gustavo Gutiérrez. Necesita de un poco más de tiempo para leer los textos completos de los discursos del papa Juan Pablo II durante su gira por América Latina en febrero de 1985. Me pregunto cómo el dirigente cubano consigue combinar, dentro de una apretada agenda de trabajo, las innumerables tareas de gobierno, la voracidad intelectual por los más variados temas y el placer de conversar. No recuerdo haber encontrado antes otra persona con inteligencia tan aguda y tanta predisposición para el diálogo personal. Joelmir observó bien al comentar conmigo que Fidel engrandece todo, imprime a cualquier asunto, desde la cocina hasta la deuda externa del Tercer Mundo, una importancia trascendental.

Frente a mi silenciosa resistencia, me pide que le lea las preguntas que deseo hacerle. Oye las cinco primeras y, de inmediato, se anima. Son justamente las preguntas relacionadas con su historia personal y la formación cristiana que recibiera. Quizás había imaginado un derrotero de cuestiones teológicas para las que necesitaría preparación bibliográfica. Solicita que, por lo menos, me quede dos días más en Cuba, para que podamos trabajar mejor. Su principal dificultad está en que tiene que recibir una delegación de visitantes latinoamericanos que llegará al país el próximo jueves. Pero se muestra dispuesto a encontrar tiempo para iniciar la entrevista.

El miércoles, 22 de mayo de 1985, me entero que la delegación esperada ha suspendido el viaje. La noticia es un alivio para mí. Después de la comida, recibo un aviso de que seré llamado esa misma noche para un encuentro con el Comandante. A las 11:45 de la noche el auto Mercedes-Benz del Comandante se estaciona frente a la puerta.

–¿Dónde están los viejos? –pregunta Fidel por mis padres.

Le digo que fueron a dormir hace poco, pero que los voy a despertar. Él no lo permite y me invita a dar una vuelta por la ciudad. Acaba de salir de una cena en la Nunciatura Apostólica, en honor de monseñor Cordero Lanza de Montezemolo, Nuncio en Nicaragua y Honduras, que visita Cuba por invitación personal del Comandante en Jefe. Conversamos sobre la situación de la Iglesia en Nicaragua y le manifiesto mi opinión de que la falta de una condena explícita y directa, por parte de los obispos, a la agresión promovida por el gobierno norteamericano, está perjudicando la vida de fe de muchos cristianos nicaragüenses, que no se sienten apoyados por sus pastores, particularmente entre la juventud. Prejuicios anticomunistas hacen que el episcopado calle frente a la acción de las tropas mercenarias que, radicadas en Honduras, penetran en territorio nicaragüense para asesinar campesinos e, incluso, niños. Entre las víctimas, la pareja Barreda, dirigente él del cursillo de cristiandad, a quien conocí en Estelí en un encuentro pastoral efectuado en 1981. A lo largo de la historia, hombres de la Iglesia cometieron el grave error de guardar silencio frente a la criminal eliminación de vidas humanas, en nombre de la supuesta defensa de los principios ortodoxos. Mi contacto con las comunidades cristianas populares de la patria de Sandino me demuestra que no todo está perdido. La fe renace fortalecida, incluso, por esas pruebas, y con la conciencia de que la Iglesia no es exclusivamente los obispos o los curas, sino todo el pueblo de Dios en comunión con sus pastores y los pastores al servicio de ese pueblo. El Comandante me escuchó y, antes de pasar a hablar de Cuba, hizo apenas un comentario:

–Prefiero no meterme en las cuestiones internas de la Iglesia.

Al regreso, tarde en la noche, insisto en despertar a mis padres. Sorprendidos, en bata de casa y pijama, saludan a Fidel en la sala de la casa. Al saber que pasaremos por México, de regreso a Brasil, se pone a recordar los tiempos en que vivió en la capital de ese país, y a comentar con mi madre la preparación, las sazones y el sabor de la comida mexicana.

# SEGUNDA PARTE

## La entrevista

# 1

Jueves, 23 de mayo de 1985. Llego al Palacio de la Revolución poco después de las 9:00 de la noche. Una fuerte lluvia cae sobre La Habana, amenizando la seca de los últimos días. En el despacho del Comandante se encuentra también Vilma Espín, presidenta de la Federación de Mujeres Cubanas, quien termina en ese momento una reunión con Fidel.

Nos sentamos a la mesa rectangular de reuniones. Fidel frente a mí, del otro lado. Viste su uniforme verde olivo. Sobre los hombros, el emblema romboidal, rojo y negro, con una estrella blanca en el centro, rodeado por dos ramas. A su izquierda, una caja de tabacos y, a la derecha, una pequeña taza blanca de té, con los bordes dorados. Iniciamos la entrevista y, mientras habla, garabatea las hojas de un bloc, como si eso lo ayudara a sistematizar las ideas. Es la primera vez en la historia que un Jefe de Estado concede una entrevista exclusiva sobre el tema de la religión. Sobre todo el jefe de un Estado revolucionario, marxista-leninista, de un país socialista.

FREI BETTO. Comandante, estoy seguro de que esta es la primera vez que un Jefe de Estado de un país socialista da una entrevista exclusiva sobre el tema de la religión. El único precedente que hay, en ese sentido, es el documento que sacó la Dirección Nacional del Frente Sandinista de Liberación Nacional, en 1980, sobre la religión. Fue la primera vez que un partido revolucionario en el poder sacó un documento sobre ese tema. Desde entonces no ha habido una palabra más informada, más profundizada, incluso desde el punto de vista histórico, sobre el tema. Y, considerando el momento en que en América Latina la problemática de la religión juega un papel ideológico fundamental; considerando la existencia de numerosas Comunidades Eclesiales de Base —indígenas de Guatemala, campesinos de Nicaragua, obreros de Brasil y de tantos otros países—; considerando también la ofensiva del imperialismo que, desde el Documento de Santa Fe, quiere combatir directamente la expresión más teórica de esta Iglesia comprometida con los pobres, que es la Teología de la Liberación, pienso que esta entrevista y su aporte a ese tema son muy importantes.

Podemos empezar por la parte histórica. Usted viene de una familia cristiana.

FIDEL CASTRO. Antes de proceder a responder, ya que tú hiciste una introducción, me gustaría, por mi parte, explicar que, sabiendo que tenías interés en hacer una entrevista sobre este tema complejo y delicado, me habría gustado haber dispuesto de más tiempo para revisar algunos materiales y meditar un poco más sobre la cuestión. Pero, como ha coincidido con un período de enorme trabajo de mi parte, también con un gran trabajo de parte tuya y la necesidad de regresar rápido a tu país, acepté comenzar a hablar casi improvisadamente sobre todos estos temas, lo cual me recuerda la circunstancia de un estudiante que tiene que hacer un examen y no ha tenido tiempo de estudiar la materia, de un orador obligado a pronunciar un discurso y no ha tenido oportunidad de familiarizarse mucho con los temas y profundizar sobre los mismos, o de un maestro que tuviera que dar una clase y no ha dispuesto realmente de un minuto de tiempo para repasar la materia sobre la cual va a impartir la clase. En tales circunstancias, me someto a esta conversación.

Sé que es un tema que tú dominas muy bien. Tienes una ventaja sobre mí; has estudiado bastante sobre teología y has estudiado también mucho sobre marxismo. Yo conozco algo de marxismo y realmente muy poco de teología. Por eso sé que tus preguntas y tus planteamientos van a ser profundos, serios, y yo, que no soy teólogo, sino político –creo que también soy un político revolucionario, que siempre se ha expresado con mucha franqueza sobre todas las cosas–, voy a tratar de responderte con toda honestidad las preguntas que puedas plantearme.

Tú afirmas que yo vine de una familia religiosa. ¿Cómo responder a esa afirmación? Podría decir que vine de una nación religiosa, en primer lugar, y, en segundo lugar, que vine también de una familia religiosa. Al menos mi madre, más que mi padre, era una mujer muy religiosa, profundamente religiosa.

FREI BETTO. ¿Su madre era de origen campesino?

FIDEL CASTRO. Sí.

FREI BETTO. ¿Cubana?

FIDEL CASTRO. Cubana, de origen campesino.

FREI BETTO. ¿Y su padre?

FIDEL CASTRO. Mi padre de origen campesino también, por cierto, un campesino muy pobre, de Galicia, España.

Pero no podríamos decir que mi madre fuera una persona religiosa porque hubiese recibido una instrucción religiosa.

FREI BETTO. ¿Tenía fe?

FIDEL CASTRO. Indiscutiblemente que tenía mucha fe, a lo cual quiero añadir que mi madre prácticamente aprendió a leer y a escribir siendo ya adulta.

FREI BETTO. ¿Cómo se llamaba?

FIDEL CASTRO. Lina.

Frei Betto. ¿Y su padre?

Fidel Castro. Ángel.

Así es que ella era prácticamente analfabeta, aprendió a leer y a escribir sola. No recuerdo que alguna vez hubiera tenido maestro, nunca la oí hablar de eso; sino que ella misma, con gran esfuerzo, trató de aprender. Realmente, tampoco oí decir que hubiese ido a la escuela; es decir, fue autodidacta. Luego, no pudo ir a una escuela, no pudo ir a una iglesia, no pudo recibir una formación religiosa. Pienso que su religiosidad provenía de alguna tradición familiar, de los propios padres de ella, sobre todo de la madre, mi abuela, que era también muy religiosa.

Frei Betto. ¿Era una religiosidad en la casa o frecuentaba la iglesia?

Fidel Castro. Bueno, no podía haber religiosidad de frecuentar la iglesia, porque donde yo nací, en pleno campo, no había iglesia.

Frei Betto. ¿En qué parte de Cuba?

Fidel Castro. Nací en la antigua provincia de Oriente, hacia el centro norte de la provincia, no muy lejos de la bahía de Nipe.

Frei Betto. ¿Cómo se llamaba el pueblo?

Fidel Castro. No era un pueblo; ni había iglesia, ni era un pueblo.

Frei Betto. ¿Era una finca?

Fidel Castro. Era una finca.

Frei Betto. ¿Que se llamaba...?

Fidel Castro. Birán se llamaba la finca, y tenía algunas instalaciones. Allí estaba la casa de la familia, y había también unas pequeñas oficinas en un local añadido a una esquina de la casa. Era una casa con una arquitectura, pudiéramos decir, española. ¿Por qué una arquitectura española adaptada a Cuba? Porque mi padre era un español de Galicia; ellos tenían la costumbre en sus aldeas de cultivar un pedazo de tierra y en el invierno, o en general, tenían los animales debajo de la casa. Allí criaban cerdos, tenían alguna vaca. Entonces yo digo que a mi casa llegó la arquitectura de Galicia, porque estaba construida sobre pilotes.

FREI BETTO. ¿Por qué, por el agua?

FIDEL CASTRO. Precisamente no había ninguna necesidad en ese sentido, porque no había problemas de agua.

Curiosamente, muchos años después, en los proyectos que se confeccionaron en Cuba para las escuelas secundarias básicas en el campo, que son construcciones muy modernas, muy sólidas, se usaron también pilotes, pequeños pilotes. Pero la razón era otra: evitar el movimiento de tierra para emparejar el terreno. Entonces, con una serie de columnas en la base, si el terreno tenía alguna pendiente o alguna inclinación, ahorraban el movimiento de tierra al establecer el nivel adecuado sobre pilotes de hormigón de distintas alturas.

Yo he pensado por qué mi casa tenía pilotes altos, tan altos que algunos eran de más de seis pies. El terreno no era plano y, así, para donde estaba la cocina, por ejemplo, que estaba al final, una sección alargada añadida a la casa, los pilotes eran más bajitos; en otra parte, donde había una cierta pendiente, eran más altos. Pero no fue una razón como la que expliqué anteriormente, la de ahorrar movimiento de tierra. Yo estoy convencido, aunque en aquella época, cuando era niño, no se me ocurría pensar en el porqué de aquellas cosas, de que era la costumbre de Galicia. ¿Por qué? Porque recuerdo que cuando yo era muy pequeñito, tendría 3, 4, 5 ó 6 años, las vacas dormían debajo de la casa; se recogían al anochecer –un lote de 20 ó 30 vacas–, se llevaban hasta la casa, y allí, debajo de la casa, descansaban. Allí se ordeñaban las vacas, amarrándolas a algunos de aquellos pilotes.

Olvidaba decir que la casa era de madera; no era de hormigón, ni de cemento, ni de ladrillo: era de madera. Los pilotes eran de madera muy dura, y encima de aquellos pilotes se establecía el piso. Un primer piso de la casa, que inicialmente imagino era cuadrada, se alargó después con un pasillo, que partía de uno de los costados y daba acceso a algunos pequeños cuartos. El primero tenía unos estantes donde se guardaban los medicamentos; le llamaban el cuarto de las medicinas. Después venía otro donde estaban los servicios sanitarios, luego una pequeña despensa, después el pasillo desembocaba en un comedor; al final, la cocina, y entre el comedor y la cocina unas escaleras por las que se bajaba al piso de tierra. Después la casa recibió otra construcción adicional: en otra esquina se construyó, con posterioridad, una especie de oficina. Así que era una casa sobre pilotes, más bien cuadrada, con estas construcciones adicionales. Cuando yo empiezo a tener uso de razón, ya estaba la cocina. Sobre el área cuadrada de la casa había un segundo piso más pequeño llamado el mirador, donde dormía la familia con los tres primeros hijos hasta que yo tuve 4 ó 5 años.

FREI BETTO. ¿Su madre tenía imágenes religiosas?

FIDEL CASTRO. Sí, te voy a hablar de eso. Pero antes voy a terminar el tema anterior, sobre la arquitectura campesina española y otros detalles.

Esta casa la construye mi padre de acuerdo con las costumbres de su región; él era igualmente de origen campesino y no había podido estudiar.

También mi padre aprendió a leer y a escribir por sí mismo y con grandes esfuerzos, exactamente igual que mi madre.

Mi padre era hijo de un campesino sumamente pobre allá en Galicia. Cuando la última guerra de independencia de Cuba, iniciada en 1895, lo envían como soldado español a luchar aquí. Aquí estuvo mi padre, muy joven, reclutado por el servicio militar como soldado del ejército español.

Después de la guerra se lo llevan de regreso a España. Parece que le agradó Cuba, y una vez, entre los tantos emigrantes, salió también para Cuba en los primeros años de este siglo y, sin un centavo y sin ninguna relación, empezó a trabajar.

Era una época en que hubo importantes inversiones. Los norteamericanos se habían apoderado de las mejores tierras de Cuba, empezaron a destruir bosques, construir centrales azucareros, sembrar caña, inversiones grandes para aquella época, y mi padre trabajó en uno de esos centrales azucareros.

FREI BETTO. ¿En qué año fue la guerra de independencia?

FIDEL CASTRO. La última guerra de independencia empezó en el año 1895 y terminó en el año 1898. Cuando ya España estaba virtualmente derrotada, se produce la intervención oportunista de Estados Unidos en esa guerra: envía sus soldados, se apodera de Puerto Rico, se apodera de Filipinas, se apodera de otras islas en el Pacífico y ocupa a Cuba. No pudo apoderarse definitivamente de Cuba, porque en Cuba se había luchado durante mucho tiempo; aunque era una población pequeña, reducida, se había luchado heroicamente durante mucho tiempo. Entonces no concibieron la idea de apoderarse abiertamente de Cuba. La causa de la independencia de Cuba tenía mucha simpatía en América Latina y en el mundo, porque nosotros fuimos –como yo he dicho otras veces– el Viet Nam del siglo pasado.

Mi padre –te decía– regresa a Cuba, empieza a trabajar. Después parece que organizó a un grupo de trabajadores, empezó a ser jefe de un grupo de trabajadores, y ya hacía contratas a la empresa yanqui con un grupo de hombres subordinados a él. Empieza a organizar una especie de pequeña empresa, que –según algo que recuerdo– cortaba bosques para sembrar caña, o producir leña para los centrales. Así, posiblemente, empezó a obtener ya alguna plusvalía, como organizador de aquella empresa con un grupo de trabajadores. Es decir que, indiscutiblemente, era un hombre muy activo, se movía mucho, era emprendedor y tenía una capacidad natural de organización.

No conozco mucho cómo fueron los primeros años, porque cuando tuve oportunidad de preguntar todo eso no sentía la curiosidad que puedo sentir hoy por saber cómo fueron todos sus pasos desde que tuvo uso de razón. Yo no pude hacer con él lo mismo que tú estás haciendo conmigo en este momento, y, ahora, ¿quién podría reflejar esa experiencia?

Frei Betto. ¿En qué año murió él?

Fidel Castro. Él murió ya bastante más adelante, cuando yo tenía 32 años. Él muere en el año 1956, algún tiempo antes de regresar nosotros de México a Cuba en la expedición del "Granma".

Pero, bien, antes de seguir respondiendo esta pregunta, déjame terminar mi primera conclusión.

Frei Betto. Yo pensaba que cuando la victoria de la Revolución, en enero de 1959, usted tenía menos de 32 años, ¿no?

Fidel Castro. Bueno, yo tenía 32, no había cumplido todavía 33; yo cumplí 33 en el mes de agosto del año 1959.

Frei Betto. Pero si él murió en 1956, entonces usted tenía menos, usted tenía 30 años.

Fidel Castro. Tienes toda la razón. Efectivamente, me olvidé de contar los dos años de guerra. Los años de guerra fueron dos, 25 meses, para ser más exacto. Mi padre muere el 21 de octubre de 1956, realmente dos meses después de haber cumplido yo 30 años. Cuando yo vengo de México con nuestra pequeña expedición en diciembre de 1956, tengo esa edad. Cuando el ataque al cuartel Moncada tenía 26 años; cumplí 27 en la prisión.

Frei Betto. Y la señora Lina, ¿en qué año murió?

Fidel Castro. Ella murió el 6 de agosto de 1963, tres años y medio después del triunfo de la Revolución.

Iba a terminar el punto anterior, las preguntas tuyas me han apartado un poquito del tema. Estábamos hablando del campo, dónde vivíamos, cómo era, cómo eran mis padres, el nivel cultural que ellos habían alcanzado, desde un origen realmente muy pobre. Te hablé de la casa, y te hablé de que trajo la costumbre española.

No recuerdo así, realmente, muchas manifestaciones religiosas de mi padre, podría decir que muy pocas. No podría ni siquiera responder a la pregunta de si él tenía realmente una fe religiosa. Sí recuerdo que mi madre, mucho; mi abuela, mucho.

Frei Betto. Por ejemplo, ¿él iba a la misa los domingos?

Fidel Castro. Ya te dije que no había iglesia donde nosotros vivíamos.

Frei Betto. ¿Cómo eran las Navidades en su casa?

Fidel Castro. Se celebraban las Navidades de la forma tradicional. La Nochebuena, el día 24, siempre era de fiesta; después el Año Nuevo, el día 31 por la noche, era de fiesta hasta después de las 12:00 de la noche. Me parece que también había una festividad religiosa el día de los Santos Inocentes, creo que el 28 de diciembre; pero normalmente se utilizaba para hacer bromas con la gente, algún engaño, contarle algo y tomarle el pelo –como decían–, hacerle una broma, engañarlo, y después decirle: "¡Te cogí por inocente!" Eso era también en la época de Navidades.

Frei Betto. En Brasil es el 1º de abril.

Fidel Castro. Bueno, aquí era a fines de año. Las Navidades se celebraban, la Semana Santa también.

Pero todavía no te he contestado la pregunta inicial que tú me hiciste, sobre si mi familia era una familia religiosa.

Hay que decir que donde vivíamos no había pueblo, sino algunas instalaciones. Cuando yo era muy pequeño, debajo de la casa estaba la lechería; más adelante, ya sacaron la lechería de allí. También debajo de la casa había siempre algún corralito con cerdos y aves, igual que en Galicia; por allí se paseaban gallinas, patos, gallinas de guinea, pavos, algunos gansos y cerdos. Todos esos animales domésticos se paseaban por allí. Pero después hicieron una lechería como a 30 ó 40 metros de la casa; muy cerca había un pequeño matadero, y al frente de la lechería un taller donde se arreglaban instrumentos de trabajo, arados, todo eso. También como a 30 ó 40 metros de la casa, en otra dirección, estaba la panadería; como a 60 metros de la casa y no lejos de la panadería, estaba la escuela primaria, una pequeña escuela pública; en el lado opuesto de la panadería, junto al camino real –como le llamaban al camino de tierra y fango que venía de la capital del municipio y continuaba hacia el sur–, con un frondoso árbol delante, estaba la tienda, el centro comercial, que también era propiedad de la familia; y frente a la tienda estaban el correo y el telégrafo. Esas eran las instalaciones principales que había allí.

FREI BETTO. ¿La tienda era propiedad de su familia?

FIDEL CASTRO. La tienda sí. Menos el correo y la pequeña escuela, que eran públicos, todo lo demás allí era propiedad de la familia. Cuando yo nazco, ya mi padre había acumulado recursos, había acumulado cierta riqueza.

FREI BETTO. ¿En qué año nació usted?

FIDEL CASTRO. Yo nací en 1926, en el mes de agosto, el 13 de agosto; si quieres saber la hora, creo que fue como a las 2:00 de la madrugada. Parece que la noche pudo haber influido después en mi espíritu guerrillero, en la actividad revolucionaria; la influencia de la naturaleza y de la hora del nacimiento. Habría ahora que ver más cosas, ¿no?, cómo fue ese día, y si la naturaleza tiene alguna influencia también en la vida de los hombres. Pero creo que nací de madrugada –si mal no recuerdo, me dijeron alguna vez–, así que nací guerrillero, porque nací ya de noche, alrededor de las 2:00 de la madrugada.

FREI BETTO. Sí, en la conspiración.

FIDEL CASTRO. Un poco en la conspiración.

FREI BETTO. Al menos el número 26 tiene algunas coincidencias en su vida.

FIDEL CASTRO. Bueno, nací en el año 1926, es verdad; tenía 26 años también cuando empecé la lucha armada, y había nacido un día 13, que es la mitad de 26. Batista dio su golpe de Estado en 1952, que es el doble de 26. Si me pongo a ver, pudiera haber algún misterio alrededor del 26.

FREI BETTO. Tenía 26 años cuando empezó la lucha. El Moncada fue un 26 de julio, y dio origen al Movimiento 26 de Julio.

FIDEL CASTRO. Y desembarcamos en 1956 que, en números redondos, son 30 años después del 26.

Bien, déjame proseguir, Betto, para contestar tu pregunta, que no la he contestado.

Aquello es lo que había por allí. Me falta algo. Como a 100 metros de la casa, y a lo largo también de aquel camino real, estaba la valla de gallos, un lugar donde todos los domingos, en las épocas de zafra, se efectuaban lidias de gallos. No de toros; en España serían de toros y gallos, pero allí lo que yo conocí eran las peleas de gallos los domingos, también el 25 de diciembre y los días de Año Nuevo. Todos esos días festivos se reunía allí la gente aficionada a los gallos, algunos llevaban sus propios gallos, otros simplemente apostaban. Mucha gente humilde gastaba allí sus escasos ingresos; si perdían no les quedaba nada y si ganaban en las apuestas lo gastaban de inmediato en ron y fiestas.

No lejos de aquella valla había algunas casas muy pobres, de hojas de palma y pisos de tierra, donde vivían fundamentalmente inmigrantes haitianos, que trabajaban en los cultivos y en los cortes de caña, gente que vivía muy pobremente, inmigrantes que habían acudido a Cuba también en las primeras décadas del siglo. Ya desde aquella época había emigraciones de haitianos; como, aparentemente, la fuerza de trabajo en aquellos tiempos no alcanzaba en Cuba, pues entonces venían inmigrantes haitianos. En distintas direcciones, a lo largo del camino real y de otros caminos, como el que se dirigía hacia la línea del ferrocarril que transportaba la caña, y a lo largo de la propia vía férrea, estaban los bohíos donde vivían los trabajadores y sus familias.

En aquella finca, el principal cultivo era la caña de azúcar y el segundo renglón de importancia la ganadería; después, frutos menores. Allí había plátanos, tubérculos, pequeñas siembras de granos, algunos vegetales, arboledas de coco, de frutales diversos y de cítricos; había unas 10 ó 12 hectáreas de cítricos contiguas a la casa. Después venían las áreas de cañas, más próximas a la línea del ferrocarril que las transportaba al central azucarero.

Ya por la época en que yo empiezo a tener uso de razón, en mi casa había tierras propias y tierras arrendadas. ¿Cuántas hectáreas propias? Voy a hablar en hectáreas, aunque en Cuba se medía la tierra por caballerías, que equivalen a 13,4 hectáreas cada una. Eran alrededor de 800 hectáreas las tierras propias de mi padre.

FREI BETTO. ¿La hectárea cubana es la misma del Brasil?

FIDEL CASTRO. La hectárea es un cuadrado cuyos lados miden 100 metros, equivalente a 10 mil metros cuadrados de superficie.

FREI BETTO. Diez mil metros cuadrados, exacto.

FIDEL CASTRO. Esa es la hectárea. Aparte de eso, mi padre tenía arrendada una cantidad de tierra, no ya de la misma calidad, pero un área mucho mayor, alrededor de 10 mil hectáreas.

Frei Betto. Es mucha tierra para Brasil, Comandante, imagínese...

Fidel Castro. Bueno, figúrate, esas tierras él las tenía arrendadas. Eran en su mayor parte áreas de lomas, algunas montañas, extensas áreas de pinares en una gran meseta, situada entre 700 y 800 metros de altura, de tierra roja, donde la Revolución ha vuelto a plantar árboles, y cuyo subsuelo está constituido por grandes yacimientos de níquel y otros metales. Me gustaba mucho aquella meseta porque era muy fresca. Yo llegaba a caballo cuando tenía 10 años, 12 años; los caballos, que se sofocaban mucho al trepar las pendientes laderas, cuando llegaban a la meseta dejaban de sudar y la piel se les secaba en pocos minutos. Había un fresco maravilloso, la brisa soplaba constantemente entre pinares muy altos y densos, cuyas copas se topaban en lo alto haciendo como un techo; el agua de los numerosos arroyos parecía refrigerada, era de gran pureza y agradable. Esa área no era tierra propia, estaba arrendada.

Por aquella época a que me refiero, algunos años más tarde, surgió un recurso nuevo en la economía de la familia: la explotación de la madera. Es decir que parte de las tierras aquellas que mi padre tenía arrendadas eran bosques, donde se explotaba la madera; otras eran lomas, no muy fértiles, donde se criaba ganado, y otra parte eran tierras agrícolas donde se cultivaba también caña.

Frei Betto. De campesino pobre, su padre se convirtió en un terrateniente.

Fidel Castro. Por ahí tengo una foto de la casa donde nació mi padre en Galicia. Era una casita pequeñita, casi del tamaño de este lugar donde estamos aquí conversando –serían 10 ó 12 metros de largo por 6 u 8 de ancho–, una casa de lajas de piedra, que es un material abundante en el lugar, usado por los campesinos para construir sus rústicas viviendas. Esa era la casa en que vivía la familia, estaba todo allí en una sola pieza: dormitorio y cocina. Supongo que también los animales. Tierras no tenía prácticamente ninguna, ni un pedacito, ni un metro cuadrado.

En Cuba él había comprado aquellas tierras, unas 800 hectáreas, que eran propiedad particular suya, y disponía, además, de las que le habían arrendado unos antiguos veteranos de la guerra de independencia. Habría que averiguar bien, hacer una indagación histórica acerca de cómo aquellos veteranos de la guerra de independencia adquirieron esas 10 mil hectáreas de tierra. Claro, eran dos jefes de cierto rango de la guerra de independencia. Nunca se me ocurrió hacer una indagación sobre eso, pero me imagino que les fue fácil, había mucha tierra en aquella época y, de una manera o de otra, a muy bajo precio, la pudieron adquirir. Los mismos norteamericanos compraron enormes cantidades de tierra a ínfimos precios. Pero aquellos oficiales de la guerra de independencia, no sé con qué dinero ni en virtud de qué recursos tenían aquellas tierras. Recibían un porcentaje del valor de la caña que se cultivaba allí y recibían un porcentaje del valor de la madera que se extraía de sus bosques. Es decir, eran grandes rentistas que vivían en La Habana y tenían, además, otros negocios. Verdaderamente, no puedo garantizar la forma en que aquella gente adquirió esos recursos, si fue legal o si no fue legal.

En aquella enorme extensión, había, pues, dos categorías de tierra: las que eran propiedad de mi padre y las que estaban arrendadas a mi padre.

¿Cuántas personas vivirían en aquella época en aquel extenso latifundio? Bueno, realmente cientos de familias de trabajadores, y muchos tenían una pequeña parcela de tierra cedida por mi padre, fundamentalmente como un recurso para el autoconsumo de las familias. Había algunos campesinos que cultivaban lotes de caña por su cuenta, llamados subcolonos. Estos tenían una situación económica menos dura que los trabajadores. ¿Cuántas familias en total vivían allí? Doscientas, tal vez 300; cuando yo tenía 10 ó 12 años, quizás vivían alrededor de mil personas en toda aquella extensión.

Me ha parecido conveniente explicarte todo esto para que conozcas el ambiente en que yo nací y viví.

Allí no había ninguna iglesia, ni siquiera una pequeña capilla.

Frei Betto. Ni nunca llegaba un cura.

Fidel Castro. Sí, una vez al año iba algún cura en época de bautizos. El lugar donde yo vivía pertenecía a un municipio llamado Mayarí, y llegaba un cura de la capital del municipio, que estaba a 36 kilómetros de distancia por el camino real aquel.

Frei Betto. ¿Ahí fue usted bautizado?

Fidel Castro. No, yo no fui bautizado allí. A mí me bautizaron años después que nací, en la ciudad de Santiago de Cuba.

Frei Betto. ¿Qué edad tenía?

Fidel Castro. Creo que tenía entre 5 ó 6 años cuando me bautizaron. Realmente, entre mis hermanos fui de los últimos en ser bautizado.

Tengo que explicarte lo siguiente: en aquel ambiente, no había iglesia ni había sacerdotes, no había ninguna enseñanza religiosa. Antes de continuar con el bautizo mío, quiero decirte que allí no había ninguna enseñanza religiosa.

Tú me preguntas si aquellos cientos de familias eran creyentes. Yo diría que, en general, aquellos cientos de familias eran creyentes. Como norma, estaba bautizado todo el mundo. Al que no estaba bautizado, le decían "judío", lo recuerdo bien. Yo no entendía que quería decir "judío" –te estoy hablando de cuando yo tenía 4 ó 5 años–; sabía que un judío era un pájaro oscuro, muy bullicioso, y cuando decían: "es judío", yo creía que se trataba del ave aquella. Son mis primeras nociones: el que no estaba bautizado era "judío".

Enseñanza religiosa no había. La escuela era una escuela laica, pequeña; allí irían 15 ó 20 niños más o menos. A aquella escuela me enviaron porque no había círculo infantil. Yo era el tercero de los hermanos y el círculo infantil mío fue la escuela; me enviaron a ella desde muy chiquito, no tenían dónde ponerme y me mandaron allí con mis otros dos hermanos mayores.

De modo que yo mismo ni recuerdo bien cuándo aprendí a leer y a escribir, porque sé que me sentaban en un pupitre pequeño, en la primera fila, y allí yo veía la pizarra y escuchaba todo lo que se decía. Así que se puede decir que aprendí en el círculo infantil, que era la escuela. Allí me parece que aprendí a leer, escribir y sacar las primeras cuentas, todo. ¿Cuánto tendría de edad? Cuatro años, tal vez cinco.

No había enseñanza religiosa en la escuela. Allí enseñaban el himno, la bandera, el escudo, algunas de aquellas cosas; era una escuela pública.

Aquellas familias tenían creencias de distintos tipos. En realidad, recuerdo cómo era el ambiente en el campo sobre esta cuestión. Creían en Dios, creían en distintos santos. Algunos de esos santos estaban en la liturgia, eran santos oficiales; otros no. Todos teníamos también un santo, porque el nombre de uno coincidía con el día del santo: San Fidel coincidía con el día de mi santo. A uno le decían que era muy importante el día, y uno pensaba y se alegraba cuando llegaba ese día. El 24 de abril era mi santo, porque hay un santo que se llama San Fidel; antes que yo hubo otro santo, quiero que sepas eso.

Frei Betto. Yo pensaba que Fidel venía del significado de aquel que tiene fe, que produce también la palabra fidelidad.

Fidel Castro. En ese sentido, estoy completamente de acuerdo con mi nombre, por la fidelidad y por la fe. Unos tienen una fe religiosa y otros otra; pero sí he sido un hombre de fe, confianza, optimismo.

FREI BETTO. Si usted no tuviera fe, posiblemente la Revolución no hubiera triunfado en este país.

FIDEL CASTRO. Sin embargo, te cuento por qué me llamo Fidel, y te ríes. Verás que no es tan idílico el origen. Yo no tenía ni nombre propio. A mí me pusieron Fidel porque alguien iba a ser mi padrino. Pero bien, antes de pasar otra vez al bautizo, tengo que terminar de explicarte el ambiente.

FREI BETTO. Y tenemos que regresar a su madre, no se olvide.

FIDEL CASTRO. Sí, vamos a regresar, pero quiero explicarte el ambiente religioso.

En aquella época, aquellos campesinos tenían todo tipo de creencia: en Dios, en los santos, y en santos que no eran de la liturgia.

FREI BETTO. En la Virgen.

FIDEL CASTRO. En la Virgen, por supuesto, sí, eso era muy corriente; en la Caridad del Cobre, patrona de Cuba, todos tenían una gran creencia. Además, en algunos santos que no estaban en la liturgia, como San Lázaro. Prácticamente no había alguno de aquellos que no creyera en San Lázaro. Mucha gente creía también en los espíritus, en los fantasmas. Recuerdo que de niño oía cuentos de espíritus, de fantasmas, de apariciones; todo el mundo hacía cuentos. Pero, además, creían en las supersticiones. Por ejemplo, recuerdo algunas: si un gallo cantaba tres veces y nadie le contestaba, aquello podía ser una desgracia; si una lechuza pasaba de noche y se escuchaba su vuelo y el graznido –me parece que le llamaban "el canto de la lechuza"–, entonces eso podía traer desgracia; si se caía un salero y se rompía, era malo, había que recoger del suelo un poquito de sal y lanzarla hacia atrás por encima del hombro izquierdo. Existía toda una serie de supersticiones muy típicas y muy comunes. De manera que el mundo en que yo nazco, era un mundo bastante primitivo en ese sentido, porque había todo tipo de creencia y todo tipo de supersticiones: espíritus, fantasmas, animales agoreros, de todo. Ese era el ambiente que yo recuerdo.

Ese ambiente lo veía en todas las familias y, en parte, también en mi propia casa. Por eso te digo que sí eran personas muy religiosas. Pero puedo decir que en la familia, mi madre era sobre todo cristiana católica; sus convicciones, su fe, se asociaban fundamentalmente con la Iglesia Católica.

Frei Betto. ¿Su madre enseñaba a los hijos a rezar?

Fidel Castro. Bueno, más bien ella rezaba. Yo no puedo decir que a mí me enseñara a rezar, porque a mí me mandaron para una escuela en la ciudad de Santiago de Cuba cuando yo tenía cuatro años y medio. Pero sí oía como ella rezaba.

Frei Betto. ¿Los rosarios?

Fidel Castro. El rosario, el Avemaría, el Padre Nuestro.

Frei Betto. ¿Tenía imágenes de la Virgen de la Caridad?

Fidel Castro. Muchas imágenes: de los santos, de la Virgen de la Caridad, la patrona de Cuba; de San José, de Cristo, de otras vírgenes, muchas imágenes, imágenes que pertenecían a santos de la Iglesia Católica. Ahora, en mi casa había también un San Lázaro, que no estaba dentro de los santos oficiales de la Iglesia Católica.

Mi madre era creyente fervorosa, rezaba todos los días, siempre encendía velas a la Virgen, a los santos, les pedía, les rogaba en todas las circunstancias, hacía promesas por cualquier familiar enfermo, por cualquier situación difícil, y no solo hacía promesas, sino que las cumplía. Una promesa podía ser visitar el Santuario de la Caridad y encender una vela, entregar una ayuda determinada, y eso sí era muy frecuente.

Aparte de mi madre, también mis tías y mi abuela eran muy creyentes. Mi abuela y mi abuelo –estoy hablando de los abuelos maternos– vivían en aquella época como a un kilómetro de nuestra casa.

Recuerdo una ocasión en que muere de parto una tía mía. Recuerdo ese entierro. Si lograra precisar la fecha exacta, podría decirte el momento de la primera imagen que tuve de la muerte. Sé que había mucha tristeza, mucho llanto, y recuerdo que, incluso, me llevaron allí, pequeñito, a un kilómetro de mi casa, donde vivía también una tía, que estaba casada con un trabajador español.

Frei Betto. ¿Murió la madre y el hijo, o solamente la madre?

Fidel Castro. Murió la madre, y la hija –era una niña– después se crió con nosotros. Esa es la primera imagen que recuerdo de la muerte, la de aquella tía.

Mis abuelos maternos eran muy pobres también, de familia muy pobre. Mi abuelo era carretero, transportaba caña en una carreta de bueyes. Había nacido en Occidente, en la provincia de Pinar del Río, igual que mi madre. En aquella época, en los primeros años del siglo, se trasladó con toda la familia a la antigua provincia de Oriente, a mil kilómetros de distancia, en una carreta, y fue a parar allá por aquella zona.

Frei Betto. ¿Quién se trasladó?

Fidel Castro. Mi abuelo con la familia, con mi madre, mis tíos y tías. Otros hermanos de mi madre también trabajaban allí como carreteros, dos hermanos eran carreteros.

Entonces, te digo que era muy religiosa mi abuela. Yo diría que la enseñanza religiosa de mi madre, de mi abuela, provenía por tradición de familia. Las dos eran realmente muy creyentes.

Recuerdo que, incluso, después que triunfó la Revolución en el año 1959, un día aquí en La Habana las fui a visitar. Estaban las dos. La abuela tenía algunos problemas de salud, y el cuarto estaba lleno de santos, más las promesas. Porque en todo este período de la lucha, de grandes peligros, tanto mi madre como mi abuela hicieron todo tipo de promesas por la vida y por la seguridad de nosotros, y el he-

105

cho de que hayamos concluido toda aquella lucha con vida, debe, sin duda, haber multiplicado su fe. Yo era muy respetuoso con sus creencias; ellas me hablaban de las promesas que habían hecho, de su profunda fe, precisamente ya después del triunfo de la Revolución, en el año 1959, y yo siempre las escuchaba con mucho interés, con mucho respeto. A pesar de tener otra concepción del mundo, nunca discutía absolutamente sobre estos problemas con ellas, porque yo veía la fortaleza que les daban, el ánimo que les daban, el consuelo que les daban sus sentimientos religiosos y sus creencias. Claro, no era una cosa estricta, ni ortodoxa, pero sí era una cosa propia, de tradición familiar, muy sentida y muy profunda; esos eran sus sentimientos.

A mi padre lo veía más bien preocupado por otros temas, por la cosa política, por la lucha diaria, organizando las tareas, las actividades, comentando distintos tipos de problemas. Rara vez, casi nunca, le escuché manifestaciones religiosas. Tal vez fuera escéptico en materia de religión. Ese era mi padre.

De modo que ese fue el ambiente que yo recuerdo, los primeros recuerdos sobre la cosa religiosa, y en ese sentido puedo decir que provengo de una familia cristiana, sobre todo por mi madre y mi abuela. Pienso que mis abuelos de España eran también muy religiosos, pero a aquellos no los conocí; conocí, sobre todo, el sentimiento religioso de mi madre y la familia de mi madre.

FREI BETTO. Usted hablaba de la historia de su nombre, del bautizo.

FIDEL CASTRO. Sí, es curioso por qué me llamaron Fidel. El bautizo era una ceremonia muy importante. También en el campo, entre todos los campesinos, aun aquellos que no tenían ninguna cultura religiosa, lo del bautizo era una institución popular. Como en aquella época los peligros de muerte eran mucho mayores, y en el campo las perspectivas de vida eran bajas, cada familia campesina pensaba que el padrino era el segundo padre del hijo, el que debía ayudarlo;

que si el padre moría su hijo tendría alguien que lo ayudara, que lo apoyara. Ese era un sentimiento muy arraigado. Buscaban a los amigos de más confianza; a veces era un tío el que bautizaba. Yo tendría que preguntarles a mi hermana mayor y a Ramón, el segundo, quiénes fueron sus padrinos, pero creo que eran algunos tíos.

Déjame decirte que nosotros éramos hijos de un segundo matrimonio. Había habido un primer matrimonio. Recuerdo que teníamos relaciones con los hermanos del primer matrimonio. Yo era el tercero del segundo matrimonio, que tuvo siete hijos, cuatro hembras y tres varones.

Ahora, a mí me habían asignado como ahijado de un amigo de mi padre que era un señor muy rico; incluso tenía ciertas relaciones de negocios con mi padre, le prestaba dinero en algunas ocasiones; era el que prestaba para inversiones en mi casa o para distintos gastos que había que hacer, le hacía préstamos a mi padre con un interés determinado; era algo así como el banquero de la familia. Este hombre era muy rico, mucho más rico que mi padre; se decía que era millonario. De mi padre nunca se dijo que era millonario. En aquella época millonario era una cosa colosal, alguien que tenía mucho dinero; millonario en una época en que una persona ganaba un dólar o un peso diario, era aquel que tenía un millón de veces lo que un individuo ganaba en un día. En aquella época las propiedades de mi padre no se podían tasar a un precio tan alto. No se podía decir que mi padre era millonario, aunque tenía una buena posición.

A mí me asignaron ese señor como padrino. Un señor muy rico, muy ocupado, que vivía en Santiago de Cuba y tenía muchos negocios en muchas partes de la provincia. Parece que no se dieron las circunstancias propicias para que coincidiera una visita de aquel rico que iba a ser mi padrino y un cura en Birán, y como consecuencia, esperando que ocurrieran esas circunstancias, yo estaba sin bautizar, y recuerdo que me decían "judío". Decían: "Este es judío". Yo tenía 4 ó 5 años, y me criticaban diciendo que era

107

"judío". Yo no sabía lo que era judío, pero indiscutiblemente me lo decían con una connotación peyorativa, como una condición bochornosa, por el hecho de no estar bautizado, y yo no tenía realmente ninguna culpa de eso.

Antes de que me bautizaran me enviaron a la ciudad de Santiago de Cuba. La maestra le hizo creer a mi familia que yo era un alumno muy aplicado, le hizo creer que era despierto, que tenía capacidades para el estudio, y con esa historia, realmente, me mandaron para la ciudad de Santiago de Cuba cuando tenía alrededor de 5 años. Me sacaron de allí, del mundo aquel donde vivía sin dificultad material alguna, y me llevaron a una ciudad donde sí viví vida de pobre, pasando hambre.

Frei Betto. ¿Con 5 años?

Fidel Castro. Sí, con 5 años, sin saber qué era hambre.

Frei Betto. ¿Y por qué vida de pobre?

Fidel Castro. Vida de pobre porque, en realidad, la familia de aquella maestra era pobre, tenían únicamente el salario de ella. Era la época de la crisis económica de los años 30, en el año 1931 o 1932. Eran dos hermanas y el padre; una sola trabajaba de los tres, y los sueldos a veces no se pagaban, o se retrasaban considerablemente; cuando la gran crisis económica de los primeros años de la década del 30, no se pagaban muchas veces ni los sueldos, y vivían muy pobremente.

Yo voy para Santiago, para una casita pequeñita de madera, que cuando llovía se mojaba toda, completa. Todavía está allá, se conserva esa casa. La realidad es que la maestra seguía dando clases en Birán en el período escolar; la hermana tenía que vivir del sueldo ese. De mi casa mandaban 40 pesos para mi sostenimiento, que tendrían el poder adquisitivo hoy de 300 ó 400. Eramos dos, mi hermana mayor y yo. Y, en realidad, dentro de aquella situación de pobreza, que no cobraban el sueldo y además querían ahorrar, en aquellas circunstancias los recursos que había para alimentarse eran pocos. Allí tenían que alimentarse cinco personas y después seis, porque meses después llegó también mi hermano Ramón, que era el segundo. Y se recibía una pequeña cantinita con un poco de arroz, de frijoles, de boniato, plátano, algo de eso. Iba por el mediodía una cantina, de la que tenían que comer, primero cinco y después seis personas, por la mañana y por la tarde. Entonces yo creía que tenía un enorme apetito, la comida me parecía de un sabor maravilloso, y realmente lo que tenía era hambre. Vaya, pasé bastante trabajo.

Pero bien, después la hermana de la maestra se casó con el Cónsul de Haití en Santiago de Cuba, y como yo estaba allí y mi padrino rico no acababa de aparecer por ninguna parte, ni se efectuaba la ceremonia del bautizo y yo tenía ya como 5 años y era –como decían– "judío", porque no estaba bautizado, y ni siquiera sabía qué quería decir eso, había que buscar una solución al problema. Pienso que el calificativo de "judío" está relacionado también con ciertos prejuicios religiosos, de los cuales podemos hablar después. Entonces me bautizaron y mi padrino fue el Cónsul de Haití, que estaba casado con la hermana de la maestra, Belén, una buena y noble persona, que era profesora de piano aunque no tenía empleo ni alumnos.

FREI BETTO. No fue el rico amigo de su padre.

FIDEL CASTRO. No, no fue el rico, fue el Cónsul en Santiago de Cuba del país más pobre de América Latina. La maestra era mestiza, mi madrina también era mestiza.

FREI BETTO. ¿Todavía existen?

FIDEL CASTRO. No, murieron hace mucho tiempo. No les guardo ningún tipo de rencor ni mucho menos, aunque la maestra buscaba provecho material. Debe tenerse en cuenta que por cada uno de nosotros enviaban de mi casa 40 pesos mensuales. Pero aquellos años fueron un período duro de mi vida.

Entonces, me llevaron una tarde a la catedral de Santiago de Cuba. Lo que no te puedo decir ahora en qué fecha exacta. Puede ser que yo haya tenido 6 años cuando me bautizaron, porque ya había pasado un período de vicisitudes y trabajo cuando me llevaron a la catedral de Santiago de Cuba. Me echaron el agua bendita y me bautizaron. Ya era un ciudadano normal, igual que los demás, porque por fin me habían bautizado, tenía padrino y madrina. Pero no fue el rico millonario que me habían asignado, y que se llamaba don Fidel Pino Santos. Por cierto que un sobrino de él es un valioso compañero nuestro de la Revolución, economista destacado, trabajador, compañero muy capaz; es economista y comunista. Para que tú veas, fue comunista desde muy joven, a pesar de ser sobrino de aquel que iba a ser mi padrino, el hombre muy rico, y que al fin no lo fue aunque me dejó su nombre, ¿comprendes? Me dejó su nombre, porque me habían puesto Fidel en consideración de que el que iba a ser mi padrino se llamaba Fidel. Ya ves lo que son las casualidades, que ayudan a que uno reciba un nombre justo. Fue lo único justo que recibí en todo ese período.

Frei Betto. ¿Y cómo se llamaba el Cónsul?

Fidel Castro. Luis Hibbert.

Frei Betto. Usted hoy podría llamarse Luis Castro.

Fidel Castro. Podría llamarme Luis Castro si desde el principio me hubiesen asignado al Cónsul por padrino. Bueno, ha habido Luises muy prestigiosos en la historia de la humanidad.

Frei Betto. Sí, muchos.

Fidel Castro. Muchos Luises, hubo reyes y santos. ¿No ha habido por casualidad algún Papa que haya tenido el nombre de Luis?

Frei Betto. No recuerdo. Yo no soy muy versado en la historia de los Papas. Yo tengo también un hermano que se llama Luis.

Fidel Castro. Podían esperar seis años para bautizarme, pero no podían esperar seis años para ponerme nombre. Y ese es el origen de mi nombre, se lo debo realmente a un hombre muy rico. No precisamente el rico Epulón de la Biblia, porque, en realidad, voy a decir la verdad: es triste hablar de personas que pasaron hace tiempo, pero la fama que tenía mi potencial padrino era de que se trataba de un hombre muy ahorrativo, excesivamente ahorrativo. No creo que tenga nada que ver con su predecesor bíblico.

Frei Betto. No, no creo.

Fidel Castro. Y regalos no me hizo muchos, ninguno que yo recuerde. Préstamos a mi padre sí le hizo, con sus intereses correspondientes, que en aquella época eran más bajos que los de ahora. Me parece que alrededor del 6 por ciento era el interés histórico que pagaba mi padre.

Después el hombre aquel se hizo político, incluso se postuló para Representante. Por supuesto, tú me preguntarás por qué partido: ¡ah!, por el partido del Gobierno, porque siempre estaba con el partido del Gobierno, ¿comprendes? Después un hijo fue representante por el partido de la oposición, todo estaba resuelto.

Pero cuando llegaban las campañas electorales, yo recuerdo que mi padre lo apoyaba en sus campañas. Tú debes comprender qué lecciones de democracia recibí yo en épocas tan tempranas. Por mi casa circulaba mucho dinero en períodos electorales; más que circular, salía bastante dinero de mi casa, para ayudar al amigo de mi padre en cada elección. Es decir que mi padre gastaba mucho de su dinero por ayudar al candidato. La política en aquella época era así.

Lógicamente, mi padre, como dueño de tierra, controlaba la mayoría de los votos, porque mucha gente no sabía siquiera leer ni escribir; trabajar con alguien en el campo en aquella época se miraba como un gran favor que le hacían a una persona por ofrecerle trabajo; vivir en la finca de alguien se consideraba como un gran favor, y, por tanto, aquel campesino, aquel trabajador y su familia, tenían que estar agradecidos a su patrón y votar por el candidato que el patrón apoyara. Aparte de eso, existía lo que llamaban sargentos políticos. ¿Quiénes eran los sargentos políticos? Eran especialistas en política, no te voy a decir que un asesor versado en sociología, en derecho o en economía, sino un campesino espabilado del área que conseguía un empleo determinado en el Gobierno, o que cuando llegaban las campañas electorales le daban una cantidad de dinero para conseguir votos para un aspirante a concejal, dinero para votar por el alcalde, dinero para votar por el gobernador de la provincia, dinero para votar por el representante, dinero para votar por el senador y dinero también para votar por el presidente. En aquella época no había campañas por radio o televisión, que creo cuestan todavía más caras.

Frei Betto. Así se hace todavía en Brasil.

Fidel Castro. Yo recuerdo que así era en época de elecciones. Te estoy hablando de cuando tenía ya 10 años, casi era versado en política a los 10 años, ¡había visto tantas cosas!

Recuerdo, incluso, que cuando yo iba de vacaciones a mi casa –porque desde los 5 años me sacaron, me enviaron a estudiar fuera– y las vacaciones coincidían con una campaña política, la caja de caudales que estaba en el cuarto donde yo dormía resultaba un problema. Tú sabes que a los muchachos les gusta dormir por la mañana, pero yo no podía hacerlo, porque muy temprano, casi a las 5:30 de la mañana en período electoral, ya había movimiento, se abría y cerraba la caja constantemente, con su inevitable y metálico ruido, porque aparecían los sargentos políticos y había que suministrarles fondos. Todo esto, déjame decirte, de la manera más altruista del mundo, porque mi padre lo hacía por simple amistad con aquella persona. No recuerdo que, aparte de los préstamos, aquel señor le resolviera un solo problema a mi padre, ni le entregara fondo alguno para la campaña política; aquellos gastos los hacía mi padre por su propia cuenta. Y así era como se hacía la política, la que yo vi cuando niño; realmente era así.

Había un número de personas que controlaban cierta cantidad de votos, sobre todo en lugares más distantes, porque la gente más próxima era controlada directamente por los empleados de confianza de la finca; pero desde lejos, de 30 kilómetros, 40 kilómetros, venían sargentos políticos que controlaban 80 votos, 100 votos. Esos votos debían aparecer después en el colegio electoral correspondiente; de lo contrario, el sargento político perdía su prestigio, perdía su premio o perdía su empleo. Y así se hacían las campañas electorales en el país.

Y este que iba a ser mi padrino fue Representante. En realidad, mi pobre padrino verdadero, el Cónsul de Haití, tuvo sus dificultades. Un día del año 1933 triunfa en Cuba una revolución contra la tiranía machadista –bueno, ya yo tengo 7 años en 1933–, y aquella revolución contra el machadato se tradujo, en los primeros tiempos, en unas leyes de tipo nacionalista. En esa época había mucha gente sin empleo, pasando hambre, mientras, por ejemplo, en la ciudad de La Habana, muchos comercios españoles les daban empleos solamente a españoles. Surgió una demanda de tipo nacionalista: se exigía una proporción de empleos para los cubanos, lo cual puede ser en principio justo, pero dio lugar a medidas crueles en ciertas circunstancias, al dejar sin empleo a personas que, aunque extranjeras, eran muy pobres y no tenían otro medio de vida.

Yo recuerdo con dolor, con verdadero dolor, cómo, por ejemplo, allá en Santiago de Cuba y en la provincia de Oriente empezaron a expulsar a los inmigrantes haitianos que tenían largos años de residencia en Cuba; aquellos haitianos que hacía muchos años habían venido de su país huyendo del hambre, que cultivaban la caña y hacían la zafra azucarera con mucho sacrificio, ¡con mucho sacrificio!, y salarios muy pobres. Eran casi esclavos. Yo creo, estoy convencido, que los esclavos en el siglo pasado tenían mejores niveles de vida y mejor atención que aquellos haitianos.

Frei Betto. Comida y salud.

Fidel Castro. A los esclavos los trataban como animales, pero les daban comida y los cuidaban para que vivieran, para que trabajaran, para que produjeran, y conservarlos como capital de las plantaciones. En cambio, aquellos inmigrantes haitianos, que eran decenas de miles, comían sólo cuando trabajaban y nadie se preocupaba si vivían o morían de hambre; recuerdo que aquella gente sufría todo tipo de miseria.

Cuando la llamada revolución de 1933, que, efectivamente, constituyó un movimiento de lucha, de rebeldía, contra las injusticias y abusos, lo mismo se demandaba la nacionalización de una empresa eléctrica u otra inversión extranjera, que se demandaba la nacionalización del trabajo; y en nombre de la nacionalización del trabajo, decenas de miles de aquellos haitianos fueron expulsados despiadadamente hacia Haití, algo verdaderamente inhumano a la luz de nuestras concepciones revolucionarias. ¡Qué habrá pasado con ellos, cuántos sobrevivirían!

Yo recuerdo que en esa época mi padrino era todavía Cónsul en Santiago de Cuba y allí llegaba un barco grande que se llamaba "La Salle", de dos chimeneas. La entrada en Santiago de Cuba de un barco de dos chimeneas era un fenómeno extraordinario. Una vez me llevaron a verlo y aquel barco estaba lleno de haitianos; los llevaban para Haití expulsados de Cuba.

Más adelante mi padrino se quedó sin empleo, sin consulado, creo que sin ingreso y sin nada, y también fue a parar a Haití. Entonces, mi madrina se quedó sola durante muchos años. Después, pasado bastante tiempo, él regresó a Cuba –ya yo era mayor– y estuvo por allá por Birán, donde buscó refugio y vivió un tiempo. No tenía medios para sustentarse.

Frei Betto. ¿Y cuándo ingresa usted en el colegio religioso?

Fidel Castro. Yo ingreso en el colegio religioso en primer grado.

Frei Betto. ¿Con qué edad?

Fidel Castro. Bueno, ahora tendría que averiguar; debo haber tenido alrededor de 6 y medio a 7 años.

Frei Betto. ¿El colegio de los Hermanos de La Salle?

Fidel Castro. Sí. Esta es una larga historia de la que voy a contarte algo.

En ese período de que te hablé, cuando me enviaron muy pequeño a Santiago de Cuba, pasé mucha necesidad y mucho trabajo. Alrededor de un año después mejoró un poco la cosa. Un día en mi casa se dieron cuenta de aquellas dificultades, protestaron, me llevaron de nuevo para Birán, pero después de las protestas, las explicaciones de la maestra y de la conciliación subsiguiente, me enviaron otra vez para su casa en Santiago; aunque ya, desde luego, la situación después del escándalo no fue tan difícil. ¿Cuánto tiempo pasé allí en total? Debo haber pasado no menos de dos años en eso.

El hecho es que al principio no me enviaron a ninguna escuela y la madrina era la que me daba clases; las clases consistían en ponerme a estudiar las tablas de sumar, restar, multiplicar y dividir que estaban en el forro de una libreta. Me las sabía de memoria, creo que me las aprendí tan bien que nunca más se me han olvidado. A veces yo saco cuentas casi con la rapidez con que las puedo sacar en una máquina computadora.

Frei Betto. Sí, yo he percibido eso anoche.

Fidel Castro. Entonces, allí eso era así. No había libro de texto, solo la libreta y algunos dictados. Y claro, aprendí a sumar y todo eso, a leer, a seguir un dictado, a escribir; debo haber mejorado mi ortografía un poco, debo haber mejorado también la caligrafía, y el hecho es que allí pasé como dos años creo que perdiendo el tiempo. Lo único útil fue el saldo de un período de la vida dura, difícil, de trabajo, de sacrificios. Creo que fui víctima de cierta explotación, por el ingreso que significaba para aquella familia la pensión que pagaban mis padres por tenernos allí.

Y recuerdo los Reyes Magos. Una de las manifestaciones de las creencias que le inculcaban a uno a esa edad de 5, 6, 7 años, era el Día de Reyes. En este caso, tú que estás hablando de creencias religiosas, una de las primeras cosas en la que nos enseñaron a creer fue en los Reyes Magos. Porque, bueno, el Día de Reyes... Tal vez tendría 3 ó 4 años la primera vez que apareció un Rey Mago. Recuerdo las primeras cosas que me pusieron los reyes, fueron algunas manzanas y algún carrito, cositas de ésas, y unos caramelos.

FREI BETTO. Lo contrario de Brasil. En Brasil se da regalos en la Navidad, aquí el 6.

FIDEL CASTRO. El día 6 de enero era el Día de Reyes; nos enseñaban que los tres Reyes Magos, que habían ido a saludar a Cristo en el momento de su nacimiento, todos los años venían a ponerles juguetes a los niños.

Recuerdo que allí pasé yo con esa familia tres Reyes. Entonces, deben haber sido no menos de dos años y medio los que en total pasé allí.

FREI BETTO. ¿En Cuba no ingresó la figura capitalista de Papá Noel?

FIDEL CASTRO. No, en Cuba no existía; eran los Reyes Magos que viajaban en camellos. Los muchachos tenían que escribir una carta a los Reyes Magos: Gaspar, Melchor y Baltasar. Recuerdo mis primeras cartas cuando tendría 5 años; le escribí al Rey Mago, y le pedía de todo: carros, locomotoras, máquinas de cine, de todo. Les hacía grandes cartas a los Reyes Magos el día 5, buscaba la hierba, la ponía con agua debajo de la cama, y después venían las desilusiones.

Frei Betto. ¿Cómo es eso de la hierba?

Fidel Castro. Como los Reyes venían en camellos, había que ponerles hierba y agua a los camellos en un vaso debajo de la cama.

Frei Betto. ¿Mezcladas?

Fidel Castro. Sí, la hierba y el agua mezcladas o muy cerca una de la otra.

Frei Betto. ¡Ah, qué interesante, no conocía eso!

Fidel Castro. Había que darles a los camellos agua y comida, sobre todo si usted tenía esperanzas de que los Reyes le trajeran grandes regalos, todo lo que les había pedido en la carta.

Frei Betto. ¿Y qué comían los Reyes?

Fidel Castro. Bueno, los Reyes no sé. Nadie se acordaba de darles de comer a los Reyes, tal vez por eso no fueron muy espléndidos conmigo. Los camellos se comían la hierba y se tomaban el agua, pero apenas me dejaban algún juguete a cambio de eso. Recuerdo que lo primero que me dieron fue una cornetica de cartón, y solo la puntica era de metal, como de aluminio. Una cornetica del largo de un lápiz, de este tamaño, fue lo primero.

Tres años consecutivos, tres veces me pusieron una corneta. Debí haber sido músico, es lo que yo digo, porque realmente... El segundo año de Reyes, me pusieron otra corneta, mitad de aluminio, mitad de cartón; la tercera vez, tercera corneta, con tres teclitas, era ya de aluminio completa.

Bueno, ya yo voy a la escuela. Al finalizar el tercer año de estar allí, me mandan externo a la escuela. Ahí empiezan las cosas.

Frei Betto. ¿A qué escuela?

Fidel Castro. A la escuela La Salle.

Después de estar en aquella casa como dos años, o año y medio –no podría precisar bien, tendría que ponerme a investigar eso–, me envían al colegio La Salle, que estaba como a seis o siete cuadras. Por la mañana temprano iba a las clases, volvía, almorzaba –ya en esa época había almuerzo, no había hambre–, y volvía a la escuela. Todavía está el Cónsul de Haití en la casa, el padrino, en ese período en que ya a mí me ingresan en la escuela, externo. Fue un gran progreso porque, por lo menos, iba a una escuela.

Ya allí sí enseñaban sistemáticamente el catecismo y cosas de religión, elementos de la historia sagrada, en primer grado. Tendría entonces de 6 y medio a 7 años, más o menos, porque ya me han atrasado. Yo que aprendí desde tempranito a leer y a escribir, me han hecho perder casi dos años, podría haber estado en tercero.

Cuando ya voy externo a la escuela, hay allí una enseñanza sistemática, pero sobre todo la mejora material y ambiental fue notable al tener profesores, clases, compañeros con quienes jugar y otras muchas actividades, de las que no disfrutaba cuando era un solitario alumno estudiando aritmética en la carátula de una libreta. Esa nueva situación duró hasta que yo mismo tengo que llevar a cabo mi primera rebelión a esa temprana edad.

Frei Betto. ¿Por qué motivos?

Fidel Castro. Sencillamente porque me cansé de aquella situación. De vez en cuando en la casa también daban su nalgada como represión; y si no me portaba estrictamente bien, me amenazaban con mandarme interno. Hasta que un día me di cuenta de que me convenía ir interno, y que estaría mejor interno que en aquella casa.

Frei Betto. ¿Quiénes lo amenazaban, sus hermanos?

Fidel Castro. La madrina, el padrino, la maestra cuando iba de vacaciones, todo el mundo.

Frei Betto. ¡Ah, la madrina y los demás adultos!

Fidel Castro. Sí, sí.

Frei Betto. Entonces, ¿cómo fue la rebelión?

Fidel Castro. Bueno, aquella gente tenía una educación francesa, realmente, porque sabían hablar francés perfectamente. Entiendo que de ahí vienen también las relaciones con el Cónsul. No recuerdo bien las causas por las cuales aquellas dos hermanas habían recibido una educación francesa; no sé si habían estado en Francia, o en un colegio de Haití. Sabían hablar francés y tenían una esmerada educación formal. Todos esos modales me los enseñaron desde temprano, por supuesto. Entre otras cosas, no se podía pedir. Recuerdo que algunos muchachos muy pobrecitos tenían, sin embargo, un centavo para comprar un rayado o granizado, como le llamaban, o un durofrío, y yo no podía pedirles nada, porque estaba prohibido según las normas de la educación francesa, y si se me ocurría decirle a un muchacho: dame algo, enseguida los muchachos, con su egoísmo propio de la edad y la desesperada pobreza en que vivían, sabían cuáles eran las reglas a las que yo debía atenerme y decían: ¡ah!, estás pidiendo, lo voy a contar en tu casa.

Aquella familia tenía todos sus modales; bien, no critico eso. Había que hacer esto, lo otro, y lo otro, muy disciplinadamente todas las cosas. Había que hablar con mucha educación, no se podía levantar la voz. Por supuesto, no se podía decir una sola palabra indebida. Y cuando me doy cuenta de aquellas amenazas de enviarme interno, estoy cansado; ya había tomado conciencia hacía tiempo de lo que había pasado anteriormente, ya yo tenía, incluso, conciencia del período en que había estado pasando hambre y en que fui objeto de injusticia –no te he contado todo esto en detalle porque no es el objetivo hacer una autobiografía aquí, sino entrar un poco en los temas que tú abordas–, y, entonces, un día llego de la escuela y deliberadamente incumplo todo, desacato todas las órdenes, todos los reglamentos, toda la disciplina, hablo en voz alta, digo todas las palabras que me parecía que estaban prohibidas decir, en un acto consciente de rebeldía con el objetivo de que me mandaran interno para la escuela. Y así la primera rebelión mía, y no fue la única, empezó en el primer grado; máximo de edad, 7 años; habría que ver con precisión en algún archivo.

Frei Betto. ¿Ahí lo mandaron interno?

Fidel Castro. Me mandaron interno a la escuela. Empecé a ser feliz cuando hicieron eso conmigo. Es decir que para mí enviarme interno a una escuela fue una liberación.

Frei Betto. ¿Y cuántos años estuvo interno en La Salle?

Fidel Castro. Casi cuatro años. Estuve la segunda mitad del primer grado, segundo grado, tercer grado, y de tercer grado, por buenas notas, salto a quinto grado y recupero un año de los que había perdido en aquel período.

Frei Betto. ¿Cómo era la enseñanza religiosa? ¿Estaba más en línea con lo bueno, lo feliz, o se hablaba mucho de infierno, de castigos de Dios? ¿Cómo era la cosa? ¿Se exigía mucho ir a misa, hacer sacrificios, penitencias, o las cosas iban por una línea más positiva? ¿Cómo usted recuerda eso?

Fidel Castro. Yo tengo mis recuerdos de distintas etapas, porque estuve en tres escuelas y en distintas edades. Era muy difícil que, realmente, en aquel primer período yo pudiera tener un juicio sobre la cuestión. Ahora tengo que recordar cómo era.

Recuerdo, en primer lugar, que en aquella época yo estaba separado de la familia. Me han mandado para Santiago, y esto entraña ya ciertos problemas porque estoy distante de la familia, de la casa, del lugar que tanto me gustaba, porque era donde corría, paseaba, estaba libre, y, de repente, me envían para una ciudad donde pasé trabajo; es decir, tenía problemas materiales, lejos de la familia, sometido allí a un tratamiento de personas que no eran familiares de uno, tenía algunos problemas materiales de vida. Estaba más interesado por resolver esos problemas. Sí, estaba cansado de aquella vida, de aquella casa, de aquella familia, de aquellas normas. Mis problemas eran de otro tipo, problemas religiosos no tenía, sino problemas materiales de vida y situación personal que tenía que resolver y quería resolver. Por instinto, más bien por intuición, que era realmente como actuaba uno, termino en el total desacato de aquella autoridad.

Y entonces ya yo cambio. Hay una mejora material al ir como alumno interno para la escuela. Ya puedo jugar allí después de clases en el patio de la escuela con todos los muchachos; ya no estoy solo; ya todas las semanas, dos veces a la semana, nos llevan al campo y al mar, nos llevan a una pequeña península de la bahía de Santiago de Cuba, donde hoy está una refinería de petróleo y otras inversiones industriales. Los Hermanos de La Salle tenían arrendada un área allí cerca del mar, tenían un balneario e instalaciones deportivas. A nosotros nos llevaban los jueves, porque ellos no tenían clases ni los jueves ni los domingos; dividían la semana en dos partes, una de tres días de clases y otra de dos días. Para mí fue una enorme felicidad irme interno, ir todos los jueves para el mar, vida libre allí, pescar, nadar, caminar, practicar deportes, hacer todo aquello también los domingos. Yo estaba más interesado, más preocupado, por todo ese tipo de cuestiones.

La enseñanza religiosa, el catecismo, las misas y demás prácticas, eran algo normal de la vida cotidiana, igual que las clases y las horas de estudio. Entonces, como ahora con las excesivas reuniones, lo que más nos gustaban eran los recesos. Era una cosa natural la enseñanza religiosa en aquella época; no la podía juzgar todavía en ese período.

FREI BETTO. ¿No le causaba ninguna impresión de miedo, de temor, de problemas de pecados? ¿Eso no era una cosa subrayada?

Fidel Castro. Me voy percatando de esos problemas más adelante y no en esa primera fase.

En esa fase estudiaba la historia sagrada como se estudiaba la historia de Cuba. Lo que pasó en los primeros tiempos del mundo, todas aquellas cosas, las aceptábamos como hechos naturales, lo que nos contaban que existía en el mundo. No nos hacían razonar sobre eso. Y yo estoy más bien preocupado por el deporte, el mar, la naturaleza, el estudio de las diversas asignaturas, todo ese tipo de cosas. No tenía realmente una especial inclinación o vocación religiosa. Es lo real.

Normalmente íbamos ya de vacaciones cada tres meses aproximadamente a nuestra casa en el campo. El campo era la libertad.

Por ejemplo, la Nochebuena era una cosa maravillosa, porque significaba quince días de vacaciones. No solo quince días de vacaciones, sino quince días de ambiente festivo y golosinas, quiero decir, de chucherías, dulces, confituras, turrones que llegaban; y, por supuesto, en mi casa eran abundantes. Siempre había compras de Navidades, de ciertos productos españoles que se adquirían por tradición. Y cuando llegaban aquellos días, uno estaba alegre desde que tomaba el tren para llegar hasta aquel lugar, y después un caballo. Había que tomar un tren y al final un caballo para ir a la casa, las dos cosas. Los caminos eran grandes fanguizales. No había todavía vehículos motorizados en los primeros años en mi casa, ¡ni siquiera luz eléctrica había! Fue un poco más tarde cuando hubo luz eléctrica en mi casa. Nos alumbrábamos con velas allí en el campo.

Pero para nosotros, que ya habíamos conocido el hambre y el encierro en la ciudad, aquel espacio libre, tener la alimentación asegurada, la atmósfera festiva que se creaba alrededor de la Navidad, de la Nochebuena, el Año Nuevo, el Día de Reyes, todas aquellas cosas eran de gran atractivo. ¡Ah!, bueno, rápidamente uno se entera ya que no hay Reyes. Esa era una de las primeras cosas que provocaba cierto escepticismo. Uno empieza a descubrir que no hay tales Reyes, que son los padres los que ponen los juguetes, los propios adultos sacaban precozmente a uno de su inocencia. No es que esté contra la costumbre, no. No estoy emitiendo un juicio sobre eso, pero rápidamente empieza uno a saber que ha existido cierto engaño.

Los períodos de vacaciones navideñas eran felices. La Semana Santa era otra ocasión maravillosa, porque teníamos una semana de vacaciones en la casa otra vez. Las vacaciones del verano, por supuesto, también: a bañarse en los ríos, a corretear por los bosques, a cazar con tirapiedras, a montar a caballo. Vivíamos en contacto con la naturaleza y bastante libres en esos períodos. Así transcurrieron los primeros años.

Desde luego, yo había nacido en el campo y había vivido allí en el período anterior a las vicisitudes que te conté. Cuando uno empieza a cursar el tercer grado, el quinto grado, uno empieza a saber mucho más y a observar las cosas.

La Semana Santa en el campo –recuerdo desde que era muy pequeño– eran días de recogimiento, es decir, había un gran recogimiento. ¿Qué se decía? Que Dios moría el Viernes Santo: no se podía hablar, ni bromear, ni expresar el menor júbilo, porque Dios estaba muerto y los judíos lo mataban cada año. Vuelven otra vez a aparecer imputaciones o creencias populares que tienen que haber sido causa de tragedias y de prejuicios históricos. Y ya te digo, yo, que no sabía el significado de aquel término, creía al principio también que aquellas aves que llamaban judío habían matado a Dios.

FREI BETTO. Y había que comer muy poco.

FIDEL CASTRO. Había que comer pescado, fundamentalmente, no se podía comer carne. Y después venía el Sábado de Gloria, que era de fiesta; aunque tengo entendido que en el Sábado de Gloria no se había producido la Resurrección, pero la gente decía: Sábado de Gloria, día de fiesta, Viernes Santo, día de silencio y duelo. El Sábado de Gloria allí en el campo ya se veía la tienda en gran actividad, las fiestas, las peleas de gallos, que continuaban el Domingo de Resurrección, todo eso.

Yo diría que en ese período estaba más bien absorbido por esas cuestiones que te he mencionado, de modo que no estaba en condiciones de juzgar la enseñanza religiosa entonces. Pero sí sé, desde luego, que todo aquello se enseñaba del mismo modo que sacar una cuenta: multiplicar 5 por 5 es igual a 25, así se enseñaba la religión.

FREI BETTO. Entonces, ¿los Hermanos le parecían más profesores que religiosos, o le parecían buenos religiosos también?

FIDEL CASTRO. Bueno, realmente, los Hermanos de La Salle no eran sacerdotes, no tenían la preparación del sacerdote. Era una Orden mucho menos exigente y menos rígida que la de los jesuitas. Pude darme cuenta de ello después, cuando pasé a la escuela de los jesuitas.

FREI BETTO. ¿Con qué edad?

FIDEL CASTRO. Bueno, a la escuela de los jesuitas pasé ya...

FREI BETTO. ¿En la secundaria?

FIDEL CASTRO. No, en quinto grado, en quinto grado pasé para otra escuela, esta vez de jesuitas.

En la que estaba de los Hermanos de La Salle surgieron conflictos. Allí hubo una segunda rebeldía de mi parte. Había en esa escuela una enseñanza que no era mala, una organización de la vida de los estudiantes que no era mala. Éramos allí unos 30 alumnos internos. Nos llevaban jueves y domingos, como te conté, a descansar. La alimentación no era mala, la vida en general no era mala.

FREI BETTO. ¿Usted dice en los jesuitas?

FIDEL CASTRO. No, no estoy hablando todavía de los jesuitas.

FREI BETTO. ¿En La Salle?

FIDEL CASTRO. Me refiero al Colegio de La Salle. Aquella gente no tenía la preparación que tenían los jesuitas; además, practicaban a veces un método realmente muy censurable. Algunos profesores o autoridades de la escuela tenían la práctica de pegar ocasionalmente al alumno. Mi conflicto allí fue por eso, debido a un incidente con otro alumno, una pequeña reyerta de las que solían ocurrir entre estudiantes a esa edad. Tuve ocasión de observar lo que hoy se diría que son malos métodos pedagógicos, como es el utilizar la violencia contra un alumno. Esa fue la primera vez que me golpeó el hermano inspector, encargado de los alumnos, con bastante violencia. Me abofeteó bruscamente en ambos lados de la cara. Era algo indigno y abusivo. Yo estaría en tercer grado. Me quedó aquello por dentro. Más tarde, estando ya en quinto grado, en dos diferentes ocasiones me pegó un coscorrón; la última vez no estuve dispuesto a soportarlo y aquello terminó en un violento enfrentamiento personal entre el inspector y yo. Después de aquello, decidí no volver a esa escuela.

Observé también en aquella institución ciertos métodos de favoritismo que a veces aplicaban con algunos alumnos; también observaba interés por el dinero. Me di cuenta perfectamente de que como mi familia tenía abundantes tierras y se decía que era rica, algunos de aquellos hermanos mostraban mucho interés por nosotros y por la familia, un marcado interés y un tratamiento especial; es decir, observé ese interés material y esa deferencia asociada al dinero, me percaté perfectamente de eso.

No eran hombres de la disciplina de los jesuitas. Yo diría que eran menos rigurosos, menos sólidos éticamente que los jesuitas. Es lo que puedo decir como crítica, y reconocer a la vez cosas positivas: el contacto del alumno con el campo, la organización de su vida, una buena enseñanza y otra serie de cosas; pero los métodos de pegarle a un alumno son infames e inaceptables. Había disciplina, no estoy en contra de la disciplina que nos imponían, tenían que imponernos la disciplina. Pero uno tiene ya cierta edad en el quinto grado, un sentido de la dignidad personal, y el método de la violencia, del castigo físico, me parece inconcebible.

Observé, además, interés por el dinero y observé algunos privilegios y favoritismos en aquella escuela.

Frei Betto. Pasemos a los jesuitas. ¿Cómo se llamaba el colegio?

Fidel Castro. Ese era el Colegio de Dolores, de Santiago de Cuba, un colegio de más prestigio y de más categoría.

Frei Betto. ¿Cuándo se interna allí?

Fidel Castro. Bueno, inicialmente vuelvo a pasar un período de prueba, porque no me mandan interno.

Frei Betto. ¿Y dónde vivía usted?

Fidel Castro. Me envían para la casa de un comerciante amigo de mi padre. Allí tengo que vivir otra vez una nueva experiencia, el cambio de escuela. Es una escuela más rigurosa, y, sobre todo, me topé muchas veces con la incomprensión de los mayores a cuyo cuidado estaba. Era una de esas familias que recibían por amistad a alguien que no eran sus hijos; realmente no eran ejemplo de bondad, había interés económico en esos casos y, de todas formas, cierta relación diferente; no eran los hijos, no podían tratarlos como a hijos.

Es mejor estar interno en una escuela, estoy convencido, a que lo manden a usted a casa de un amigo, de una familia amiga. A no ser que sea gente muy bondadosa –y la hay–, eso no es conveniente. Aquella sociedad en que yo viví todo eso, era una sociedad de muchas dificultades, de mucho sacrificio para la gente; aquella sociedad desarrollaba un gran egoísmo –lo digo así y lo pienso, cuando medito sobre todo aquello–; aquella sociedad convertía a la gente realmente, por lo general, en gente egoísta, gente interesada, gente que trataba de sacar un beneficio, un provecho de cualquier cosa. No se caracterizaba aquella sociedad por producir en la gente sentimientos de bondad y de generosidad.

Frei Betto. ¿Y esa sociedad se consideraba cristiana?

Fidel Castro. Hay muchas personas en este mundo que se llaman cristianas y hacen cosas horribles. Pinochet, Reagan y Botha, para citar unos pocos ejemplos, se consideran cristianos.

Pero, bien, aquella gente practicaba, aquella familia donde yo estaba eran cristianos, ¡ah!, porque iban a misa. ¿Pudiera decir, sin embargo, algo especialmente malo de aquella familia? No podría decir algo especialmente malo de aquella familia. De la madrina mía, no podría decir tampoco que era una persona mala, porque ella pasaba hambre con nosotros también, realmente ella no tenía el mando de aquella casa en aquel período. Su hermana era la que mandaba en la casa, la que recibía el sueldo y los ingresos, era la que administraba. Pero ella realmente era una persona buena, noble; sin embargo, no se trataba del hijo, con el que suele existir otra relación, sino de alguien extraño que está allí en aquella casa.

Cuando ya en quinto grado voy para la casa de esta familia de un comerciante, no puedo decir que eran malos, no podría afirmar eso; pero no era la familia de uno, no podían tener el mismo interés, y aplicaban ciertas normas rígidas, arbitrarias incluso. Ellos, por ejemplo, no tomaban en cuenta si yo había tenido dificultad en la anterior escuela, como la que expliqué, y que pasé a otra escuela de más rigor; no tenían en cuenta los factores psicológicos, la adaptación de una escuela a otra, de unos profesores a otros, a una institución más exigente que la otra, y entonces querían que sacara el máximo de puntos, lo exigían; si no sacaba el máximo, entonces ni lo más mínimo de la semana, que eran 10 centavos para ir al cine, 5 centavos para comprar un helado el fin de semana después del cine y 5 centavos los jueves para comprar unos muñequitos. Yo de aquello me acuerdo bien: había unos muñequitos que llegaban de Argentina, en una tirada semanal llamada "El Gorrión". Ahí leí yo algunas novelas, "De tal palo, tal astilla" fue una de ellas. ¡Cinco centavos! El gasto era, realmente, 25 centavos semanales, lo que uno debía recibir normalmente; si uno no tenía el máximo de notas, no se lo daban. Arbitraria la medida aquella, injusta por completo, porque no tenían para nada en cuenta las nuevas circunstancias; no era una psicología adecuada para tratar a una persona de 11 años.

Ahora, ¿por qué querían buenas notas? Había orgullo en eso, vanidad también, pues estaban presentes otros factores. Ya ese era un colegio de cierta categoría; quienes tenían hijos en ese colegio, internos o externos, veían la cosa con vanidad, con una especie de orgullo social. Entonces, uno va sufriendo de muchacho todas esas cosas, cuando no tiene realmente quien lo oriente.

Yo empecé externo en la escuela, después de las vacaciones de Navidad, y también después de discutir duro en mi casa. Tuve que discutir en mi casa y exigir que me mandaran a estudiar. Digamos que di en esa ocasión mi batalla por estudiar. Tuve que dar la batalla, porque en la escuela anterior habían informado a mis padres que nos habíamos portado mal, y habían influido con tales informes arbitrarios en la actitud de la familia. Yo dije: no acepto que me dejen sin estudiar. Yo, que sabía cuál era el problema y cuál era el motivo del conflicto, originado en un acto de abuso, un acto de violencia, de castigo físico contra un alumno, creo que tenía ideas muy claras sobre la cuestión. Sea por instinto o por ciertas nociones de justicia y de dignidad que iba adquiriendo, quizás porque desde muy temprano empecé a ver cosas mal hechas que eran injustas, y de las que fui víctima, empecé a adquirir algunos valores determinados. Aquellos valores los tenía muy presentes, y tuve que exigir en la casa, exigir muy resueltamente, que me mandaran a estudiar, tal vez no tanto por amor al estudio como por la convicción de que cometían conmigo una injusticia. Y me mandaron a estudiar. Mi madre me apoyó; la convencí primero a ella, ella después convenció a mi padre, y me enviaron otra vez a Santiago, pero me pusieron externo. Y cuando llego allí, tengo las dificultades que te contaba.

Así, llega el verano; ya en el verano me dejaron allí, porque tenía una hermana mayor que estaba estudiando. Ahí sí apareció una profesora que le daba clases a mi hermana, una profesora negra, de Santiago de Cuba, muy bien preparada, la profesora Danger se llamaba; entonces ella se entusiasma, porque yo, que no tenía otra cosa que hacer en ese período de vacaciones, iba a las clases de mi hermana, que se preparaba para ingresar en el Bachillerato, y contestaba todas las preguntas de todas las materias que explicaba la profesora, lo cual provocó en ella sincero entusiasmo. Yo no tenía edad para ingresar en Bachillerato, y ella empezó a hacer un plan para que yo estudiara el ingreso y el primer año de bachillerato al mismo tiempo, y cuando adquiriera la edad que hiciera los exámenes. Fue la primera persona que conocí que me estimuló, que me puso una meta, un objetivo, y generó en mí un impulso; logró entusiasmarme con el estudio en esa temprana época, porque yo digo que a esa edad se puede entusiasmar a la gente con un determinado objetivo. ¿Qué edad tendría? Tendría 10 años, tal vez 11 años.

De ahí vino otro período. En esas vacaciones estuvimos estudiando con la profesora, pero al comenzar el nuevo curso tuve que ingresar en una clínica y me operaron de la apéndice. En aquella época a todo el mundo lo operaban de la apéndice. Yo no había sentido más que ligeras molestias. Pero la herida se infectó, y estuve como tres meses recluido en el hospital. El plan de la profesora fue olvidado, y debí comenzar el sexto grado en la escuela, casi al terminar el primer trimestre.

Después de aquello es cuando yo decido ingresar como interno en la escuela. Ya estoy cansado también de aquel ambiente, y a finales del primer trimestre de ese curso planteo que me voy interno; más bien tengo que exigir con energía que me voy interno. Ya yo era experto en esas lides. Decidí crear una situación en que no tuvieron otra alternativa que enviarme a la escuela como alumno interno. De modo que yo, entre el primer grado y el sexto grado, he tenido que librar tres luchas para resolver tres problemas.

Cuando entro interno en sexto grado, alcanzo ya excelentes notas, y en séptimo grado quedo entre los primeros lugares del aula. También allí ganaba mucho, porque estaba a mi alcance el mundo del deporte y de las excursiones al campo y las montañas. Me interesaban mucho los deportes: practicaba, sobre todo, el básquet, el fútbol y la pelota.

Frei Betto. ¿Había fútbol?

Fidel Castro. Fútbol también, y me gustaba mucho.

Frei Betto. ¿Más que el voleibol?

Fidel Castro. Bueno, me gustaba bastante el fútbol, aunque también me gustaba el básquet; además jugaba beisbol, voleibol, hacía todos los deportes. Siempre me gustó mucho el deporte. Eso me servía de entretenimiento, invertía las energías en todo eso.

Estaba ya en una escuela de gente más rigurosa, de mucha más preparación, de mucha más vocación religiosa; en realidad, de mucha más consagración, capacidad, disciplina, que los de la otra escuela, incomparablemente superior; a mi juicio, una escuela en la que me convino ingresar. Me encuentro con gente de otro estilo, unos profesores y unos hombres que se interesan por formar el carácter de los alumnos. Además, españoles; por lo general, pienso que en estas cosas que hemos estado comentando se combinan las tradiciones de los jesuitas, su espíritu militar, su organización militar, con el carácter español. Eran gente que se interesaban por los alumnos, su carácter, su comportamiento, con un gran sentido de rigor y exigencia.

Es decir que uno va recibiendo cierta ética, ciertas normas, no solo religiosas; va recibiendo una influencia de tipo humano, la autoridad de los profesores, las valoraciones que ellos hacen de las cosas. Ellos estimulaban el deporte, las excursiones a las montañas, y, en el caso mío, me gustaba el deporte, las excursiones, las caminatas, escalar montañas, todo aquello ejercía gran atractivo sobre mí. Incluso, en ocasiones hacía esperar dos horas a todo el grupo, porque andaba escalando una montaña. No me criticaban cuando hacía alguna cosa de esas; cuando mi tardanza obedecía a un gran esfuerzo, lo veían como prueba de espíritu emprendedor y tenaz; si las actividades eran arriesgadas y difíciles, ellos no las desestimulaban.

Frei Betto. No imaginaban que estaban preparando a un guerrillero.

Fidel Castro. Es que yo mismo tampoco me imaginaba que me estaba autopreparando como guerrillero, pero cuando veía una montaña me parecía casi un desafío. La idea de escalar aquella montaña, llegar hasta arriba, se apoderaba de mí. ¿En qué forma ellos me estimularon en esto? Creo que nunca me pusieron obstáculos para hacer eso. En ocasiones el ómnibus con los demás alumnos estaba esperando dos horas, y yo no había regresado; otra vez era porque habían caído grandes aguaceros y habían crecido los ríos que, en ocasiones, yo cruzaba a nado, no sin cierto riesgo. Esperaban, nunca me criticaron por eso. Es decir, si ellos observaban algunas características con las cuales simpatizaban en sus alumnos –espíritu de riesgo, de sacrificio, de esfuerzo–, las estimulaban, no convertían al alumno en un blandengue. Tampoco los otros, voy a decir, pero estos más; los jesuitas se preocupaban mucho más por el temple de sus alumnos.

Donde puedo entrar ya en discrepancias es en las ideas políticas que yo conocí en esa época, que eran las predominantes, y puedo entrar también en discrepancias si vamos a hablar de la forma de impartir la religión.

De las cosas que te he contado, puedes sacar algunas conclusiones más bien de cómo se formó mi carácter, a partir de problemas, dificultades que tuve que vencer, pruebas, conflictos, rebeldías, sin tener un preceptor o un guía que me ayudara. Realmente no tuve nunca un preceptor. Ciertamente, quien estuvo más cerca de ser un preceptor, fue aquella profesora negra de Santiago de Cuba, que daba clases por su cuenta, que preparaba alumnos para ingresar en Bachillerato e impartía clases a alumnos de Bachillerato. Esa fue la que trazó una meta, forjó un entusiasmo, y todo se frustró por el hecho de que, al empezar aquel curso, yo me enfermé, tuve que estar tres meses recluido, y perdí ese prolongado período de clases en el sexto grado. Después, decido realmente pasar la escuela como interno; esa decisión la tomé yo, en realidad.

Como ves, estos azares de mi vida no eran propicios para el ejercicio de una fuerte influencia religiosa sobre mí; más bien debieron ejercer una fuerte influencia en mi vocación política y revolucionaria.

Frei Betto. Comprendo.

¿Qué recuerdo tiene usted de la misión religiosa de los jesuitas? ¿Le parecía buena, mala? ¿Estaba dirigida más hacia la vida, o más hacia las cosas del Cielo, de la salvación del alma? ¿Cómo era la cosa?

Fidel Castro. Ahora puedo juzgar mejor. Yo hago también el Bachillerato en colegio de jesuitas. Así, analizando retrospectivamente qué cosas influían, a mi juicio, de una manera que no era positiva, puedo decir que todo era muy dogmático: esto era así porque tenía que ser así; hay que creerlo, aunque no se entienda; si no lo crees, aunque no lo entiendas, es una falta, un pecado, un acto digno de castigo. Es decir, la no utilización del razonamiento, yo diría; el no desarrollo del razonamiento y del sentimiento.

Me parece que una fe religiosa, como una fe política, tiene que fundarse en el razonamiento, en el desarrollo del pensamiento y en el desarrollo del sentimiento; son dos cosas inseparables.

Frei Betto. Sin querer profundizar una pelea secular entre los jesuitas y los dominicos, los dominicos se caracterizan por valorar más la inteligencia de la fe, y los jesuitas la disposición de la voluntad.

Fidel Castro. Acepto que algunas personas pudieran tener una predisposición especial, un alma mística, una gran vocación religiosa, más inclinación a la fe religiosa, que una persona de otras características. Yo pude haber sido accesible al razonamiento, y creo que era accesible al desarrollo del sentimiento. No era posible, sin embargo, inculcar en mí una fe religiosa sólida, si todo era dogma en la forma de explicar las cosas: había que creer esto porque había que creerlo, no creerlo era una gran falta, un gran pecado merecedor del más terrible castigo.

Si realmente tú tienes que aceptar las cosas porque te dicen que son de una forma, no puedes ni siquiera discutirlas, razonarlas; si además el elemento y el argumento fundamental que emplean es el premio o el castigo, e incluso más el castigo que el premio, entonces es imposible desarrollar el razonamiento y el sentimiento que puedan ser base de una sincera creencia religiosa. Es lo que pienso retrospectivamente.

FREI BETTO. ¿Cuál era el castigo y cuál era el premio?

FIDEL CASTRO. Bueno, el premio era muy abstracto. Para un niño los premios abstractos, basados en la contemplación, en un estado de felicidad que había que imaginársela para toda una eternidad, eran más difíciles de percibir, incluso, que el castigo. El castigo era más explicable, el muchacho estaba más preparado para entender el castigo, o el infierno eterno y el dolor, el sufrimiento y el fuego eterno, todo aquello; incluso, se hacía mucho más énfasis en el castigo. Yo pienso, realmente, y creo que esa es una mala forma y un método incorrecto de desarrollar cualquier tipo de convicción profunda en el ser humano. Más tarde, cuando tuve que desarrollar una creencia y una fe en el terreno de la política, me aferré firmemente a determinados valores, y nunca me he podido imaginar que eso se pueda basar en algo que no se comprenda, o que pueda inspirarse en el temor a algo o en el premio por algo.

Yo creo, realmente, y me parece que la fe religiosa de la gente debía fundarse en razones comprensibles y en el valor intrínseco de lo que se hace.

FREI BETTO. ¿Sin dependencia del premio o del castigo?

Fidel Castro. Sin el premio ni el castigo. Porque, a mi juicio, no es totalmente bondadoso, no es totalmente noble, no es digno realmente de elogio, de admiración y de estimación lo que se hace por temor al castigo, o lo que se hace en busca de un premio. Nosotros, incluso, en nuestra vida revolucionaria, en nuestras concepciones revolucionarias, cuando en la vida tuvimos que tratar con hombres, y tuvimos que tratar con hombres para cosas muy difíciles y para pruebas muy duras, que fueron capaces de soportar con un gran desinterés y altruismo, lo más admirable era que no estaban movidos por la idea de un premio o un castigo. La Iglesia vivió también esas pruebas, las vivió durante muchos siglos, vivió el martirologio, y lo supo enfrentar. A mi juicio, eso solo puede ser explicable por una convicción profunda.

Frei Betto. Que es lo contrario al miedo.

Fidel Castro. Yo creo que la convicción es lo que hace mártires. No creo que nadie se hace mártir simplemente porque espere un premio, o porque tema un castigo; no creo que nadie se comporte heroicamente por eso.

Frei Betto. Siempre digo que lo contrario del miedo no es el coraje, es la fe.

Fidel Castro. Yo creo que todos los mártires de la Iglesia lo fueron seguramente por un sentimiento de lealtad, por algo en lo que creían firmemente. Puede haberlos ayudado, desde luego, la idea de otra vida en que su acción sería premiada, pero no creo que fuera el móvil fundamental. En general, la gente que hace algo por temor teme más al fuego, teme al martirio, teme a la tortura, no se atreve a desafiarlos. Las personas que se preocupan por obtener bienes materiales, placeres, premios, tratan de preservar la vida y no la sacrifican. Yo creo que los mártires que tuvo la Iglesia a lo largo de su historia, tienen que haber sido movidos por algo más inspirador que el temor o el castigo. Entender eso es mucho más fácil para cualquiera de nosotros.

Nosotros sí hemos pedido sacrificios y, en ocasiones, el martirio, el heroísmo, la entrega de la vida. Y yo digo que tiene un mérito grande cuando un hombre entrega su vida por una idea revolucionaria y lucha sabiendo que puede venir la muerte, y aunque sepa que después de la muerte no venga más nada, tiene en tan alta estima esa idea, ese valor moral, que lo defiende al precio de todo lo que tiene, que es la vida, sin esperar un premio o sin esperar un castigo.

Yo diría que, en esencia, estos aspectos eran puntos sumamente débiles en la enseñanza religiosa que se nos impartía. Y no creo que produjeron muchos santos entre nosotros. En el colegio aquel no había muchos internos, solo alrededor de 30, pero había unos 200 alumnos en total. Y cuando pasé al principal colegio de los jesuitas, este contaba con mil alumnos, de ellos unos 200 internos. De allí no deben haber salido muchos sacerdotes. Me asombraría saber que hayan salido aunque fuesen 10 sacerdotes de estos mil, ¡me asombraría!

Frei Betto. ¿Había allí discriminación social, racial?

Fidel Castro. Indiscutiblemente. La institución en sí, en primer lugar, era pagada. No había espíritu mercantilista en los jesuitas, eso lo puedo decir. Ni en los Hermanos de La Salle, aunque observaba en estos el interés por el prestigio social del dinero. El costo de la escuela no era elevado. Yo recuerdo, por ejemplo, que por estar interno en aquella escuela de los jesuitas en Santiago de Cuba, se pagaban 30 pesos. El peso era equivalente al dólar en aquella época. Estoy hablando ya del año 1937, yo tendría 11 años, 10 años y medio.

Frei Betto. Treinta pesos por mes.

Fidel Castro. El equivalente a 30 dólares por mes.

Incluía la comida –no era mala la comida–, la vivienda, también los paseos; daban, además, cierta atención médica, los alumnos por su propia cuenta eran también miembros de una sociedad médica cooperativa... ¿cómo le llaman?

Frei Betto. Mutualista.

Fidel Castro. Mutualista. Pertenecíamos a esa sociedad; si había cualquier cosa de más importancia, nos mandaban al hospital. Teníamos agua. Claro, si había que lavar la ropa debía pagarse aparte; los libros de texto, aparte. Las clases, los alimentos, las actividades deportivas, todo lo que hacíamos allí, por 30 pesos no era caro. No es mucho 30 pesos cuanto tú analizas la necesidad de personal para cocinar, manejar el transporte, darle mantenimiento material a la escuela.

Eso era posible, realmente, porque aquellos sacerdotes no cobraban salario, es decir, no había que pagarles salario a aquellos hombres; había que darles exclusivamente la alimentación, y llevaban una vida muy austera. Había algunos profesores civiles que, naturalmente, recibían un salario que no era alto, y una administración rigurosa. Es decir, en estos jesuitas no había ningún espíritu mercantilista; tampoco, como te dije, en la escuela de La Salle lo había, pero en esta escuela menos todavía. Austeros, rigurosos, sacrificados, trabajadores. Ellos aportaban el esfuerzo humano, disminuían los gastos. Si ellos hubieran sido hombres que cobraran salarios, esto no se hubiese podido hacer por 30 pesos, habría tenido que pagarse el doble o el triple, a pesar de que el poder adquisitivo del dinero era muy superior entonces. Si todos aquellos sacerdotes hubiesen cobrado un sueldo no podría haber sido tan económica la escuela. Es decir, no había un espíritu mercantilista.

Pero en aquella sociedad, aun estos 30 pesos estaban solo al alcance de muy pocas familias. Los alumnos externos pagarían 8 pesos, 10 pesos, más o menos. Quiere decir esto que nosotros, por 20 pesos adicionales, recibíamos todo lo demás: vivíamos en la escuela, recibíamos alimento, albergue, el agua, la electricidad. Eso se debía a la abnegación y a la austeridad de aquellos hombres, sin duda, pero estaba al alcance de muy pocos.

Frei Betto. ¿Entre sus colegas había negros?

Fidel Castro. Te explicaré. Ya de por sí la institución era muy particular, privilegiada para las pocas familias del campo, de donde yo era, o de pequeñas ciudades del interior de la provincia, que pudieran pagar eso. Externos, como te dije, había aproximadamente 200 de la ciudad de Santiago de Cuba; internos, 30. No eran muchas las familias que podían sufragar la escuela porque las familias tenían, además, gastos en pasajes, la ropa que debían suministrar a los hijos. A una familia le costaba no menos de 40 pesos cada mes; si le daba algún dinerito para comprar de vez en cuando helado, caramelos, cosas de esas, le podía costar un muchacho de estos hasta 50 dólares, y eran pocas las familias que podían hacer eso.

Es decir, la institución, como escuela privada, era privilegio de una exigua minoría, y los que estaban allí eran hijos de comerciantes, terratenientes, gente de dinero, los que estaban internos. Ahí no podía ir el hijo de un obrero, incluso de un profesional; podía como externo, si era hijo de un profesional que vivía en Santiago. Pero un maestro no podía mandar a un hijo a una escuela de esas, porque un maestro ganaría, qué sé yo, 75 dólares; no podía enviar allí un hijo. Muchos médicos, abogados, no podían mandar a sus hijos; tenía que ser ya un abogado eminente, o un médico eminente, ¡muy eminente!, el que podía enviar a su hijo a una de esas escuelas, u otra familia porque tenía finca, porque tenía una fábrica, porque tenía una industria de café, una industria de zapatos, una industria de licores o un comercio de cierta importancia.

Yo puedo recordar los orígenes sociales de casi todos mis compañeros que estaban allí, externos e internos. Claro que si una familia rica vivía en Santiago, no tenía por qué poner interno al hijo; podía estar medio interno, pero no lo internaba, iba a la casa todos los días, un ómnibus lo buscaba por la mañana y lo llevaba por la tarde. Una familia más modesta podía pagarlo como externo, porque si eran 8 ó 10 dólares, hasta algún profesional no muy destacado podía; pero interno, tenía que ser un médico eminente, un abogado eminente o una familia pudiente para poder cubrir los gastos.

Eran muy privilegiadas esas escuelas, eran escuelas de clase. Pero aun entre nuestra clase, había dos categorías: la de los comerciantes que vivían en Santiago propiamente, los industriales y profesionales, y los que vivían en el barrio rico de Vista Alegre. Es decir, había dos categorías: los de una burguesía media y los de una burguesía muy rica. Se observaba en aquella gente de la burguesía muy rica un cierto espíritu aristocrático, diferentes a los demás, superiores a los demás. Es decir que en esa misma escuela de privilegiados había dos grupos, no tanto por el dinero, aunque la base era el dinero, sino por la categoría social, las casas donde vivían, la tradición.

Tal vez mi familia pudiera tener los recursos que tenían algunos de aquella categoría social, pero afortunadamente yo no estaba en aquella categoría. ¿Por qué? Porque mi familia vivía en el campo. Allí vivíamos entre la gente, entre los trabajadores, muy humildes todos, allí vivíamos, como te conté, incluso entre los animales, en el período aquel en que los animales estaban debajo de la casa: las vacas, los cerdos, las gallinas y todo eso.

Yo no era nieto de terrateniente, ni bisnieto de terrateniente. A veces el bisnieto del terrateniente no tenía ya dinero, pero conservaba toda una cultura de clase aristocrática o rica, oligárquica. Como mi madre había sido una campesina muy pobre y mi padre un campesino muy pobre, que llegaron a obtener cierta riqueza, a acumular una cierta riqueza, no existía todavía en mi familia la cultura de los ricos, de los terratenientes: eran personas que trabajaban allí en condiciones duras todos los días, y no tenían ninguna vida social, ni de relación apenas con personas de igual categoría. Es decir, pienso que si yo hubiera sido nieto de terrateniente o bisnieto de terrateniente, posiblemente hubiera tenido la desgracia de recibir aquella cultura de clase, aquel espíritu de clase, aquella conciencia de clase, y no hubiera tenido el privilegio de escapar de la ideología burguesa.

Me acuerdo que en aquella escuela había ya todo un grupo que tenía ese espíritu burgués y aristocrático; otros eran ricos más modestos y un poco mirados con cierto desdén por aquellos. Yo lo observaba, no le daba mucha importancia, pero lo observaba; y observaba que los compañeros tenían cierta rivalidad con aquellos, y cierto desdén hacia aquellos muy ricos. Hasta en los ricos hay ciertas categorías que dan lugar a ciertos antagonismos, y yo de eso me percataba perfectamente bien.

Es decir, ya usted tenía que ser de una clase relativamente rica para estar en esa escuela, y respiraba el espíritu de la clase, de la institución burguesa, el privilegio. No era una escuela de obreros, ni de proletarios, ni de campesinos pobres, ni siquiera de profesionales, sino, en todo caso, de muy exclusivos profesionales.

En el Colegio de La Salle, debo decirlo, había algunos alumnos negros; en eso era más democrático. En el Colegio de Dolores no había alumnos negros; todos los que estábamos allí éramos supuestamente blancos. A mí mismo me extrañaba, y más de una vez, tanto ahí como en el colegio de La Habana donde ingresé más tarde, pregunté por qué no había alumnos negros. Recuerdo que la única explicación, la única respuesta que me dieron fue: bueno, realmente es que son muy pocos, y un niño negro aquí, entre tantos niños blancos, no se va a sentir bien; por lo tanto, para evitar que se sintieran mal, no era conveniente tener uno o dos niños negros entre 20, 30, 100 niños blancos. Esa era la argumentación que me daban, me explicaban que era realmente por eso; más de una vez lo pregunté y me dieron esa respuesta. Ni me daba cuenta, cómo podía uno darse cuenta en sexto grado todavía de eso, más si uno no es de una familia obrera, o de una familia que pueda explicar el problema de la discriminación racial. Yo no sabía que existía, ni podía darme cuenta de la discriminación racial. Era por simple curiosidad que preguntaba la razón por la cual no había muchachos negros. Me daban una explicación y me quedaba más o menos tranquilo con aquella explicación. Me decían más o menos: pobrecitos muchachos que son negros y aquí se van a sentir mal, porque no tienen el color que tienen la mayoría de los alumnos.

En los años que pasé por esa escuela, no recuerdo un alumno negro; es posible que ni mulato siquiera lo aceptaran. No le hacían, desde luego, una prueba de sangre al individuo que ingresaba en la escuela, como podrían exigir las SS de Adolfo Hitler, pero, sin discusión, si no era aparentemente blanco, no entraba en la escuela. No sé cuántos casos habría, si alguna familia lo intentaría; no estaba en condiciones de saber si rechazaron a más de algún alumno porque no fuera blanco puro.

Pero ya eso es otra cuestión, ya va entrando en la categoría político-social. Eran, en síntesis, escuelas de privilegiados. Y puedo decir lo bueno y lo malo que tenían, sin amargura; al contrario, más bien tengo un sentimiento de gratitud, personalmente, hacia aquellos profesores, hacia aquellas instituciones, porque, por lo menos, algunas cosas positivas que podría haber en mí no se frustraron, diría que se desarrollaron en esas escuelas. Pero creo que también influyeron mucho ciertos factores personales, de carácter personal, de circunstancias personales. Creo que el hombre también es hijo de la lucha, y las dificultades, los problemas, lo van labrando, como un torno que labra un pedazo de material, más bien en este caso de materia y de espíritu, que puede ser un hombre.

Frei Betto. Hable un poquito de los retiros espirituales, de los...

Fidel Castro. Bueno, los retiros espirituales ya pertenecen a una etapa ulterior.

De aquel colegio yo decido, por mi cuenta, ir a la escuela de los jesuitas de La Habana. Allí no había tenido conflictos; tengo éxito total en los estudios, en el deporte, no tengo dificultades ni en el sexto grado, ni en el séptimo, ni en el primero, ni en el segundo año de Bachillerato, pues allí estuve hasta concluir este curso. Yo decido de manera consciente buscar nuevos horizontes. Pude haber estado influido por el prestigio de la otra escuela en La Habana, los catálogos de la escuela, los libros sobre aquella escuela, los edificios de aquella escuela, y me sentí motivado a salir de aquella escuela y pasar a la otra; tomo la decisión, lo propongo en mi casa y me aceptan el traslado a la otra escuela.

FREI BETTO. ¿En La Habana?

FIDEL CASTRO. En La Habana.

FREI BETTO. ¿Cómo se llamaba la escuela?

FIDEL CASTRO. El Colegio de Belén, de los jesuitas de La Habana, que era la mejor escuela de los jesuitas en el país, y quizás la mejor del país como escuela en general, por la base material, la instalación; una gran instalación, un centro de gran prestigio, donde estaba la flor y nata de la aristocracia y de la burguesía cubana.

FREI BETTO. ¿Todavía existe esa escuela?

FIDEL CASTRO. Aquella escuela se convirtió en un instituto tecnológico después del triunfo de la Revolución, y hoy es un instituto superior de tecnología militar, el Instituto Técnico Militar, de nivel universitario. Es hoy una gran instalación, que ha sido ampliada, una universidad militar. En un tiempo fue escuela tecnológica; después, por necesidad del desarrollo de las Fuerzas Armadas, decidimos utilizar la instalación para ubicar allí el Instituto Técnico Militar, el ITM, como se llama.

Allí había, en mi tiempo, alrededor de 200 internos y, en total, aproximadamente mil alumnos, entre internos, seminternos y externos. Ya costaba un poco más cara, alrededor de 50 dólares mensuales. Lógicamente, tenía más empleados civiles, mucho más espacio, más gastos, posiblemente fuera, incluso, mejor todavía la calidad de la alimentación, áreas deportivas excelentes. Pero aun así, a mi juicio, seguía siendo muy barata aquella institución por 50 dólares. Digo dólares porque hoy en América Latina, con la inflación, nadie sabe lo que quiere decir un peso. De nuevo ahí el espíritu de sacrificio, la austeridad de los jesuitas, hacían posible un costo relativamente moderado.

Frei Betto. ¿Cincuenta dólares al mes?

Fidel Castro. Al mes, sí.

El espíritu de sacrificio y austeridad de los jesuitas, la vida que llevaban, su trabajo, su esfuerzo, hacían posible una escuela de esa categoría a ese precio. Una escuela así costaría hoy en Estados Unidos más de 500 dólares mensuales. Había varios campos de básquet, varios de beisbol, instalaciones de campo y pista, de voleibol, hasta una piscina tenía, era realmente una gran escuela.

Yo era un poco mayor, un alumno de tercer año de Bachillerato. Nunca había visitado la capital de la República. Fui a Birán en las vacaciones, me dieron una cantidad de dinero para comprar ropa y otros artículos; debía pagar, además, la matrícula, libros y otros gastos. Preparé la maleta y vine por primera vez a La Habana.

Frei Betto. ¿Qué edad tenía?

Fidel Castro. Acabaría de cumplir los 16 años. Yo nací en agosto, así que en septiembre tenía ya 16 años.

Frei Betto. ¿Aquí las clases empiezan en septiembre?

Fidel Castro. En septiembre, y yo cumplí el 13 de agosto.

Entonces, yo ingreso en el equipo de básquet y de otros deportes, en la categoría de 16 años. Empiezo a participar activamente en los deportes y logro destacarme en el básquet, en el fútbol, en el beisbol, en campo y pista, en casi todos los deportes, desde que llego allí. Es decir que llegué y me encuentro un amplio campo en que mi actividad fundamental era el deporte y la exploración. Yo seguía con mi viejo gusto por las montañas, por el campismo, por todas esas cosas, que por mi propia cuenta seguía desarrollando. Ya allí había un grupo de exploradores; parece que en las primeras excursiones que hicimos, los profesores estimaron que yo me había destacado y me ascendieron, hasta que un día me hicieron jefe de los exploradores de la escuela, general de exploradores, como le llamaban.

FREI BETTO. ¿Qué significa "exploradores"?

FIDEL CASTRO. Los exploradores era un grupo, aunque no exactamente, como los *boy scouts,* que tenían su ropa, su uniforme, hacían vida libre en el campo, en casas de campaña, iban un día, dos días, había que hacer guardia, había que hacer todo eso, a lo que yo le añadía otras actividades por mi cuenta, como era escalar montañas y aventuras similares.

Estando yo en esa escuela, escalé la montaña más alta de Occidente. Tuvimos tres días consecutivos de vacaciones y yo mismo organicé una excursión a la provincia de Pinar del Río con tres compañeros más. Solo que en vez de tres días tardó cinco días la expedición, porque la montaña estaba por el norte, y yo no sabía muy bien dónde estaba ubicada con exactitud. Salimos a buscarla, iba a explorarla. Viajamos por ferrocarril, que iba por el sur, y la montaña estaba al norte. Iniciamos el recorrido de noche y caminamos tres días hasta que dimos con la montaña, el Pan de Guajaibón, bastante difícil de subir. Lo subimos, pero regresamos dos días más tarde, cuando las clases se habían reanudado. Hubo preocupaciones porque no sabían si estábamos perdidos o había ocurrido algo.

En ese período me movía mucho, fundamentalmente en la esfera del deporte, la exploración y el escalamiento de montañas –yo no sabía que me estaba autopreparando para la lucha revolucionaria, ni lo podía imaginar en aquel momento–, y, además, estudiaba. Eso siempre fue una cuestión de honor. No es que fuera un alumno, digamos, óptimo, modelo. No era un modelo de alumno, porque precisamente mi preocupación por el deporte y por las actividades de ese tipo, me hacían dedicar una parte del tiempo bastante importante a eso, y a pensar en eso. Pero, desde luego, asistía a las clases puntualmente y con disciplina; prestaba atención, unas veces más, otras menos. Siempre tuve bastante imaginación. En ocasiones era capaz de escaparme con la imaginación de la clase, recorrer el mundo, sin saber ni lo que había dicho el profesor allí durante 45 minutos. Ahora, eso sí, creo que también los profesores tenían su parte de responsabilidad.

Allí ocurría algo: como era atleta y en cierta forma me destacaba, no eran muy exigentes conmigo en los períodos de competencia, pero al final sí eran exigentes. Cuando ya pasaban las glorias del campeonato, de las medallas y de las competencias –porque las escuelas de este tipo tenían sus competencias y sus rivalidades, eso formaba parte de la historia, del prestigio y del nombre de la escuela–, entonces me exigían. Claro, estoy hablando en este terreno, en el del estudio, porque por lo general eran exigentes con la conducta de los alumnos.

Había unos cuantos sacerdotes muy preparados, científicos, conocedores de física, de química, de matemáticas, de literatura, aunque seguían políticamente muy mal. Porque, además, ese período a que me refiero comienza en 1942, de 1942 a 1945. Yo termino el Bachillerato en 1945, finalizando la Segunda Guerra Mundial. También por ese período, pocos años antes, se había acabado la guerra civil española, y todos estos sacerdotes, y los que no habían sido todavía ordenados que ya participaban en la docencia, desde el punto de vista político eran nacionalistas, digamos más francamente, eran franquistas, todos, sin excepción, españoles de origen casi todos, aunque había también algunos cubanos, pero muy poquitos. Recién pasada la guerra civil española, se hablaba allí mucho de los horrores de la guerra; se hablaba de nacionalistas fusilados, incluso de religiosos fusilados; de lo que no se hablaba mucho era de los republicanos fusilados y de los comunistas fusilados, porque parece ser que realmente la guerra civil española fue sangrienta y de ambas partes hubo mano dura.

FREI BETTO. ¿Y ahí fue la primera vez que usted escuchó hablar de comunismo?

Fidel Castro. Bueno, venía oyendo hablar de comunismo hacía rato, que era una cosa muy mala; en esos términos se hablaba siempre del comunismo. Te puedo contar sobre eso, y creo que en otro momento hablaremos de esas cosas, en el terreno político. Pero te digo que aquellos jesuitas eran todos gente de derecha. Algunos, personas bondadosas, sin duda; entre ellos había gente bondadosa, y gente con sentimientos de solidaridad hacia otros, intachables en muchas cosas. Pero su ideología era derechista, franquista, reaccionaria. Eso te lo digo sin una sola excepción. Ahí sí es verdad que no cabe hablar de que había en Cuba un jesuita de izquierda en aquella época. Hoy sé que hay muchos de izquierda, y creo que más de una vez en la historia ha habido jesuitas de izquierda. Pero en la escuela donde yo estudié, finalizada la guerra civil española, no había un solo jesuita de izquierda. Fue el peor período de todos, desde ese punto de vista.

Yo observaba, no cuestionaba mucho eso, estaba en el deporte, como te contaba. Procuraba, además, llevar adelante mis estudios. Si bien no era un modelo de estudiante, sentía el deber moral de vencer las pruebas; era para mí una cuestión de honor y, en general, mis notas fueron buenas, a pesar de que no atendía mucho en clase y tenía el mal hábito de estudiar, sobre todo, al final. Eso lo criticamos mucho hoy en nuestro país, y con toda razón.

Yo tenía algunas responsabilidades en la escuela. Porque se asignaban a los alumnos determinadas tareas: usted se encarga del aula tal o de tal salón de estudio; es el que tiene, además, que apagar las luces, cerrar las ventanas y puertas. Yo era el responsable del salón central de estudio, donde permanecíamos un tiempo después de comida y antes de irnos a dormir. Cuando llegaban los períodos de exámenes, yo, que debía ser el último en salir, me quedaba en aquel estudio dos, tres y cuatro horas repasando las materias. Aunque no era totalmente correcto, ellos me lo toleraban, quizás porque no perjudicaba a nadie con eso. En ese período de examen, estudiaba todo el tiempo: antes de almuerzo, después de almuerzo, en todos los recreos.

Entonces todo lo que no había aprendido de matemática, ni de física, ni de química, ni de biología, lo estudiaba por los libros; fui autodidacta de todas esas materias, y de alguna manera me las arreglé para entenderlas –parece que desarrollé cierta habilidad para desentrañar los misterios de la física, la geometría, la matemática, la botánica, la química– solo con los textos. Y cuando llegaban los exámenes solía obtener excelentes notas, muchas veces por encima del primer expediente. Porque de los Institutos oficiales venían profesores a examinarnos, y sus resultados interesaban mucho a la escuela.

Frei Betto. ¿Qué eran?

Fidel Castro. Existían los Institutos oficiales donde se estudiaba Bachillerato, y de acuerdo con las leyes del país –no te olvides que en estos tiempos también ocurrían ciertas cosas: la época de la guerra mundial, de los frentes populares, y en algunos países se hicieron algunas leyes reguladoras del sistema educacional, y nuestra Constitución, aprobada en 1940, tenía algunas cosas avanzadas sobre la enseñanza y la escuela laica–, estas escuelas privadas que, sin duda, eran escuelas de los sectores más privilegiados de la población, tenían que ceñirse a las leyes, a los programas del Instituto. Había un solo programa, y cuando venían los exámenes, los profesores del Instituto, que tenían también su orgullo, su prurito y su prestigio, iban a examinar, a ver cómo estaban aquellos alumnos privilegiados de los jesuitas y de otras escuelas similares. Llegaban y ponían exámenes duros como norma, duros, algunos más y otros menos; pienso que tal vez algunos con más simpatía y otros con menos simpatía. Era la época, repito, de los frentes populares y de la alianza antifascista, incluso el Partido Comunista, que había participado ya en la elaboración de la Constitución, tuvo después cierta influencia en el Gobierno, y contribuyó a la aprobación de algunas de estas disposiciones legales.

Bien, entonces venían los exámenes, iban los profesores y ponían su examen, por lo general duro. Y la especialidad mía, al parecer, eran estos exámenes que ponían los profesores del Instituto, donde en muchas ocasiones los mejores alumnos y los mejores expedientes se turbaban y no respondían de manera adecuada. Yo saqué muchas veces el máximo de puntos en asignaturas consideradas difíciles. Recuerdo que en un examen de Geografía de Cuba, el único sobresaliente fue el mío, con 90 puntos. Entonces, en la protesta de la escuela contra los profesores del Instituto, preguntaban por qué esas notas tan bajas, y les decían: "Porque ese texto en que ustedes estudiaron no es muy bueno". Y entonces nuestros profesores respondían: "Bueno, pero hay un alumno que con ese mismo texto sacó 90 puntos". Es que yo usaba un poco la imaginación, hacía un esfuerzo por explicar el problema. La prueba del examen era para mí una cuestión de honor.

Es decir que en aquel período hacía mucho deporte, exploración, todas esas actividades, y el estudio en la fase final, pero con buenas notas.

En ese período también me relacioné mucho con los estudiantes, hice bastantes amistades, y sin que yo me diera cuenta, ni me lo propusiera, fui adquiriendo cierta popularidad entre ellos, como deportista, como atleta, como explorador, como escalador de montañas y como el individuo que, al fin y al cabo, sacaba buenas notas. Ahí tal vez, en ese período, se fueron manifestando algunas cualidades políticas inconscientes.

FREI BETTO. Usted iba a hablar de los retiros espirituales.

FIDEL CASTRO. Ya en ese período sí teníamos retiros espirituales. De más está decirte que en toda esa etapa la enseñanza religiosa siguió igual, lo mismo que te dije del Colegio de Dolores. Aún a esta edad, cuando ya estábamos estudiando Lógica, cuando ya estábamos estudiando elementos de Filosofía, se aplicaba el mismo sistema.

Ya había la institución de los retiros espirituales. Estos retiros eran tres días al año, a veces se daban en la misma escuela y, en ocasiones, en otras instalaciones fuera de allí. Consistían en recluir a los alumnos de ese curso, durante tres días, para conferencias religiosas, meditación, recogimiento y silencio, que era en cierta forma la parte más cruel que tenían los retiros aquellos, porque de repente uno tenía que caer en la condición de un mudo absoluto, no se podía hablar. Sin embargo, aquella quietud tenía también aspectos agradables. Recuerdo que de tanto filosofar se nos despertaba un tremendo apetito. Por lo tanto, hora de almuerzo y hora de comida eran dos horas magníficas, de gran atractivo y satisfacción. Empezaban temprano los ejercicios espirituales.

Desde luego, me falta añadirte que en estas escuelas había que ir a misa todos los días.

Frei Betto. ¿Todos los días?

Fidel Castro. Sí. Así que vuelvo a señalar otro elemento que me parece negativo: obligar al alumno a ir a misa todos los días.

Frei Betto. ¿Tanto en Dolores como en Belén?

Fidel Castro. Tanto en Dolores como en Belén. No recuerdo en La Salle cómo era, pero sé que en Dolores y Belén, me acuerdo bien, había que ir a misa todos los días por obligación.

Frei Betto. ¿Por la mañana?

Fidel Castro. Sí, por la mañana, en ayunas, había que levantarse para ir a misa; el desayuno venía después. Obligatoriamente el mismo ritual todos los días. Yo creo que eso era mecánico. La obligación que tenía uno de ir todos los días a misa era un exceso por completo, y no creo que ese tipo de cosa, de obligar al muchacho a ir a misa, lo ayudara.

Junto con la misa estaban las oraciones. Bien, mi manera de pensar: no hizo un efecto positivo, es lo mejor que puedo decir, el hecho de repetir una oración cien veces, en que uno ya mecánicamente pronuncia Avemarías y Padre Nuestros. ¡Cuántas dije en mi vida, todos los años! ¿Acaso me detuve alguna vez a pensar qué significaba esa oración? Yo he visto después, por ejemplo, en algunas otras religiones, el hábito de hacer una oración como quien habla con alguien, espontáneamente, con sus palabras, con sus ideas, para hacer un ruego, para hacer un pedido, para expresar una voluntad, para expresar un sentimiento. Eso nunca se nos enseñó a nosotros, sino a repetir lo que estaba escrito, y repetirlo una vez, diez veces, cincuenta veces, cien veces, de una forma absolutamente mecánica. Me parece que eso, realmente, no es una oración: eso puede ser un ejercicio de las cuerdas vocales, un ejercicio de la voz, de lo que se quiera, de la paciencia si se desea, pero no es una oración.

FREI BETTO. Es una cosa mecánica.

FIDEL CASTRO. Muchas veces teníamos que decir también la letanía en latín, en griego. Yo no sabía qué querían decir: "Kyrie eleison, Christe eleison". Entonces uno rezaba una letanía, y otros respondían: "Ora pro nobis" y todas esas cosas, casi me acuerdo de la letanía. No sabíamos qué querían decir ni lo que estábamos diciendo, estábamos repitiendo mecánicamente; a lo largo de muchos años nos acostumbramos a eso. Creo, y lo digo francamente aquí conversando, me parece un gran defecto de la educación religiosa que yo conocí.

FREI BETTO. A nosotros también.

FIDEL CASTRO. Los ejercicios espirituales llevaban a meditar, a esa edad de 16, 17 y 18 años. En esos tres días de meditación, había, desde luego, alguna meditación filosófica, alguna meditación teológica, pero la argumentación giraba en lo fundamental en torno al castigo, que era lo más probable, según todas las apariencias y todas las circunstancias, y al premio, un premio que no despertaba la fantasía de nosotros y un castigo en el cual se trataba de exaltar nuestra fantasía al infinito.

Yo recuerdo largos sermones de meditación acerca del infierno, del calor del infierno, de los sufrimientos del infierno, la ansiedad del infierno, la desesperación del infierno. Realmente no sé cómo se ha podido inventar un infierno tan cruel como el que nos explicaban, porque no se concibe tanta dureza con alguien por grandes que hayan sido sus pecados. No había proporción, además, con los pecados sencillos. Hasta una duda, dudar de algo que no se entendiera sobre determinado dogma, era pecado; había que creerlo, y si no lo creías podías ser condenado al infierno, si te morías, si tenías un accidente, si pasaba cualquier cosa en ese estado de falta. No había proporción, realmente, entre aquel castigo eterno y la falta del individuo.

Exaltar la imaginación. Yo me acuerdo todavía de un ejemplo que solían referir en estos ejercicios espirituales. Siempre había algún material escrito, algunas tesis, algunos comentarios, pero nos decían: "Para que tengan una idea de lo que es la eternidad, hijos míos, imagínense una bola de acero del tamaño del mundo —ya yo trataba de imaginarme una bola de acero del tamaño del mundo, 40 mil kilómetros de circunvalación—, entonces una mosca, cada mil años, llega a la bola, una pequeña mosquita, y con su trompa roza la bola. Pues bien, primero se acabará la bola, desaparecerá aquella bola de acero del tamaño del mundo, como consecuencia del roce de la trompa de esa mosca cada mil años, antes de que el infierno termine, y aún seguirá después existiendo eternamente." Ese era el tipo de reflexión. Yo diría que era una especie de terror mental, en terrorismo mental se convertían a veces aquellas explicaciones.

Entonces, yo digo: bueno, estamos a finales del siglo XX, no ha pasado tanto tiempo. Casi me asombro de que hace relativamente tan poco tiempo, cuarenta años, ¡cuarenta años!, en nuestro país, en una de las mejores escuelas donde asistíamos nosotros, ese fuera el tipo de enseñanza que se nos daba. No creo que haya sido una forma eficaz de desarrollar el sentimiento religioso.

Frei Betto. ¿Se hablaba mucho de la Biblia?

Fidel Castro. Se hablaba, pero, realmente, no mucho; sí, luego, alguna parábola, a veces se explicaba en un momento determinado alguna parábola, alguna parte del Evangelio. En realidad, seguíamos estudiando historia sagrada; durante todo ese período estudiamos historia sagrada, que era cada año un volumen mayor. Es decir, comenzando por un texto pequeño, cada curso se ampliaba el contenido. Era una asignatura de oficio la historia sagrada, para nosotros, por cierto, muy interesante. Siempre me interesó la historia sagrada, por su fabuloso contenido. Era una cosa maravillosa para la mente de un niño o adolescente conocer todo lo que había ocurrido desde la creación del mundo hasta el diluvio universal.

Hay algo que no se me olvida de la historia sagrada, no sé si la Biblia realmente lo dice, y si lo dice me parece que va a requerir algún análisis. Es lo siguiente: cuando después del diluvio universal, entre los hijos de Noé –¿fueron los hijos de Noé?– uno se burló de su padre. Noé cultivó la viña, se embriagó, un hijo se burló de él y como consecuencia sus descendientes fueron condenados a ser negros. En la historia sagrada, uno de los hijos de Noé, no sé si Canaán... ¿Cuáles eran los hijos de Noé?

Frei Betto. Eran Sem, Cam y Jafet. En el texto bíblico, en el libro del Génesis, Canaán aparece como hijo de Cam y, desde luego, figura como hijo más joven de Noé. Realmente, la maldición de Noé sobre Canaán fue que quedase como último de los esclavos. Como los esclavos en América Latina eran negros, algunas antiguas traducciones utilizan el término negro como sinónimo de esclavo. Además, los descendientes de Canaán serían los pueblos de Egipto, Etiopía y Arabia, que tienen la piel más oscura. Pero en el texto bíblico tal descendencia no figura como parte de la maldición, a no ser que se haga una interpretación tendenciosa, como la que busca justificar religiosamente el apartheid.

Fidel Castro. Bueno, a mí me enseñaron que uno de los hijos de Noé fue condenado a tener descendientes negros. Habría que ver si hoy día se enseña eso, y si realmente una religión puede estar enseñando que ser negro es un castigo de Dios. Yo recuerdo ese problema en aquella historia sagrada.

No obstante, nos maravillaba todo aquello: la construcción del arca, la lluvia, los animales, cuando se posaba otra vez el arca, cómo era la vida, lo de Moisés, el cruce del mar Rojo, la tierra prometida, todas las guerras y batallas que hay en la Biblia. Creo que en la historia sagrada empecé a oír hablar de guerra por primera vez. Es decir, adquirí cierto interés por las artes marciales. Hay que decir que me interesaban fabulosamente desde, incluso, el derrumbamiento de las torres de Jericó por Josué, las vueltas aquellas y las trompetas, hasta Sansón y su fuerza hercúlea capaz de derribar un templo con sus propias manos. Para nosotros aquellos hechos eran verdaderamente fascinantes. Toda esta etapa de lo que pudiéramos llamar el Antiguo Testamento –Jonás, la ballena que lo devoró, el castigo de Babilonia, el profeta Daniel–, para nosotros eran historias maravillosas. Claro, creo que también hubiéramos podido estudiar otras, de otros pueblos y sus interpretaciones, pero, a mi juicio, pocas tan maravillosas como el Antiguo Testamento, la historia sagrada.

Frei Betto. ¿Además, un librito llamado *Imitación de Cristo*?

Fidel Castro. Me suena que hubo algo de eso. Y después de esa historia sagrada, venía el Nuevo Testamento, que ya era más adelante, con las distintas parábolas. Esas sí se repetían; se explicaban con los términos, en general, de la Biblia, con los términos con que están escritos los Testamentos, que para nosotros eran de interés. Y también todo el proceso de la muerte y crucifixión de Cristo, todas aquellas explicaciones que se daban que siempre producían un impacto, indiscutiblemente, en el niño y en el joven.

Frei Betto. ¿Cómo empezó su sensibilidad por la causa de los pobres?

Fidel Castro. Yo tengo que buscar algunos fundamentos en mi experiencia desde muy niño. Primero, tuvimos una vida en común, muy en común, allí donde nací, donde vivía, con la gente más humilde, todos aquellos muchachos que andaban descalzos. Y ahora me doy cuenta de que tienen que haber pasado todo tipo de necesidades. Las cosas que uno hoy razona, piensa, medita: cómo debe haber sido con las enfermedades, los sufrimientos de toda aquella gente. No podía darme cuenta, incluso, y tener conciencia de todo eso, pero sí teníamos una relación muy directa, eran nuestros compañeros y nuestros amigos en todo, y eran los que iban con nosotros para los ríos, eran los que iban con nosotros por los bosques, por los árboles, por los potreros, a cazar, a jugar, y cuando llegaban las vacaciones eran los compañeros y los amigos nuestros. No pertenecíamos a otra clase social. Digamos, con los que andábamos todo el tiempo y teníamos relaciones todo el tiempo, era con toda aquella gente, en una vida bastante libre en la zona.

No había una sociedad burguesa o feudal en Birán, no existían 20 terratenientes, 30 terratenientes, que se reunieran entre sí con sus familias, siempre juntos el mismo grupo. Mi padre era un terrateniente aislado, en realidad; de vez en cuando algún amigo iba por allá, rara vez nosotros hicimos una visita: no salían mis padres como norma, no iban a visitar otras familias en otra parte; estaban todo el tiempo trabajando allí, y nosotros estábamos todo el tiempo allí en relación única y exclusiva con los que allí vivían. Nos metíamos en los barracones de los haitianos, en sus chozas; a veces nos regañaban por eso, mas no porque fuéramos allí, sino porque nos poníamos a comer maíz seco tostado que cocinaban los haitianos. Por comer con ellos nos buscábamos a veces problemas, críticas, no por cuestiones sociales sino por cuestiones de salud. Nunca en la casa nos hicieron un señalamiento: no te juntes con éste o con el otro, ¡jamás! Es decir que no había una cultura, como te dije, de familia de clase rica o terrateniente.

Bueno, uno no era inconsciente del privilegio de tener muchas cosas; lo tenía todo, nos trataban con cierta consideración, siempre había algo de eso. Pero la gran realidad es que nosotros nos criamos y crecimos con toda esa gente sin ningún tipo de prejuicio, sin ningún tipo de cultura burguesa, sin ningún tipo de ideología burguesa. Es un elemento que tiene que haber influido.

Creo que se fueron creando distintos valores éticos. Esos valores éticos tienen que haber nacido de las enseñanzas, es decir, de la enseñanza de la escuela, de los profesores. Yo diría que incluso desde la familia, desde la casa.

Que no se puede mentir ya se lo empiezan a decir a uno desde muy temprano. No hay duda de que en la enseñanza que nos daban había una ética, la que nos daba mi madre, la que nos daba nuestro padre, la que nos daba la familia, había una ética incuestionablemente. No era marxista, no partía de una ética filosófica, sino partía de una ética religiosa. Le empiezan a enseñar nociones del bien y del mal, lo que está bien y lo que está mal. En toda nuestra sociedad, la primera noción de un principio ético puede haber tenido como fundamento la religión. En aquel ambiente y atmósfera religiosa, aunque existían algunas cosas irracionales, como creer que si una lechuza volaba y cantaba, o si un gallo hacía tal cosa, podían ocurrir desgracias, se respiraba por tradición un conjunto de normas éticas.

Después, la vida que te conté empieza también a crear la sensación de lo que es hacer cosas malas, la violación de una ética, una injusticia, un abuso, un engaño. Entonces, no solo has recibido una ética, sino has recibido una experiencia de lo que es la violación de la ética y de la gente que no tiene ética; empiezas a tener una idea de lo justo y de lo injusto; empiezas a tener también un concepto de dignidad personal. Sería muy difícil, yo no creo que puede uno dar una explicación cabal sobre en qué se basó el sentido de la dignidad personal. Puede haber hombres más sensibles a eso, menos sensibles, el carácter de las personas influye,

¿por qué una persona es más rebelde que otra? Creo que las condiciones en que se educa una persona pueden hacerla más rebelde o menos rebelde; también el temperamento de las personas puede influir, el carácter de las personas: hay personas que son más dóciles, otras menos dóciles, unas tienen más tendencia a la disciplina y a la obediencia, otras menos tendencia a la disciplina y a la obediencia. Pero el hecho es que de todas formas uno va también en la vida empezando a tener noción de lo justo y lo injusto: esto es justo, esto es injusto.

En ese sentido, creo que toda la vida tuve una idea de lo justo y de lo injusto, y bastante temprano porque lo vi y lo sufrí. Creo que el ejercicio físico y el deporte también pueden enseñar: el rigor, la capacidad de soportar un esfuerzo grande, la voluntad de alcanzar un objetivo, la disciplina que uno se impone a sí mismo.

Influyeron los profesores, sin duda, los jesuitas, y más aun el jesuita español, que sabe inculcar un gran sentido de la dignidad personal, independientemente de sus ideas políticas. El sentido del honor personal lo tiene casi todo español y lo tenía en grado alto el jesuita; el aprecio por el carácter y la rectitud de la gente, por la franqueza, la valentía de la persona, la capacidad de soportar un sacrificio, esos valores los sabían exaltar. Sí, los profesores influyen. No hay duda de que los jesuitas influyeron con el rigor de su organización, disciplina y sus valores, influyeron en ciertos elementos de la formación de uno, y en un sentido también de la justicia, quizás bastante elemental, pero que significa un punto de partida.

Creo que por ese camino llega a parecer inconcebible un abuso, una injusticia, la simple humillación de otro hombre; esos valores se van formando en la conciencia de un hombre, y lo van acompañando. Creo que un conjunto de cosas me hicieron, primero, poseer ciertas normas éticas, y luego, la vida me hizo imposible adquirir una cultura de clase, una conciencia de una clase diferente y superior a la otra. Creo que esa fue la base con la cual después ya yo desarrollo una conciencia política.

Si tú mezclas valores éticos, espíritu de rebeldía, rechazo a la injusticia, toda una serie de cosas que tú empiezas a apreciar y a valorar altamente y que otra gente puede no valorar, un sentido de la dignidad personal, del honor, del deber, todo eso, a mi juicio, es la base elemental que puede hacer que un hombre adquiera después una conciencia política. Cuando más, en mi caso, no la adquiero porque proceda de una clase pobre, proletaria, campesina, humilde, no la adquiero por mis condiciones sociales; mi conciencia la adquiero a través del pensamiento, a través del razonamiento, y a través del desarrollo de un sentimiento y de una convicción profunda.

Creo que lo que te decía de la fe, la capacidad de razonar, de pensar, de analizar, de meditar y la capacidad de desarrollar un sentimiento, es lo que hace posible que yo vaya adquiriendo ideas revolucionarias. Además, con una circunstancia especial: las ideas políticas no me las inculcó nadie, no tuve el privilegio de tener un preceptor. Casi todos los hombres en nuestra historia tuvieron un maestro destacado, un profesor destacado, alguien que fuera su preceptor. Yo tuve que ser, desgraciadamente, preceptor de mí mismo a lo largo de mi vida. Y cuánto le hubiera agradecido a alguien que me hubiera ayudado, desde que tenía 12, 14, 15 años; cuánto le hubiera agradecido que me hubieran enseñado de política; cuánto habría agradecido que me hubieran inculcado las ideas revolucionarias.

No pudieron inculcarme una fe religiosa a través de los métodos mecánicos, dogmáticos e irracionales en que se me trató de inculcar esa fe. Si alguien me pregunta: ¿cuándo tuvo usted una creencia?, digo: bueno, realmente nunca la tuve. Es que nunca llegué a tener verdaderamente una creencia y una fe religiosas, no fueron capaces en la escuela de inculcarme esos valores. Después tuve otro tipo de valores: una creencia política, una fe política que tuve yo que forjarme por mi propia cuenta, a través de todas mis experiencias, de mis razonamientos y de mis propios sentimientos.

Las ideas políticas de nada valen si no hay un sentimiento noble y desinteresado. A su vez, los sentimientos nobles de la gente de nada valen, si no hay una idea correcta y justa en qué apoyarse. Estoy seguro de que sobre los mismos pilares en que se pueda asentar hoy el sacrificio de un revolucionario, se asentó ayer el sacrificio de un mártir por su fe religiosa. En definitiva, la madera del mártir religioso, a mi juicio, estuvo hecha del hombre desinteresado y altruista, de la misma que está hecho el héroe revolucionario. Sin esas condiciones no existen, ni pueden existir, ni el héroe religioso ni el héroe político.

He tenido que seguir mi camino, un largo camino para desarrollar mis ideas revolucionarias. Tienen para mí el inmenso valor de las conclusiones a que uno ha llegado por sí mismo.

FREI BETTO. ¿En el grupo que atacó el cuartel Moncada en 1953, había cristianos?

FIDEL CASTRO. Sin discusión que los había. Lo que ocurre es que nosotros no le preguntábamos a nadie sobre sus ideas religiosas. Sí, había cristianos. Aunque cuando nosotros atacamos el Moncada, yo tenía ya una formación marxista.

FREI BETTO. ¿Ya tenía una formación marxista?

FIDEL CASTRO. Sí, ya yo tengo una formación marxista-leninista, ya yo tengo una idea revolucionaria bastante cabal.

FREI BETTO. ¿Que la tenía de la universidad?

FIDEL CASTRO. Sí, yo la adquiero, realmente, cuando era estudiante universitario.

FREI BETTO. ¿En la universidad, en la lucha política en la universidad?

FIDEL CASTRO. Sí, yo la adquiero en la universidad, en mis contactos con la literatura revolucionaria.

Pero cosa curiosa, fíjate: antes de encontrarme con la literatura marxista, en realidad, y sólo estudiando la economía política capitalista, empiezo a sacar conclusiones socialistas y a imaginarme una sociedad cuya economía funcionara de forma más racional. Empiezo por ser un comunista utópico. Viene a ser en el tercer año de mi carrera cuando yo tengo realmente contacto ya con las ideas revolucionarias, con las teorías revolucionarias, con el *Manifiesto comunista,* con las primeras obras de Marx, de Engels, de Lenin. Sobre todo, te digo la verdad, tal vez sea la sencillez, la claridad, la forma directa con que se plantea la explicación de nuestro mundo y de nuestra sociedad en el *Manifiesto comunista*, lo que hizo en mí un impacto tremendo.

Claro, yo antes de ser comunista utópico o marxista, soy martiano, lo voy siendo desde el Bachillerato: no debo olvidar la atracción enorme del pensamiento de Martí sobre todos nosotros, la admiración por Martí. Yo fui siempre también un profundo y devoto admirador de las luchas heroicas de nuestro pueblo por su independencia en el siglo pasado.

Te hablé de la Biblia, pero podía hablarte también de la historia de nuestro país, que es maravillosamente interesante, desde mi punto de vista, llena de ejemplos de valor, de dignidad y de heroísmo. Conforme la Iglesia tiene, desde luego, sus mártires y sus héroes, también la historia de cualquier país tiene sus mártires y sus héroes, forma parte también casi de una religión. Era algo así como veneración lo que sentíamos al escuchar la historia del Titán de Bronce, el general Maceo, que libró tantas batallas, que hizo tales cosas, o cuando te hablablan de Agramonte, o de aquel gran internacionalista dominicano y brillante jefe militar, Máximo Gómez, que luchó junto a los cubanos desde el primer día, o de aquellos inocentes estudiantes de Medicina que fueron fusilados en el año 1871, porque dicen que habían ofendido la tumba de un español. Entonces, tú estás oyendo hablar de Martí, de Céspedes, el Padre de la Patria, y había también en nuestra enseñanza, al lado de la historia sagrada de que hablábamos antes, otra historia sagrada, que es la historia del país, y de los héroes del país. Esa no me llega tanto por la vía de la familia, porque no había el nivel cultural suficiente para ello, como por la escuela, por los libros; ya uno va teniendo otros modelos de personas y de conductas.

Antes de ser marxista, fui un gran admirador de la historia de nuestro país y, de Martí, fui martiano. Los dos nombres empiezan con M, y creo que los dos se parecen mucho. Porque estoy absolutamente convencido de que si Martí hubiera vivido en el medio en que vivió Marx, habría tenido las mismas ideas, más o menos la misma actuación. Martí tenía gran respeto por Marx; de él dijo una vez: "Como se puso del lado de los débiles, merece honor." Cuando murió Marx, escribió cosas muy bellas sobre él. Yo digo que en el pensamiento martiano hay cosas tan fabulosas y tan bellas, que uno puede convertirse en marxista partiendo del pensamiento martiano. Claro que Martí no explicaba la división de la sociedad en clases, aunque era el hombre que siempre estuvo del lado de los pobres, y fue un crítico permanente de los peores vicios de una sociedad de explotadores.

Desde luego, cuando yo me topo con el *Manifiesto comunista* por primera vez, veo una explicación; y en medio de aquel bosque de acontecimientos, donde era muy difícil entender el porqué de los fenómenos y donde todo parecía consecuencia de la maldad de los hombres, de los defectos de los hombres, de la perversidad de los hombres, de la inmoralidad de los hombres, empiezas a ver otros factores que no dependen ya del hombre con su moral o su actitud individual; empiezas a comprender la sociedad humana, el proceso histórico, la división que tú estás viendo todos los días; porque no necesitas un mapa, un microscopio o un telescopio para ver la división de clases, el pobre aquel sufriendo hambre, mientras al otro le sobra todo. ¿Y quién lo podía saber mejor que yo, que viví las dos cosas, y hasta en parte padecí las dos cosas? ¿Cómo no comprender la experiencia que uno mismo había vivido, la situación del propietario y la del que no tenía tierra, de aquel campesino descalzo?

Hay algo que tal vez me faltó añadir cuando te hablé de mi padre y de Birán. Mi padre, aunque tenía extensas tierras, era un hombre muy noble, sumamente noble. Sus ideas políticas eran ya, desde luego, las ideas que se correspondían con las de un terrateniente, las ideas de un propietario, porque él sí había adquirido ya su conciencia de propietario y tendría que ver el conflicto de intereses entre sus intereses y los intereses de los asalariados; pero fue un hombre que jamás le dio una respuesta negativa a alguien que llegara a pedirle algo, que le solicitara una ayuda. Esto es muy interesante.

Las tierras de mi padre estaban rodeadas por grandes latifundios norteamericanos. Sus propiedades eran extensas, pero lo que las rodeaba eran tres grandes centrales azucareros, cada uno de los cuales poseía decenas y decenas de miles de hectáreas. Uno solo de ellos tenía más de 120 mil hectáreas y había otro que alcanzaba más o menos unas 200 mil hectáreas de tierra. Era una cadena de centrales azucareros. Los norteamericanos tenían normas muy rígidas de administración de sus bienes, eran implacables; no estaban los dueños allí, vivían en Nueva York, tenían un administrador que disponía de un presupuesto de gastos, y no podía emplear un centavo adicional.

Cuando venía el tiempo muerto, en que se acababan las zafras, mucha gente iba para donde vivía mi familia. A mi padre tenían acceso, le decían: "Yo tengo tal problema, tenemos hambre, necesitamos algo, una ayuda, un crédito para la tienda", por ejemplo. Ellos, que no trabajaban habitualmente allí, llegaban expresando: "Necesitamos un trabajo, que nos ofrezca un trabajo." Las cañas más limpias de la República eran las de mi padre; mientras los otros daban una sola limpia, él organizaba tres y cuatro, con el propósito de brindar alguna tarea a ese personal. No recuerdo nunca que a mi padre fuera nadie a pedirle algo y que él no le buscara una solución. A veces protestaba, refunfuñaba, se quejaba, pero siempre demostraba generosidad; era una característica de mi padre.

En las vacaciones a mí me hacían trabajar, incluso;

cuando era adolescente me llevaban a la oficina, a veces me hacían trabajar en la tienda. Tenía que invertir en ello parte de las vacaciones y hacía un trabajo que no era muy voluntario, pero no me quedaba otro remedio. De mi mente no podrán borrarse nunca las imágenes de tantas humildes personas que allí llegaban a buscar una orden para comprar en la tienda, descalzos, andrajosos y hambrientos. Sin embargo, aquello era un oasis comparado con la vida de los trabajadores de los latifundios yankis en el período del llamado tiempo muerto.

Cuando yo empiezo a tener ideas revolucionarias y me encuentro con la literatura marxista, he visto muy de cerca los contrastres entre la riqueza y la pobreza, entre una familia que poseía extensas tierras y los que no tenían absolutamente nada. ¿Quién tenía que explicarme la división de la sociedad en clases, la explotación del hombre por el hombre, si lo había visto con mis propios ojos y hasta en cierta forma lo había sufrido también?

Si tú tienes ciertas características de rebeldía, ciertos valores éticos, y te encuentras con una idea que te da una gran claridad, como las que a mí me sirvieron para entender el mundo y la sociedad en que vivía, que estaba viendo por todas partes, ¿cómo no sentir el efecto de una verdadera revelación política? Aquella literatura me atrajo profundamente, me sentí realmente conquistado por ella. Si a Ulises le cautivaron los cantos de sirena, a mí me cautivaron las verdades incontestables de la literatura marxista. Capto enseguida, empiezo a entender, empiezo a ver; tuve luego esa misma experiencia con muchos otros compatriotas, porque a muchos compañeros que no tenían siquiera idea de estos temas, pero que eran hombres honrados y ansiosos de poner fin a las injusticias en nuestro país, bastaba aportarles unos cuantos elementos de la teoría marxista y el efecto en ellos era exactamente igual.

FREI BETTO. ¿Esta conciencia marxista no le creó prejuicios en relación con los cristianos revolucionarios que ingresaron en el 26 de Julio, como Frank País? ¿Cómo fue la cosa?

FIDEL CASTRO. Déjame decirte. En realidad, no hubo nunca –en mí no hubo, ni en los otros compañeros nunca, que yo recuerde– una sola contradicción con alguien por una cuestión religiosa. En aquel momento, como te dije, yo ya tenía una formación marxista-leninista. Cuando termino en la universidad, en el año 1950, en un breve período había adquirido –yo diría– toda una concepción revolucionaria completa, no solo en las ideas, sino también en los propósitos y en la forma en que podían llevarse a la práctica, cómo aplicar aquello en las condiciones de nuestro país. Creo que eso fue muy importante.

Cuando ingreso en la universidad, ya yo estoy, en los primeros años, vinculado a un partido de oposición que tiene posiciones muy críticas contra la corrupción, el robo y el fraude político.

FREI BETTO. ¿El Partido Ortodoxo?

FIDEL CASTRO. El Partido Ortodoxo –su nombre oficial era Partido del Pueblo Cubano–, que llegó a tener un apoyo muy grande de masas, mucha gente sana y espontánea estaban en ese partido. El acento principal era la crítica contra la corrupción, el robo, los abusos, la injusticia, la constante denuncia de los abusos de Batista, en su anterior período. Esto está unido, en la universidad, a toda una tradición de lucha, los mártires de la escuela de Medicina en 1871, a las luchas contra Machado, contra Batista; la universidad en ese período también adoptó una posición frente al gobierno de Grau San Martín por el fraude, la malversación y la frustración que significó para el país.

Casi desde los primeros momentos, antes de empezar a tener los contactos con esta literatura de que hablé, ya yo tengo relaciones, al igual que muchos jóvenes de la universidad, con ese partido. Cuando termino en la universidad, mis vínculos con ese partido eran fuertes, pero mis ideas han avanzado mucho más.

En esa época yo quería realizar estudios de posgrado, estaba consciente de que me faltaba todavía una mayor preparación antes de consagrarme por entero a la política; quería estudiar, precisamente, economía política. Había realizado un gran esfuerzo en la universidad para aprobar las asignaturas que me darían, además del título de Doctor en Leyes, el de Licenciado en Derecho Diplomático y el de Doctor en Ciencias Sociales, todo para obtener una beca con ese propósito. A todo esto, yo me había independizado de mi casa, como es lógico; me ayudaron en los primeros años, pero cuando estaba terminando en la universidad –me casé, incluso– ya yo no podía pensar en seguir recibiendo ayuda de ellos. Pero quería estudiar y la forma era una beca en el extranjero; para obtener esa beca, debía obtener los tres títulos. La tenía ya al alcance de mi mano, me faltaban solo dos asignaturas de cincuenta que debí estudiar y examinar en dos años. Ningún otro alumno de mi curso había alcanzado estos objetivos, no tenía ya oposición. Fue entonces cuando la impaciencia, el contacto con las realidades, me decidieron a actuar. Es decir que me faltaron tres años para profundizar los estudios. Lo que tú hiciste allí en tu convento como monje de la Orden de los Dominicos, los años que dedicaste a estudiar teología, me faltaron a mí para dedicarlos al estudio de la economía, y perfeccionar y profundizar mis conocimientos teóricos.

Bastante bien armado ya de ideas fundamentales y básicas, y con una concepción revolucionaria, me decido a ponerla en práctica. Desde antes del golpe de Estado del 10 de marzo de 1952, yo tengo una concepción revolucionaria y hasta una idea de cómo llevarla a cabo. Cuando ingresé en la universidad, no poseía todavía una cultura revolucionaria. Menos de ocho años transcurrieron desde que esa concepción fue elaborada y la revolución había triunfado en Cuba.

Yo digo que no tuve un preceptor. Grande tiene que haber sido el esfuerzo de razonamiento en tan poco tiempo, para elaborar y poner en práctica esas ideas. Para ello fue decisivo lo que aprendí del marxismo-leninismo. Creo que mi contribución a la Revolución Cubana consiste en haber

163

realizado una síntesis de las ideas de Martí y del marxismo-leninismo, y haberla aplicado consecuentemente en nuestra lucha.

Yo veo, incluso, a los comunistas cubanos aislados, y los veo aislados porque el medio ambiente con que los rodeó el imperialismo, el maccarthismo y la reacción los aislaba; hicieran lo que hicieran, los aislaba, te lo digo francamente. Habían logrado alcanzar fuerza en el movimiento obrero, un número alto de militantes que habían trabajado con la clase obrera cubana, que se consagraron e hicieron mucho por los trabajadores, y tenían mucho prestigio entre ellos; pero no les veía ninguna posibilidad política en aquellas circunstancias.

Entonces, ya yo concibo una estrategia revolucionaria para llevar a cabo una revolución social profunda, pero por fases, por etapas; lo que concibo fundamentalmente es hacerla con aquella gran masa rebelde, inconforme, que no tenía una conciencia política madura para la revolución, pero constituía la inmensa mayoría del pueblo. Digo: esta masa rebelde, sana, modesta del pueblo, esa gran masa es la fuerza que puede hacer la revolución, el factor decisivo en la revolución; hay que llevar esa masa hacia la revolución y hay que llevarla por etapas. Porque no se iba a formar con palabras, de un día para otro, esa conciencia. Y lo que vi claro es que esa gran masa constituía el factor fundamental, aquella masa todavía confundida, incluso, en muchos casos, con prejuicios sobre el socialismo, sobre el comunismo, que no había podido alcanzar una verdadera cultura política, y que era influida desde todas direcciones, a través de todos los medios de divulgación masiva y todos los recursos: la radio, la televisión, el cine, los libros, las revistas, la prensa diaria, y la prédica antisocialista y reaccionaria en todas partes.

Entre otras cosas, se presentaba al socialismo y al comunismo como enemigos de la humanidad. Ese era uno de los usos arbitrarios e injustos que se hacía de los medios de divulgación en nuestro país, digamos, uno de los métodos del cual se valía la sociedad reaccionaria en Cuba, igual que en todas partes. Casi desde muy temprano se oía decir que el socialismo negaba a la patria, que les quitaba la tierra a los campesinos, la propiedad personal a la gente, separaba a las familias y cosas por el estilo. Ya en época de Marx se le imputaba la comunización de las mujeres, lo que mereció una réplica contundente del gran pensador socialista. Las cosas más horribles, más absurdas, se inventaron para envenenar al pueblo contra las ideas revolucionarias. Había mucha gente en la masa, pordioseros que podían ser anticomunistas, limosneros anticomunistas, gente muerta de hambre, gente sin empleo anticomunista. No sabían lo que era el comunismo ni lo que era el socialismo. Sin embargo, tú veías aquella masa que estaba sufriendo, que sufría la pobreza, que sufría la injusticia, que sufría la humillación, que sufría la desigualdad, porque no solo se mide en términos materiales el sufrimiento del pueblo, sino también en términos morales, y no se sufre sólo porque estás comiendo 1 500 calorías y se necesitan 3 mil; hay un sufrimiento adicional a eso, que es la desigualdad social, que tú te sientas constantemente rebajado y humillado en tu condición de hombre, porque no te considera nadie, te miran como un cero a la izquierda, como nadie: aquel lo es todo, tú no eres nada.

Entonces yo me doy cuenta de que esa masa era la decisiva y esa masa estaba sumamente irritada y descontenta; no comprendía la esencia social del problema, estaba confundida, atribuía el desempleo, la pobreza, la falta de escuelas, la falta de hospitales, la falta de empleo, la falta de vivienda, todo se lo atribuía, o casi todo, a la corrupción administrativa, a las malversaciones, a la perversidad de los políticos.

El Partido del Pueblo Cubano al que me referí, había recogido bastante de ese descontento. Al sistema capitalista y al imperialismo le atribuía poca responsabilidad. Porque también yo diría que había una tercera religión que se nos enseñaba a nosotros: la religión de respeto y de gratitud a Estados Unidos. Esa es otra cosa.

Frei Betto. Por la presencia cercana, constante.

Fidel Castro. "Los Estados Unidos fueron los que nos dieron la independencia. Son nuestros amigos, nos ayudaron, nos ayudan." Eso se enseñaba bastante en los textos oficiales.

Frei Betto. Y aquí venían muchos turistas americanos.

Fidel Castro. Sí venían, desde luego, pero trato de explicarte una realidad histórica. Nos decían: "La independencia se inició el 20 de mayo de 1902", fecha en que los yankis entregaron la república mediatizada, con una cláusula constitucional que les daba derecho a intervenir en Cuba; fecha que ahora han escogido, por cierto, para sacar su "Radio Goebbels", "Radio Reagan", "Radio Hitler" –no voy a decir "Radio Martí"–, la estación subversiva, un 20 de mayo. Recuerdo que cuando impusieron la República, con la Enmienda Platt, habían estado cuatro años ocupando nuestro territorio. Ocuparon al país durante cuatro años, y después le impusieron el infame derecho a intervenir en nuestra patria. Así, más de una vez intervinieron, y con tales métodos se apoderaron de nuestras mejores tierras, nuestras minas, nuestro comercio, nuestras finanzas y nuestra economía.

Frei Betto. ¿En qué año fue eso?

Fidel Castro. Eso comienza en 1898 y culmina el 20 de mayo de 1902, con una caricatura de república, que era la expresión política de la colonia yanki establecida en Cuba. En esa fecha se inicia el proceso de la apropiación masiva de los recursos naturales y las riquezas de Cuba. Te he hablado de mi padre, que trabajó con una de las empresas yankis, la United Fruit Company, famosa, que se estableció en el norte de Oriente. Mi padre era un obrero de la United Fruit, así empezó a trabajar en Cuba.

Los textos escolares hacían la apología del modo de vida de Estados Unidos. Esos textos se complementaban con toda la literatura. Ya hoy hasta los niños saben que todo eso era una grande y gigantesca mentira.

¿Cómo tú destruyes todo ese complejo de mentiras, todos esos mitos, cómo los destruyes? Yo recuerdo que aquella masa no sabía, pero sufría; aquella masa estaba confundida, pero también desesperada. Era capaz de luchar, de moverse en una dirección. A aquella masa había que llevarla al camino de la revolución por etapas, paso a paso, hasta alcanzar plena conciencia política y plena confianza en su destino.

Ahora, toda esta concepción la saqué de mis lecturas y de mis meditaciones, sobre la historia de Cuba, sobre el carácter y la idiosincrasia de nuestro pueblo, y sobre el marxismo.

FREI BETTO. ¿Usted estaba en la izquierda del Partido Ortodoxo?

FIDEL CASTRO. Algunos sabían cómo pensaba yo, y algunos ya empezaban a tratar de bloquearme, me llamaban comunista, porque, claro, yo a todo el mundo le explicaba las cosas con bastante franqueza. Pero yo no estaba predicando el socialismo como meta inmediata en esa época. Hacía campaña contra la injusticia, la pobreza, el desempleo, los alquileres altos, los desalojos campesinos, los bajos salarios, la corrupción política y la despiadada explotación que se veía por todas partes. Fue una denuncia, una prédica y un programa, para el cual estaba mucho más preparado nuestro pueblo, por donde había que empezar a actuar y moverlo hacia una dirección verdaderamente revolucionaria.

Yo capto que el Partido Comunista está aislado, aunque tiene una fuerza y posee influencia entre los obreros. Los veo como aliados potenciales. Por supuesto, yo no habría podido convencer a un comunista militante de que mis teorías eran correctas. Prácticamente ni lo intenté. Lo que hice fue proponerme seguir adelante con aquellas ideas, cuando ya tenía una concepción marxista-leninista. Sí tenía muy buenas relaciones con ellos, porque, realmente, casi todos los libros con los que yo estudié los compré a crédito en la biblioteca del Partido Comunista en la calle Carlos III y, claro, tenía muy buenas relaciones con los dirigentes comunistas en la universidad, éramos aliados en casi todas las luchas. Pero yo dije: existe la posibilidad de actuar con una gran masa potencialmente revolucionaria. Estas ideas las voy poniendo en práctica ya antes del golpe de Estado de Batista el 10 de marzo de 1952.

Frei Betto. Ahora, ¿ese grupo que ataca el Moncada sale del grupo de izquierda del Partido Ortodoxo?

Fidel Castro. Sale del Partido Ortodoxo, de las filas de los jóvenes de ese partido, que yo conocía, y que sabía cómo pensaban. Cuando se produce el golpe, yo empiezo a organizarlos.

Frei Betto. ¿Con qué nombre?

Fidel Castro. En ese momento estábamos organizando células de combate.

Frei Betto. ¿Se llamaban así, células?

Fidel Castro. Propiamente estábamos organizando un aparato militar. No tenemos un plan revolucionario propio en ese momento, porque estamos en los meses siguientes al golpe militar de 1952. Yo tenía un plan revolucionario desde 1951, pero todavía en ese plan había una etapa política previa.

Yo estoy planteando en esa fecha un movimiento revolucionario. Incluso tengo una cierta fuerza política. El Partido Ortodoxo va a ganar las elecciones; yo sé que su dirección en casi todas las provincias, excepto la de La Habana, estaba cayendo ya, como siempre, en manos de terratenientes y burgueses. Ese partido popular ya estaba virtualmente en manos de elementos reaccionarios y maquinarias electorales, excepto la provincia de La Habana, en la que prevalecía un grupo de políticos sanos, sectores intelectuales, profesores universitarios, con prestigio; no había una maquinaria, aunque ya algunos ricos se estaban introduciendo, queriendo controlar el partido en la provincia mediante métodos tradicionales de maquinarias y dinero

El partido aquí en La Habana tenía bastante fuerza. Había 80 mil afiliados, que se habían unido espontáneamente. Era una cifra considerable. Sobre todo creció después que murió su fundador, hombre combativo de gran ascendencia en la masa, que se priva de la vida a consecuencia de una polémica con un ministro gubernamental, por imputaciones que le hizo a éste sobre propiedades de tierra en Guatemala, y que no pudo probar. Le hicieron la trampa, lo llevaron a una polémica en torno a ese tema y, aunque había una gran corrupción en el país, aquello, en concreto, no pudo demostrarse. Se desespera y se mata. El partido queda virtualmente sin dirección, pero con una enorme fuerza.

Ya yo estoy planteando la idea de que ese partido va a ganar las elecciones presidenciales de junio de 1952. Sé lo que va a pasar con ese gobierno, que va a resultar también una completa frustración. Pero ya estoy pensando en el transcurso de una primera etapa política de preparación del movimiento, y en una segunda etapa de toma del poder revolucionariamente. Creo que una de las cosas claves que me enseñó el marxismo, y que también me indicaba la intuición, era que había que tomar el poder para hacer la revolución, y que por los caminos tradicionales de la política que hasta entonces se habían seguido no se llegaba a nada.

Yo pienso utilizar como tribuna determinadas posiciones desde donde lanzar un programa revolucionario inicialmente en forma de propuestas de leyes, que después fue precisamente el programa del Moncada. Fíjate que no era todavía un programa socialista, pero era un programa capaz de conquistar el apoyo de grandes masas de la población, y la antesala del socialismo en Cuba. Las ideas contenidas en el programa del Moncada yo las tengo elaboradas mucho antes del golpe de Estado de Batista. Ya estoy promoviendo una fuerte base con pobladores de la ciudad de La Habana, y otros sectores humildes de la ciudad y la provincia. Trabajo activamente, además, con la masa del partido.

Como ya soy abogado, estoy en estrecho contacto con esos sectores en una lucha activa, dinámica, enérgica, apoyado en el esfuerzo de un pequeño grupo de compañeros. No ocupo cargos de dirección, pero cuento ya con una fuerza de masas en ese partido y toda una concepción revolucionaria. Cuando tiene lugar el golpe de Estado, todo cambia. Ya no se puede llevar a cabo aquel programa. Incluso, en aquel programa inicial yo incluyo a los soldados, porque los veo objeto de explotación; los hacían trabajar en las fincas privadas de los magnates, del Presidente, de los coroneles, estoy viendo todo eso, lo estoy denunciando y hasta voy alcanzando cierta sutil ascendencia en sus filas. Al menos prestan atención e interés a las denuncias. Yo pensaba unir a ese movimiento también a los soldados. Sí, soldados, obreros, campesinos, estudiantes, maestros, profesionales, capas medias de la población, en un programa amplio.

Cuando se produce el golpe de Estado, cambia todo el cuadro. Inicialmente pienso que hay que volver a la etapa constitucional anterior; ahora había que derrocar la dictadura militar. Yo estoy pensando que hay que recuperar el status anterior, y que todo el mundo se uniría para liquidar esa cosa infame y reaccionaria que era el golpe de Estado de Batista. Empiezo a organizar por mi cuenta gente joven, modesta y combativa de la Juventud Ortodoxa, y también contacto con algunos de los líderes de ese partido, pero el trabajo lo voy realizando por iniciativa propia; había líderes que decían que estaban por la lucha armada. Para mí estaba claro que había que derrocar a Batista mediante las armas y volver a la etapa anterior, al régimen constitucional, pues sería seguramente el objetivo de todos los partidos, y yo había concebido la primera estrategia revolucionaria con un gran movimiento de masas que se instrumentaría inicialmente a través de cauces constitucionales. Al crearse esta situación, pienso que todo el mundo se va a unir para liquidar el régimen de Batista, todos los partidos aquellos que estaban en el gobierno, los que estaban en la oposición, todo el mundo.

Y empiezo a organizar a los primeros combatientes, a los primeros luchadores, digamos, las primeras células, a las pocas semanas. Primero trato de crear un pequeño periódico tirado en mimeógrafo, y algunas estaciones de radio clandestinas. Son las primeras cosas. Tuvimos algunos tropiezos con la policía, que nos sirvieron de mucha experiencia más adelante. Porque después aplicamos métodos sumamente cuidadosos en la selección del personal y en la compartimentación; después sí nos volvimos verdaderos conspiradores, y empezamos a organizar los primeros núcleos para lo que suponíamos la lucha unida de todos los partidos y de todas las fuerzas. Así empiezo yo dentro de ese partido, donde conocí a mucha gente joven y sana, y voy buscando dentro de los sectores más humildes, allá en Artemisa, en los barrios más modestos de La Habana, trabajadores todos, con varios compañeros que desde el primer momento me apoyaron: Abel, Montané, Ñico López y otros, un grupito pequeño.

Me volví un cuadro profesional. Ese movimiento empieza teniendo un cuadro profesional, que soy yo, uno solo. A decir verdad, tuvimos prácticamente un cuadro profesional hasta el Moncada, uno solo, y en los últimos días Abel; dos cuadros en el último mes.

Nosotros organizamos todo este movimiento en 14 meses. Alcanzamos a tener 1 200 hombres. Uno por uno hablé con ellos, organicé cada célula, cada grupo, ¡los 1 200! ¿Tú sabes cuántos kilómetros recorrí yo en un automóvil antes del Moncada? Recorrí 40 mil kilómetros. Todo ese esfuerzo en la organización, entrenamiento y equipamiento del Movimiento. ¡Las veces que me reuní con los futuros combatientes, que les impartí las ideas e instrucciones! El carro, por cierto, no estaba terminado de pagar. Como yo era ya cuadro profesional y siempre se debía alguna letra atrasada, Abel y Montané eran los que me sostenían a mí y sostenían el carro.

Así fuimos creando una organización disciplinada y decidida, con gente joven y sana, ideas patrióticas y progresistas. Claro, estábamos organizándonos para luchar contra la dictadura. No nos proponíamos encabezar esa lucha, sino cooperar con todas nuestras fuerzas. Personalidades y jefes políticos conocidos y reconocidos los había de sobra. Después viene la fase en que llegamos a la conclusión de que todo era un engaño, una falsedad, una incapacidad, y decidimos nosotros hacer nuestro propio plan. Eso empezó a cambiar las cosas.

Terminamos la primera parte de la entrevista. Siento que ya no guardo la supuesta neutralidad de sentimientos de mis tiempos de periodista. Estoy totalmente conmovido ante lo que acabo de oír. Son casi las 3:00 de la madrugada cuando nos despedimos.

# 2

La segunda parte de la entrevista se inicia a las 4:45 de la tarde del viernes, 24 de mayo de 1985.

FREI BETTO. Hablábamos del Moncada. Me interesa más específicamente que usted hablase de algunos revolucionarios ya de este momento, como Frank País, y de otro que no estuvo en el Moncada, sino que estaba en La Habana, que es José Antonio Echeverría, y que era conocido como cristiano. ¿Qué impresión tenía el hecho de ser cristiano, qué tipo de relación creaba con la gente que ya tenía una visión marxista?

FIDEL CASTRO. Déjame decirte. Cuando el Moncada, realmente había un grupo reducido de los de más responsabilidad y autoridad que tenían ya una formación marxista, porque yo mismo había trabajado con un núcleo de gente de los de más resposabilidad en este sentido.

Ahora, las cualidades que nosotros requeríamos de aquellos compañeros eran, en primer lugar, el patriotismo, el espíritu revolucionario, la seriedad, la honradez, la disposición a la lucha, que estuvieran de acuerdo con los objetivos y los riesgos de la lucha, porque se planteaba precisamente la lucha armada contra Batista. Estos eran los elementos, las características fundamentales. No se le preguntaba a nadie absolutamente si tenía o no tenía una creencia religiosa; ese problema nunca se abordó. Realmente no recuerdo un solo caso de esos. Pertenecía al fuero interno de cada persona, e indiscutiblemente –aunque eso no consta en datos, ni en estadísticas, porque, ya te digo, nadie hizo encuestas sobre esos problemas–, con seguridad muchos de los que participaron en el Moncada eran creyentes.

Tú has mencionado algunos casos. Cuando el Moncada todavía Frank País no tenía relaciones con nosotros; era muy joven. Él se incorpora propiamente al Movimiento algunos meses después de la acción del Moncada, y empieza a destacarse. Tengo entendido que Frank País tenía una formación religiosa, a través de la familia.

Frei Betto. El padre era pastor, ¿no?

Fidel Castro. El padre era pastor. Aunque estos aspectos de tipo religioso tampoco fueron nunca tema de conversación entre nosotros.

Frei Betto. ¿Ni tampoco había proselitismo antirreligioso?

Fidel Castro. No podía haberlo, no tenía sentido. Nosotros buscábamos a la gente con disposición a la lucha. Ese problema nunca se planteaba.

Tengo entendido también que Echeverría tenía una formación religiosa. No sé, tampoco hablé nunca con él sobre estos temas, hablábamos de la lucha contra Batista. Lo que sí un día, en un aniversario de su muerte, yo hice una crítica fuerte, muy fuerte –eso debe estar por ahí publicado, fue un 13 de marzo–, porque alguien omitió una invocación a Dios que Echeverría había hecho en su testamento político.

Frei Betto. ¿Que había hecho él?

Fidel Castro. Un manifiesto que había hecho él antes de la acción que originó su muerte.

Varios años después se estaba conmemorando un aniversario, y yo iba a hablar en ese acto. Entonces observo que en la lectura del testamento se omitió la invocación de tipo religioso que él había hecho, una invocación a Dios, y yo, realmente, me irrité mucho con eso. Cuando hablé, hice una crítica –debe estar en los periódicos–: preguntaba cómo era posible que se omitiera esa invocación, que eso realmente era una especie de fraude con relación al documento, y que por qué tenía que preocuparnos esa invocación, que no le quitaba a Echeverría ningún mérito, que no debía haberse hecho eso. Hice una crítica tanto desde el punto de vista de la verdad histórica, que debe respetarse, como del prejuicio de considerar que aquella invocación no debía repetirse porque podía reducir, podía quitarle mérito, pudiera entenderse mal aquella cosa. Esto me llevó a mí a un fuerte planteamiento público sobre la cuestión. Eso debe estar publicado en los periódicos, de todo quedó constancia. No sé si alguna vez te hablaron a ti sobre eso.

Frei Betto. Sí, me hablaron una vez.

Ahora, después fueron a la cárcel. ¿Cómo fue la intervención que el obispo de Santiago tuvo a favor de los asaltantes del Moncada?

Fidel Castro. Para comprender esto hay que tener en cuenta que al no poder tomarse la fortaleza del Moncada –por razones que fueron verdaderamente accidentales, pero que resultaron decisivas–, se produce una retirada de la fuerza, porque también la gente estaba en distintas posiciones, y cuando se dio la orden de retirarse, una parte de la gente regresa a la casa de donde habíamos salido, en Siboney.

Yo todavía estoy pensando en organizar otra acción, preocupado por la gente de Bayamo, que, en caso de que hubieran podido cumplir su misión, iban a quedar aislados, y estaba pensando en reagrupar a un número de compañeros para una acción contra un cuartel más pequeño, con vistas a apoyar a la gente que suponía que estaban en Bayamo. Aunque no teníamos noticias de ellos, suponía que podían haber cumplido su objetivo y haber tomado el cuartel de Bayamo.

Frei Betto. Una curiosidad histórica. Yo visité esta pequeña finca de Siboney. Me imagino que entre la gente que no fue a la finca, había algunos compañeros suyos que ya habían sido hechos prisioneros en este momento.

Fidel Castro. Bueno, no.

Frei Betto. ¿No? Porque me preguntaba si usted no tenía miedo de que ellos hablasen y que toda...

Fidel Castro. No, en ese momento no, ni siquiera me planteé ese problema, porque pensaba que el enemigo no tenía tiempo de reaccionar ante una acción tan sorpresiva y quizás traumatizante para ellos, como fue el ataque a su fortaleza fundamental.

Nosotros nos dirigimos hacia allí, que era la casa de donde partimos. Suponíamos también que mucha gente se había dirigido hacia allí. Y, efectivamente, un grupo se había dirigido hacia allá. Yo trato de organizar el grupo, se tomaron algunas municiones y se cambiaron algunas armas que pudieran parecer más eficientes para el nuevo escenario a los que estaban decididos a seguir en las montañas en ese momento.

Con más exactitud: yo tengo idea de dirigirme hacia el Caney, que estaba en dirección norte a unos kilómetros de Santiago, para actuar sorpresivamente sobre aquel cuartel más pequeño, con un grupo que podía ser de 20 ó 30 hombres. Pero en realidad veo que los carros –en ese momento nosotros no teníamos comunicaciones– han tomado en dirección de la finca de donde habíamos partido. Entonces nosotros fuimos para la finca, pues era el lugar hacia donde se había dirigido la gente. Es decir, no pudimos, inicialmente, contar con un número mínimo de personal para hacer la acción sobre el cuartel del Caney, que era la idea que yo concebía en ese momento para ayudar al grupo de Bayamo.

Frei Betto. ¿Cuántos asaltaron el cuartel Moncada?

Fidel Castro. En total eran alrededor de 120 hombres.

FREI BETTO. ¿De los cuales murieron...?

FIDEL CASTRO. Bueno, te explico después.

Unos fueron a unas posiciones, tomaron unos edificios, como el de la Audiencia, que dominaba el cuartel por un ángulo; otros fueron a ocupar edificios frente a la parte trasera de la fortaleza, y el grupo nuestro se dirigió a la posta de la entrada de la misma para penetrar por el frente. Yo iba en el segundo carro. El fuego se inicia por aquí, al hacer contacto con una posta cosaca. Es decir, el grupo que entra allí, o debió haber entrado, era de alrededor de 90 hombres. Pero la caravana que venía por la avenida debía doblar hacia el cuartel, y alguna gente no conocía bien las calles; en el momento en que debe hacerse el giro hacia la fortaleza, algunos carros siguieron, varios carros, así que debimos de haber llegado al punto fundamental unos 60 ó 70 hombres.

Ese es el grupo que estaba conmigo. Los que estaban en las otras áreas, en el edificio de la Audiencia y en el hospital, conocían los planes. Se suponía que nosotros tomáramos el puesto de mando y, entonces, a los soldados los haríamos retroceder hacia el fondo y los haríamos prisioneros entre los que entrábamos por la posta y los que dominaban desde sus posiciones el patio trasero de las barracas donde dormían.

Al producirse el choque con la posta cosaca, el combate se inicia fuera de la fortaleza, y no dentro como estaba previsto. Los soldados se movilizan, eran más de mil hombres, se pierde el factor sorpresa y se hace imposible realizar el plan. El primer carro, sin embargo, había logrado ocupar y dominar la entrada del cuartel. Cuando nos retirábamos, hay un momento en que yo me bajo del último carro y entrego mi sitio a un compañero que había quedado disperso allí. A mí me saca un compañero de Artemisa que se le ocurre entrar de nuevo al lugar y recogerme.

Por eso es que realmente, cuando yo salgo por la misma avenida por donde habíamos entrado, pensando ir hacia el cuartel del Caney, ya no puedo contar con la gente, porque una parte se ha ido delante, más o menos la mitad de estos 60 ó 70 hombres, tal vez menos, y regresa a la casa de donde habíamos partido en Siboney. Entonces allí, después que fracasa la acción –debe recordarse que eran civiles, que aunque estaban organizados, era la primera vez que entraban en acción–, algunos se desalientan, realmente, y empiezan a quitarse la ropa militar; pero todavía hay un grupo decidido a seguir la lucha. Entonces, van conmigo hacia las montañas que quedan más o menos enfrente, la Sierra Maestra, en las proximidades de Santiago. No la conocíamos. Nos adentramos armados hacia las montañas, un grupo que quiso seguir conmigo.

Las armas que podían ser adecuadas para un choque frente a frente, casi cuerpo a cuerpo, algunos fusiles automáticos calibre 22 y escopetas automáticas calibre 12, con gruesos balines, sin duda eficaces para la acción concebida –no teníamos, además, otras–, no eran idóneas para luchar en campo abierto. Con un grupo de fusiles de pequeño calibre y escopetas, nos dirigimos hacia las montañas.

Claro está, no conocíamos el territorio y, al anochecer, no habíamos coronado todavía las alturas. Ya a esa hora el enemigo había desplegado soldados por todas las áreas, y todos los puntos claves de la cordillera en esa zona los habían tomado. Desde luego, con la experiencia que después tuvimos nosotros, a pesar de eso habríamos podido flanquear esas posiciones; pero la falta de experiencia, el desconocimiento del lugar, hizo que nosotros, al no encontrar los distintos accesos para bordear las principales alturas tomadas, volviéramos otra vez hacia las alturas medias de las montañas, y concibiéramos un plan para alcanzar la Sierra Maestra al otro lado de la bahía de Santiago de Cuba, es decir, hacia el oeste de la ciudad.

Si no podíamos defender la ciudad, si no prosperaba la consigna de huelga general y de paralización del país que íbamos a lanzar, si el enemigo podía contratacar con suficiente fuerza de forma que no pudiéramos sostener la ciudad, en nuestro plan original estaba ya la idea de replegarnos hacia la Sierra Maestra con 2 mil o 3 mil hombres armados. Era la idea. Desde luego, partíamos de la premisa del apoyo de la ciudad de Santiago de Cuba, una vez que hubiéramos tomado la fortaleza.

Con los conocimientos que después adquirimos, nosotros nos hubiéramos reído de todas aquellas posiciones y de todos aquellos soldados. Te digo que realmente por inexperiencia, por ignorancia en aquel instante, considerábamos que no era posible cruzar hacia el otro lado de la Sierra Maestra, para alejarnos de donde existía aquella densidad de fuerza desplegada. Y empezamos a concebir el plan de cruzar la bahía de Santiago de Cuba hacia el oeste, y penetrar en la zona más abrupta y más estratégica de la Sierra Maestra.

El grupo era pequeño, en ese grupo pequeño incluso había algunos heridos, aunque no de gravedad. Pero se produce un accidente: a un compañero se le dispara el arma y se hace una herida grave; tuvimos que tratar de buscar la forma de salvarlo, con algunos otros heridos. Así se va reduciendo el pequeño grupo. Otros compañeros estaban evidentemente muy agotados; no estaban en condiciones físicas, a mi juicio, de resistir la dureza de la lucha en las montañas. Decidimos que esos compañeros sumamente agotados, con poca capacidad de movimiento, regresaran a Santiago.

¿Por qué podían en ese momento regresar? Porque después del ataque, en las horas y días subsiguientes, el ejército empieza a capturar a mucha de la gente: algunos que se habían extraviado cuando íbamos hacia el Moncada; otros que estaban en otras posiciones, del otro lado de la fortaleza, y aparentemente tardaron en darse cuenta de que la operación clave no había tenido éxito –algunos de ellos se replegaron a tiempo y otros tardaron más y fueron rodeados–; otros que fueron capturados de distintas formas: vestidos de civil, tratando de ir a algún hotel, de buscar algún refugio, o de salir de la ciudad de Santiago de Cuba, y otros, por último, fueron capturados en el campo. Por distintos sitios fueron capturando distintos compañeros.

FREI BETTO. ¿Ustedes estaban con ropa militar?

FIDEL CASTRO. Sí. Realmente, el número de bajas en los combates fueron muy pocas, muy poquitas. Ellos sí habían tenido un número relativamente elevado de bajas: si mal no recuerdo ahora, tuvieron 11 muertos y 22 heridos.

FREI BETTO. ¿Y ustedes cuántos muertos?

FIDEL CASTRO. Realmente, compañeros de los que tuvimos noticias que fueron muertos en combate inicialmente, fueron dos o tres, y algunos heridos. Sin embargo, ya el lunes Batista da la noticia de 70 rebeldes muertos, es decir, habla de 70 bajas de los revolucionarios. Ellos el lunes no habían asesinado posiblemente todavía 70 compañeros del total de 160 que habían participado en las acciones de Santiago y Bayamo, pero hablan de 70 rebeldes muertos. En la tarde del domingo, efectivamente, habían logrado hacer prisioneros a algunas decenas de compañeros y los habían asesinado. Y así durante una semana casi, los primeros cuatro o cinco días, a todos los prisioneros los sometieron a horribles torturas y los asesinaron.

Todo eso provoca una gran reacción de tremendo repudio en la población de Santiago de Cuba; la ciudad empieza a conocer que están asesinando a cada prisionero que encuentran. La ciudadanía se organiza, se moviliza y visita al Arzobispo, monseñor Pérez Serantes –arzobispo de Santiago de Cuba, de origen español–, y éste interviene con fines humanitarios para salvar las vidas que pudiera de los sobrevivientes. Hay que acordarse que los 40 compañeros que estaban en Bayamo, también tuvieron dificultades para cumplir la misión y un número de ellos fue hecho prisionero en distintos lugares.

La regla general que aplicó el ejército de Batista fue levantar una serie de calumnias, tratar de exaltar el odio del ejército contra nosotros con la infame acusación de que habíamos degollado soldados enfermos en el hospital de Santiago de Cuba. Y realmente lo que ocurre es que el combate, como te contaba, se inicia fuera y no dentro, como estaba planeado, debido a un encuentro accidental con una patrulla cosaca que no solía estar allí habitualmente; la habían puesto precisamente por ser domingo de carnaval.

FREI BETTO. ¿Una patrulla del cuartel?

FIDEL CASTRO. Sí. Por ser día de carnaval pusieron allí esa patrulla cosaca, y aunque el primer carro toma la posta, se produce el combate entre el segundo carro, en que íbamos nosotros, y la patrulla. Al detenerse el carro nuestro, como todas aquellas instalaciones tenían una configuración militar, el personal de los carros que están detrás se baja y avanza hacia los lugares que tienen a su izquierda. Un grupo entra incluso en el hospital creyendo que estaban entrando al cuartel, y yo personalmente, al darme cuenta, entré rápidamente al hospital y los retiré de allí, tratando de reorganizar el grupo otra vez. Porque se ha parado el ataque, el empuje se ha perdido y la sorpresa también se había perdido totalmente. Hicimos esfuerzos por tratar de reanudar el ataque sobre la fortaleza, pero ya no fue posible: la guarnición estaba en pie y había tomado posiciones defensivas. Eso era lo que hacía imposible el éxito, que solo podía ser alcanzado mediante la sorpresa. Una vez alertada la guarnición y posesionada, era imposible, no teníamos el tipo de arma ni el número de hombres necesarios para tomar la fortaleza.

Alguien hizo un disparo muy próximo a mí –me dejó casi sordo– dirigido contra un hombre vestido de militar que se asoma en aquel edificio donde estaba el hospital. Como consecuencia de esto, hubo un sanitario muerto o herido. Pero ellos toman el hecho de que efectivamente se ha entrado en el hospital, aunque solo en la parte baja, en el vestíbulo, como base para levantar una gran campaña de calumnias y decir que habíamos degollado soldados enfermos en el hospital, toda una mentira fabulosa, absoluta, que fue creída, sin embargo, por muchos soldados. Con eso Batista tenía el propósito de enardecer y despertar el odio de los soldados; esto, más la tradición, digamos, de brutalidad del ejército, la dignidad ofendida por el ataque de unos civiles que se habían atrevido a combatir contra ellos, ayudaría sus propósitos.

Sistemáticamente asesinaban a los prisioneros. A algunos los llevaban, les hacían algún interrogatorio, los torturaban atrozmente y después los mataban.

En esas circunstancias, habiéndose producido una gran reacción de la opinión pública, como te decía, el Arzobispo de Santiago de Cuba, como autoridad eclesiástica, se interesa y empieza a actuar junto con otras personalidades de esa ciudad, de las cuales la más destacada era él, para salvar la vida de los sobrevivientes. Y, efectivamente, algunos sobrevivientes fueron salvados por las gestiones que hicieron el Arzobispo y ese grupo de personalidades, ayudados por el hecho de una atmósfera de enorme indignación en la población de Santiago de Cuba. Ante la nueva situación se decide que un grupo de compañeros de los que estaban conmigo, que estaban en las peores condiciones físicas, se presenten a las autoridades a través del Arzobispo. Era un grupo de seis o siete compañeros, habría que precisar.

Yo me quedo con dos jefes más. Es el pequeño grupo con el que nos proponemos atravesar la bahía para llegar a la Sierra Maestra y organizar de nuevo la lucha. El resto estaba sumamente agotado y había que buscar la forma de preservarles la vida.

Nosotros discutimos con un civil, que fue el que tramitó un encuentro entre ese grupo y el Arzobispo; nos aproximamos a una casa y hablamos con los de esa casa. Entonces nos separamos del grupo de los seis o siete compañeros, a los cuales iba a recoger el Arzobispo al amanecer, y nosotros nos retiramos como a dos kilómetros más o menos del lugar, los dos compañeros y yo, pensando cruzar de noche la carretera hacia la bahía de Santiago de Cuba.

Es indiscutible que el ejército se da cuenta, tal vez interceptando las comunicaciones. Al parecer intercepta una comunicación telefónica de aquella familia con el Arzobispo, y muy temprano, antes del amanecer, envía patrullas por toda aquella zona, en las proximidades de la carretera.

Nosotros, que estamos a dos kilómetros, cometimos un error que no habíamos cometido en todos esos días que llevábamos ahí. Como estábamos también un poco cansados, pues teníamos que dormir en las laderas de las montañas en las peores condiciones, no teníamos frazadas, no teníamos nada y nos encontramos allí aquella noche un pequeño bohío, pequeñito, tendría cuatro metros de largo por tres de ancho, lo que aquí llaman un vara en tierra, más bien algo donde se guardan cosas, para protegernos un poco de la neblina, de la humedad y del frío, decidimos quedarnos hasta el amanecer. Y lo que ocurrió fue que precisamente al amanecer y antes de que despertáramos, llegó una patrulla de soldados, penetra en el bohío y nos despierta con los fusiles sobre el pecho; lógicamente, lo más desagradable que se pueda concebir, que el enemigo te despierte con los fusiles así, resultado de un error que no debimos haber cometido nunca.

Frei Betto. ¿No había ninguno de vigilancia allí?

Fidel Castro. No, nadie de vigilancia, los tres durmiendo, ¿comprendes? Un poco confiados, ya llevábamos una semana y los individuos no daban con nosotros, no podían; por mucho que rastreaban y buscaban, nosotros los habíamos burlado. Subestimamos al enemigo, cometimos un error y caímos en sus manos.

No quiero pensar de ninguna manera que las personas con las que hicimos contacto nos hubieran delatado. No lo creo, sino lo que al parecer ocurre, indiscutiblemente, es que cometieron algunas indiscreciones como fue hablar por teléfono, lo que alertó al ejército y envió patrullas allí, gracias a lo cual nos capturan a nosotros.

De manera que caemos prisioneros del ejército. Estaban también aquellos individuos sedientos de sangre; sin duda nos habrían asesinado en el acto.

Ocurre entonces una casualidad increíble. Había un teniente negro, llamado Sarría. Se ve un hombre que tiene cierta energía, y que no es un asesino. Los soldados querían matarnos, estaban excitados, buscando el menor pretexto, tenían los fusiles montados con balas en el directo, nos amarraron. Inicialmente nos preguntan la identificación; no nos identificamos, dimos otro nombre; indiscutiblemente los soldados no me conocen en el acto, no me conocieron.

Frei Betto. ¿Usted era muy conocido ya en Cuba?

Fidel Castro. Relativamente conocido, pero esos soldados, por alguna razón, no me conocen. No obstante, nos quieren matar de todas formas; si nos hubiésemos identificado los disparos habrían sido simultáneos con la identificación. Entablamos una polémica con ellos, porque nos dicen asesinos, dicen que habíamos ido allí a matar soldados, que ellos eran los continuadores del Ejército Libertador, y entramos nosotros en polémica; yo pierdo un poco la paciencia y entro en polémica con ellos, les digo que ellos son los continuadores del ejército español, que los verdaderos continuadores del Ejército Libertador éramos nosotros, y entonces ellos se ponen más furiosos todavía.

Nosotros nos dábamos realmente ya por muertos, desde luego; yo no consideraba la más remota posibilidad de sobrevivir. Entablo la polémica con ellos. Entonces, el teniente interviene y dice: "No disparen, no disparen", presiona a los soldados, y mientras decía esto, en voz más baja repetía: "No disparen, las ideas no se matan, las ideas no se matan". Fíjate qué cosas dice aquel hombre. Como tres veces dice: "Las ideas no se matan".

Hay uno de los dos compañeros que da la casualidad que era masón –se trata de Oscar Alcalde, está vivo, es Presidente del Banco de Ahorro, porque él era financista, el que manejaba los fondos del Movimiento– y se le ocurre por su cuenta decirle al teniente que era masón. Eso aumenta la posibilidad o le da mayor aliento al teniente, porque parecía que había muchos militares de estos que también eran masones; pero de todas maneras, muy amarrados, nos levantan y nos van llevando. Cuando hemos caminado unos pasos, yo, que he visto la actitud de aquel hombre, del teniente, lo llamo y le digo: "He visto el comportamiento suyo y no lo quiero engañar, yo soy Fidel Castro". Me dice él: "No se lo diga a nadie, no lo diga a nadie". Él mismo me aconseja que no se lo diga a nadie.

Avanzamos unos metros más, se producen unos disparos a 700 u 800 metros de allí, y se despliegan los soldados, estaban muy nerviosos, se tienden sobre el campo.

FREI BETTO. ¿Cuántos soldados eran más o menos?

FIDEL CASTRO. La patrulla tendría como doce soldados.

FREI BETTO. ¿El teniente tenía más o menos qué edad?

FIDEL CASTRO. Tendría 40 años, 42 años más o menos.
Cuando yo veo que ellos se despliegan, creo que todo es un pretexto de los soldados para dispararnos y me quedo de pie; todo el mundo se desplegó y yo me quedo parado. Se acerca otra vez el teniente a mí y le digo: "No me acuesto, si quieren disparar tienen que matarnos aquí de pie". Entonces dice el teniente: "Ustedes son muy valientes, muchachos, ustedes son muy valientes". Fíjate qué cosa, observa tú; yo pienso que eso debe haber sido una posibilidad en mil. Pero no por eso estábamos salvados, no; no por eso teníamos garantía alguna de sobrevivir. Todavía nos salvó una vez más el teniente.

FREI BETTO. ¿Una vez más?

FIDEL CASTRO. Sí, una vez más nos salvó, porque antes de que llegara el Arzobispo, al otro grupo que estaba cerca de la carretera lo localizan y lo hacen prisionero. Eso era lo que había originado el tiroteo anterior a que hice referencia. Entonces ellos nos juntan allí; el teniente busca un camión y sube a los demás prisioneros arriba, y a mí me pone en el medio, entre el chofer y él, delante, en la cabina.

Más adelante aparece un comandante, que se llamaba Pérez Chaumont, era uno de los más asesinos y de los que más gente había matado. Se topa con el carro, lo para y le da orden al teniente de llevarnos para el cuartel. El teniente discute con él y no nos lleva para el cuartel, sino que nos lleva al Vivac de Santiago de Cuba, a disposición de la justicia civil; desobedece la orden del comandante. Claro que si llegamos al cuartel, habrían hecho picadillo de todos nosotros.

Entonces, ya la población de la ciudad de Santiago de Cuba se entera de que hemos sido hechos prisioneros y de que estamos allí. Ya lo sabe toda la ciudad y lo que se produce es una gran presión para salvarnos la vida. Desde luego, va allí el jefe del regimiento para hacer un interrogatorio. Pero es muy importante ese momento, porque los propios soldados, los propios militares estaban impresionados de la acción, digamos que en ocasiones expresaban un cierto respeto, una cierta admiración, a lo que se sumaba la satisfacción de que el invencible ejército había rechazado el ataque y había capturado a los asaltantes. A esto se añadía otro elemento psicológico: la conciencia les estaba remordiendo ya, porque en esos momentos han matado de 70 a 80 prisioneros y la población lo sabía.

FREI BETTO. ¿Compañeros suyos?

FIDEL CASTRO. Sí, de los anteriores, de los otros que fueron capturando en distintos momentos, han asesinado de 70 a 80; unos pocos han podido escapar y unos pocos han quedado prisioneros, entre ellos, el grupo de los que estaban conmigo y algunos que fueron capturando por distintos lugares, que solo por azar no mataron y por la protesta de la opinión pública, y, desde luego, por la acción ya de las personalidades y del Arzobispo, que ha estado interviniendo y haciéndose eco de aquella opinión pública. Han logrado salvar a algunos, algunos se han presentado, o los han presentado, a través del Arzobispo. Pero, realmente, para el grupito nuestro, cuando nos capturan a nosotros, el elemento determinante fue aquel teniente del ejército.

Frei Betto. ¿Y qué pasó con ese teniente después de la victoria de la Revolución?

Fidel Castro. Bueno, a ese teniente después, años antes del triunfo, le echaban en cara la responsabilidad de que no nos hubieran matado. La culpa de que no nos hubieran asesinado se la echaban a él.

Ellos hicieron algunos intentos ulteriores de matarme que fracasaron. Más tarde viene la prisión, y cuando salimos de prisión, el exilio, la expedición del "Granma", la lucha en las montañas. Se organiza nuestro ejército guerrillero. Otra vez, al principio, nuevos reveses, también creyeron que habían liquidado al ejército guerrillero; pero renace de las cenizas nuestro ejército, se convierte en una fuerza real y lucha ya con perspectivas de victoria.

En aquel período al teniente lo licenciaron del ejército y, cuando triunfa la Revolución, nosotros lo ingresamos en el nuevo ejército, lo ascendemos a capitán y fue jefe de la escolta del primer Presidente que designó la Revolución. Así que estuvo en el Palacio y era jefe de la escolta presidencial. Desgraciadamente –y por eso pienso que él podía tener un poco más de 40 años–, como a los ocho o nueve años del triunfo de la Revolución este hombre enferma de cáncer y muere después, el 29 de septiembre de 1972, siendo oficial del Ejército. Todos le guardaban mucho respeto y consideración. No se le pudo salvar la vida. Pedro Sarría se llamaba.

Este hombre parece que había estado por la universidad; era un autodidacta, quería estudiar por su propia cuenta, y seguramente que había tenido algún contacto o me había visto alguna vez en la universidad. Tenía, indiscutiblemente, una predisposición por la justicia; vaya, era un hombre honorable. Pero lo curioso, lo que refleja su pensamiento es que en los momentos más críticos él está repitiendo, así en voz más baja, yo lo oigo cuando les está dando instrucciones a los soldados que no disparen, que las ideas no se matan. ¿De dónde sacó aquella frase? Tal vez algunos de los periodistas que lo entrevistaron después sepan, nunca tuve la curiosidad de preguntárselo. Pensaba que viviría mucho tiempo. En aquellos primeros años de la Revolución, siempre se piensa que hay mucho tiempo por delante para hacer cosas, investigar cosas y aclarar cosas. Pero, ¿de dónde sacó aquella frase?: "¡No disparen, que las ideas no se matan!" Esa es la frase que aquel oficial honorable repitió varias veces.

Además, el otro gesto. Le digo quién soy y dice: "No se lo diga a nadie, no lo diga a nadie". Y después la otra frase, cuando se tiran todos, que suenan unos disparos por allá y dice: "Ustedes son muy valientes, muchachos, ustedes son muy valientes", como dos veces la repitió. Ese hombre, uno entre mil, incuestionablemente simpatizaba de alguna manera o tenía cierta afinidad moral con nuestra causa, y fue realmente el hombre que determinó la supervivencia de nosotros en aquel momento.

Frei Betto. Ahí usted fue a la cárcel y pasó 22 meses en la cárcel, en la Isla de la Juventud.

Fidel Castro. Sí, fue más o menos desde el 1º de agosto.

Frei Betto. Y salió por una campaña nacional por la amnistía de los prisioneros. ¿Usted se acuerda si la Iglesia participó de esa campaña por la amnistía?

Fidel Castro. Realmente la amnistía fue un movimiento de opinión muy amplio: todos los partidos políticos de oposición, fuerzas cívicas, organizaciones sociales, personalidades intelectuales, periodistas, mucha gente hizo la campaña. Seguramente que la Iglesia debe haberla apoyado, pero no fue centro de esa campaña. Aunque indiscutiblemente la Iglesia ganó prestigio con la acción y la conducta de Pérez Serantes, en Santiago de Cuba, a raíz del ataque al Moncada, por los esfuerzos que hizo y las vidas que salvó; eso fue muy reconocido por toda la opinión nacional.

Además de esa fuerte presión pública, lo que determina, en definitiva, la amnistía son distintos factores: los crímenes cometidos, que dejaron un saldo de indignación muy grande en el pueblo; al principio, en Santiago de Cuba se conocían, pero no se conocían bien en el resto del país, y nosotros denunciamos todos aquellos crímenes, a raíz del juicio, aunque había absoluta censura de prensa. A mí me separaron del juicio arbitrariamente, me llevaron en los primeros días a dos o tres sesiones. Yo me estaba defendiendo a mí mismo y estaba demostrando todos los crímenes, ya que la actitud que nosotros adoptamos fue de asumir toda la responsabilidad, y justificar moral, legal y constitucionalmente la acción de la rebeldía. Esa fue la posición: ninguno eludió la honrosa responsabilidad. Todo el mundo dijo que nos sentíamos responsables y orgullosos de lo que habíamos hecho, adoptamos ese tipo de política; después, clandestinamente, circularon todos los documentos, todo el pueblo supo la monstruosidad de los crímenes, fueron de los más grandes que se habían cometido en la historia de Cuba. Había una mala conciencia por parte del Gobierno que, además, por otro lado, se consideraba ya, en realidad, consolidado.

Todas las demás fuerzas políticas supuestamente decididas por la lucha armada no hicieron nada, se fueron desactivando, entraron en el juego electoral muchas de ellas mientras nosotros estábamos presos, y entonces Batista se sentía ya consolidado y quería legalizar su poder, transformar el gobierno de facto, de transición, en un gobierno constitucional, electo. Programó unas elecciones en que el candidato era Batista, en la seguridad de que podía legalizar su gobierno, porque por un lado estaba la abstención de muchas fuerzas, una oposición muy desprestigiada, y él tenía un grupo de partidos que lo apoyaban y los recursos del Gobierno. Quería dar una cobertura legal a su régimen.

Ese es un factor que influyó mucho porque, por tradición en la historia de Cuba, no se concebían unas elecciones sin amnistía. Es decir que la amnistía, en parte, obedece no solo a presiones de la opinión pública, sino también a otros factores: la conciencia de los crímenes que se habían cometido, la campaña de denuncia y de orientación al pueblo que nosotros libramos desde las propias prisiones, y, además de eso, el deseo y la necesidad de Batista de buscar una cobertura legal a su gobierno, que lo llevó a convocar unas elecciones. Todos esos factores decidieron. Y subestimando, menospreciando aquel grupo pequeño que había quedado, un grupo de veintitantos compañeros, considerando que la acción armada había sido vencida, que aquella gente no tenía recursos, no tenía fuerzas, aprobó la ley de amnistía.

Frei Betto. ¿Cuando usted estaba ahí se llamaba Isla de Pinos, en esa época?

Fidel Castro. Sí.

Frei Betto. ¿Fue ahí donde ustedes tuvieron, por primera vez, contactos con el padre Sardiñas, que después participa de la campaña en la Sierra?

Fidel Castro. Es posible. Cuando nosotros estuvimos allí nos visitaron una o dos veces algunas monjitas, estando allí en la prisión.

Ahora, yo estoy muy poco tiempo junto a los demás compañeros.

Frei Betto. ¿Estaba aislado?

Fidel Castro. Porque a los tres meses aproximadamente, o antes de los tres meses de estar allí, con motivo de una visita de Batista al Presidio, en la actual Isla de la Juventud, donde fue para algo tan ridículo como inaugurar una planta eléctrica de algunas decenas de kilos... Yo recuerdo que aquí después se construyeron muchas unidades de decenas de miles de kilowatts y no se inauguraban, porque no había tiempo para estar inaugurando tantas obras, y Batista fue allí a inaugurar una microplanta eléctrica. Naturalmente, en la prisión se prepararon por las autoridades homenajes a Batista, recibimientos a Batista, y nosotros reaccionamos contra eso; decidimos, incluso, que no íbamos a comer ese día que llegara Batista, ni saldríamos al patio y, entonces, nos encerraron; pero como la planta eléctrica quedaba en las inmediaciones del pabellón donde estábamos nosotros, un compañero, Juan Almeida, observó por una ventanilla que Batista entró al local donde se encontraba la pequeña planta. Nosotros estábamos esperando que saliera de aquel lugar que estaba muy cerca de nuestro pabellón y, entonces, cantamos el Himno del 26 de Julio en el momento que salía.

Batista creyó inicialmente que aquello formaba parte de los homenajes que le estaban dando, o que sería un coro de voces que estaba cantando quizás una loa; al principio estaba contento, manda a callar a los que están con él, después se va quedando en silencio, y se va poniendo irritado cuando la letra de nuestro himno habla de "los tiranos insaciables que a Cuba han hundido en el mal". Almeida lo observó todo desde la ventanilla. Entonces, figúrate aquello, entró la policía y nosotros seguimos cantando el himno, a pesar de que había un tipo temible allí, un matón temible que llamaban Pistolita. Quedamos encerrados y, a partir de eso, a mí me aislaron hasta el final de la prisión, así que del total que estuve preso, porque estuve aislado primero en Santiago hasta que me juzgaron, de los 22 meses preso, debo haber estado como 19 meses aislado. Aunque al final ya se limitó el aislamiento, porque enviaron a Raúl para donde yo estaba, algunos meses antes de la amnistía.

Entonces, no te podría responder –creo que habría que preguntarle a Montané que era de la Isla de la Juventud– si ya en aquella ocasión el padre Sardiñas había hecho contacto con los presos del Moncada.

Frei Betto. ¿Usted recuerda cómo fue la integración del padre Sardiñas en el grupo de la Sierra Maestra? ¿Qué recuerdos tiene de él?

Fidel Castro. No recuerdo exactamente cómo fue; pero no nos llamaba la atención, por el hecho de que había un creciente apoyo de toda la población. Esto ya ocurre cuando la guerrilla se estaba consolidando en la Sierra Maestra y llegaban distintas personas, a veces era un médico, otras veces era un técnico. Sobre todo a los médicos los apreciábamos mucho por todos los servicios que prestaban a la tropa y a la población. Y un día, a mediados de la guerra, porque estuvo bastante tiempo con nosotros, llegó el padre Sardiñas, un sacerdote revolucionario que simpatizaba con la causa, y se incorporó a la guerrilla.

Frei Betto. Usted sabe, una información curiosa: se incorporó a la guerrilla, en aquel momento de la vida de la Iglesia en que todavía no había sacerdotes por el socialismo y esas cosas, con apoyo de su Obispo y no como un acto personal, aislado.

Fidel Castro. Él no fue como soldado, se le mantuvo en condición de sacerdote. Allí estaba con la tropa, convivía con nosotros, tenía todas las cosas para ejercer, incluso para dar misas, todas las cosas; se le puso allí un ayudante para que lo auxiliara, porque nuestra tropa se movía mucho. Ya cuando teníamos más dominio del territorio, él solía estar en algún lugar, solía estar 10, 15 días en uno o en otro. Fue recibido con mucha simpatía por toda la tropa. Además, como yo te decía, el bautizo aquí era una institución social, el campesino apreciaba mucho eso. Gran número de familias querían que yo fuera padrino de sus hijos, y el padre Sardiñas bautizó allí decenas y decenas de muchachos campesinos. Esa era una de las cosas que él hacía: los bautizos. Iban las familias, llevaban los hijos, me pedían que yo fuera padrino, que en Cuba venía a ser como un segundo padre. Tengo montones de ahijados en la Sierra Maestra, muchos de ellos tal vez sean ya oficiales del Ejército o graduados universitarios. Es decir, los campesinos establecieron un vínculo con nosotros, más que de amistad, de carácter familiar.

Frei Betto. ¿Y él predicaba a los campesinos, les explicaba la lucha desde la fe?

Fidel Castro. En aquel período, él, desde luego, políticamente se manifestaba simpatizante de la Revolución, y apoyaba la Revolución. Lo demostró con su propia disposición a incorporarse; pasó grandes trabajos con nosotros en ese tiempo, y él, desde luego, no es que hiciera una prédica así tal y como se hace hoy, o la puede hacer un padre que ha estado con los movimientos guerrilleros, porque aquellos campesinos, ya en el período en que se incorporó el padre Sardiñas, tenían relaciones con nuestras fuerzas, los que se habían quedado. Porque una parte, por temor a los bombardeos, y a la represión del ejército quemando casas y asesinando campesinos, se había retirado de la Sierra Maestra. Los que quedaron allí, ya estaban muy vinculados a nosotros.

Él, que yo recuerde, no hacía ese tipo de campaña. Muchas veces se quedaba en alguna zona de campesinos, me imagino que les predicaría propiamente la fe. No era un trabajo de tipo político el que él hacía entre los campesinos, sino más bien de tipo religioso. Y, entonces, como allí nunca iba un sacerdote, como te decía anteriormente, los campesinos apreciaban mucho la cuestión del bautizo; era una ceremonia social de gran importancia y de gran trascendencia.

Yo diría que su presencia y el hecho de haber estado ejerciendo allí como sacerdote bautizando a muchos niños, eso, en cierta forma, se convertía en un modo de vincular más las familias con la Revolución, a las familias con la guerrilla, hacía todavía más estrecho los vínculos entre aquella población y el mando guerrillero; fue de tipo indirecto, pudiéramos decir, su prédica o su trabajo político en favor de la Revolución. Además, un hombre simpático, todo el mundo lo quería mucho, tenían muchas atenciones con él.

FREI BETTO. ¿Y después llegó a ser considerado comandante?

FIDEL CASTRO. Sí, se le otorgó ese grado por el tiempo que estuvo en la guerra y su comportamiento digno. La institución del capellán no existía aquí propiamente. Se le dio el título de comandante en reconocimiento a su jerarquía y sus méritos.

Frei Betto. Y usted tenía una pequeña cruz en su uniforme de guerrillero.

Fidel Castro. Bueno, es que a mí me mandaban regalos la gente de Santiago, mucha gente me mandaba regalos de todas clases: niños y adultos. Y una niña de Santiago me envió esa cadenita, con una cruz y un mensaje muy cariñoso; entonces, yo la usé, sí la usé. Realmente, si me preguntas si era una cuestión de fe, te diría que no, no sería honesto si te dijera que era una cuestión de fe; pero sí como un gesto hacia aquella niña. Por otro lado, teníamos un sacerdote con nosotros, yo era padrino de numerosos niños campesinos, no existía absolutamente ningún prejuicio con relación a estas cuestiones.

Frei Betto. ¿Una amiga suya?

Fidel Castro. Sí, una simpatizante, una niña, de Santiago de Cuba.

Frei Betto. Yo pensaba que había sido su madre.

Fidel Castro. No, porque no teníamos contacto. Era muy difícil pues sus pasos estaban muy vigilados, no resultaba fácil. Mi madre hacía, sin embargo, incontables promesas.

Frei Betto. Ahora vamos a entrar un poquito más en la situación de las relaciones de la Revolución con la Iglesia, a partir del momento de la victoria. ¿Cómo reaccionaron la Iglesia, los cristianos, hacia la victoria de la Revolución? ¿Cómo fueron las relaciones iniciales, en qué momento empezó una crisis en esas relaciones y por qué razón?

Fidel Castro. Al principio las relaciones con todos los sectores sociales eran muy buenas. La caída de Batista fue recibida con júbilo por todas las capas sociales, puede decirse, sin excepción, excluyendo aquellos elementos comprometidos con el régimen de Batista, la gente que había hecho fortuna, dinero malhabido, que había robado, y algunos sectores de la alta burguesía que habían estado muy asociados al régimen de Batista. Pero podemos decir que el 95 por ciento de la población, por lo menos –en aquella época se hicieron algunas encuestas–, recibió con gran agrado, con gran alegría, el triunfo, puesto que el régimen de Batista era muy odiado, había cometido muchos abusos y muchos crímenes. El pueblo miró aquello como una gran esperanza y, sobre todo, con una gran satisfacción de haberse liberado de aquel régimen de terror que había durado siete años, especialmente los últimos años en que fue más sangriento.

Las dificultades comienzan con las primeras leyes revolucionarias.

FREI BETTO. ¿Por ejemplo?

FIDEL CASTRO. Bueno, una de las primeras leyes –esa no afectó tanto– fue la ley de la confiscación de todos los bienes malhabidos. Todos los bienes de la gente que había robado a lo largo de la tiranía fueron confiscados: fincas, negocios, industrias, todo lo que no se habían podido llevar de aquí fue confiscado. No se quiso establecer la medida más allá del golpe de Estado, porque en el período de lucha contra Batista, distintos partidos que habían estado anteriormente en el Gobierno habían apoyado de alguna u otra forma y habían dado alguna colaboración. Porque si extendemos la ley hacia atrás, el número de gente a confiscar era mucho mayor; pero yo decía que habíamos concedido una especie de amnistía a las malversaciones que precedieron a la tiranía de Batista, precisamente para no crear divisiones, para no debilitar la Revolución, para mantener la unidad en lo posible de todas las fuerzas políticas que se habían opuesto al régimen, y entonces todas las confiscaciones las hicimos a partir de las malversaciones desde el 10 de marzo de 1952. Porque si echamos hacia atrás, desde principios de la República, hubiéramos tenido que confiscarles hasta a nietos de ladrones en este país, ya que había habido ladrones en grandes cantidades; pero lo limitamos al período de Batista, desde el 10 de marzo de 1952.

Lo segundo que hicimos, y eso también contó con el apoyo generalizado, fue llevar a los tribunales de justicia a todos los responsables de las torturas y crímenes que se habían cometido, porque miles de personas habían muerto asesinadas y torturadas. Aunque debo decir que en aquella época la represión no tenía el refinamiento que adquirió después en otros países de América Latina, como en Chile, en Argentina, en Uruguay; no adquirió los refinamientos que tuvieron después, porque estos acontecimientos tienen lugar en la década del 50, y los casos a que me refiero tienen lugar casi 20 años después, cuando los norteamericanos han pasado por la experiencia de Viet Nam, cuando la CIA ha adquirido una gran tecnología en materia de represión y de tortura y se la ha trasmitido a las fuerzas represivas de América Latina, a las fuerzas policiales y a las fuerzas militares. En Viet Nam el imperialismo perfeccionó sus técnicas de crimen y de terror, luego ya estos países, en la década del 70, se encontraron con cuerpos represivos mucho más refinados, mucho más tecnificados.

Hay que decir la verdad. Yo considero que aunque la represión de Batista fue muy sangrienta, la que tuvo lugar en algunos de estos países después fue peor, sin discusión, y la responsabilidad de eso la tiene Estados Unidos y la tiene la CIA, porque ellos instruyeron a toda esa gente en el arte de matar, de torturar, de asesinar, desaparecer. Esa cosa diabólica de los desaparecidos apenas existía aquí en la época de Batista. Fueron realmente muy pocos los casos de personas asesinadas cuyos cadáveres desaparecieron.

Frei Betto. En mi ciudad natal, en Brasil, Dan Mitrione torturaba a mendigos para enseñar a las fuerzas militares cómo hacer las torturas.

Fidel Castro. Tú me contaste, la última vez que estuviste por acá, precisamente esa experiencia. Bueno, eso ha ocurrido desgraciadamente, pero de todas formas Batista mató a mucha gente: mató estudiantes, mató campesinos, mató obreros, cometió todo tipo de crímenes. Por ejemplo, una de las tropas de Batista, en una ocasión, en una aldea de la Sierra Maestra mató a 62 campesinos, a todos los hombres de la aldea los mataron. No sé de dónde copiaron eso, si del ejemplo de Lídice allá en Checoslovaquia, de los nazis, porque esto fue después de un combate en que una columna del ejército cayó en una emboscada. Una aldea campesina que ni siquiera había tenido nada que ver, un caserío, porque aquí no había aldeas, los campesinos solían vivir aislados, pero a veces había pequeños poblados. Mataron a todos los hombres. Hubo familias que les mataron al padre y a cinco de seis hijos, cosa atroz.

Nosotros, desde antes del triunfo de la Revolución, en la Sierra Maestra, cuando éramos un embrión de Estado, hicimos las leyes penales previas para sancionar los crímenes de guerra. Esto no fue ni siquiera como Nuremberg, porque en Nuremberg no existían leyes previas para juzgar a los criminales de guerra. Se pusieron de acuerdo las potencias aliadas, juzgaron. No diría que fuera injusto que sancionaran, creo que aquella gente sancionada se merecía las sanciones, sin discusión. Pero jurídicamente no era muy defendible la forma en que lo hicieron, porque existe el principio jurídico de que las leyes deben ser previas al delito. Repito, nosotros con criterio jurídico, desde muy temprano, en la Sierra Maestra, decretamos ya las leyes de sanción a los criminales de guerra. Cuando triunfa la Revolución, los tribunales de justicia del país aceptan aquellas leyes como leyes que tenían vigencia, convalidadas por la Revolución victoriosa, y en virtud de ellas y mediante tribunales, se juzgaron a muchos criminales de guerra que no pudieron escapar y recibieron sanciones severas. Algunos fueron sancionados a la pena capital y otros fueron sancionados a prisión.

Pues bien, ya aquello originó las primeras campañas en el exterior contra Cuba, especialmente en Estados Unidos, que comprobó bien pronto que había un gobierno diferente y no muy dócil, y empezó a hacer furiosas campañas contra la Revolución. Pero eso todavía no nos creó problemas con ningún sector en Cuba, ni con la clase rica, ni con la Iglesia.

Por el contrario, pudiéramos decir que todos los sectores –y también se hicieron encuestas en esa época– estaban de acuerdo con esas dos leyes: la confiscación de los bienes malhabidos desde el 10 de Marzo, y también con la sanción ejemplar a los que habían cometido torturas y crímenes de guerra.

Después se promulgaron algunas leyes de tipo económico, como la de la rebaja de las tarifas eléctricas, que fueron reducidas casi a la mitad, vieja demanda del pueblo, que sentía mucho odio y mucha repulsa contra los abusivos precios de la electricidad. Otras medidas y leyes de Batista que habían beneficiado a empresas transnacionales, como la Telefónica, también fueron anuladas. Ya eso empezó a crear ciertos conflictos con empresas extranjeras en nuestro país. Después viene la rebaja de alquileres; ya esa fue una ley de carácter social y económico de mucha importancia. Se rebajan todos los alquileres a casi un 50 por ciento. Esa ley fue recibida con enorme beneplácito por millones de personas. Después, incluso, se transformó en una ley en virtud de la cual esas mismas personas, mediante el alquiler que pagaban, podían adquirir la vivienda; fue la primera Ley de Reforma Urbana.

Junto a estas leyes, otra serie de medidas: se paralizaron los despidos de los centros de trabajo, se reintegraron al trabajo los que habían sido despedidos durante la tiranía, medidas elementales de rectificación y de justicia; se empezaron a construir instalaciones deportivas, recreativas, para la población en las playas; se abrieron todas las playas y lugares públicos a toda la población. Es decir, se produce un cese o una eliminación de las medidas discriminatorias contra la población, desde los primeros momentos, en los clubes, en las playas. Muchas de las mejores playas del país eran privadas; en muchos hoteles, bares, centros de recreación, no dejaban entrar personas negras. Con el triunfo de la Revolución todas esas cosas se eliminaron.

En algunos lugares no fue fácil, porque en algunos parques de Cuba, por ejemplo, en Santa Clara, existía el hábito de que los blancos iban por un lugar y los negros iban por otro. Incluso algunos compañeros tomaron medidas inmediatas contra eso. Nosotros les recomendamos que fueran prudentes, que estas medidas no se podían hacer por la fuerza y que, en gran parte, tenían que ser resultado de la persuasión; es decir, no mezclarlos en el parque a la fuerza, porque, efectivamente, los prejuicios existían y habían sido creados por la sociedad burguesa y la propia influencia de Estados Unidos, que había introducido esos prejuicios aquí; no podían ser resueltos en un día.

Comenzaron a desaparecer irritantes exclusiones. Ya eso empieza a lastimar privilegios desde el momento en que no se toleran clubes exclusivos para blancos, ni playas exclusivas. Aunque eso no se hizo de manera drástica; tú no puedes aplicar remedios drásticos a estas situaciones porque lejos de resolver el mal puede agravarse; tienes que acompañar las medidas legales con una prédica, una persuasión, un trabajo político, puesto que toca prejuicios arraigados con cierta fuerza.

Yo mismo me sorprendí de ver hasta qué punto los prejuicios raciales existían en nuestro país. Enseguida se oían las primeras campañas insidiosas: que la Revolución se proponía casar personas blancas y personas negras, que íbamos a mezclarlos arbitrariamente. Ese tipo de campañas insidiosas. Tuve que salir a la televisión más de una vez para explicar estos problemas, que eso era falso, que era insidioso, que nosotros respetaríamos la libertad de cada persona, todas las decisiones que estimara pertinente en ese terreno, que lo que no permitiríamos serían las injusticias de la discriminación en el trabajo, en la escuela, en la industria, en los centros de recreación; tuve que explicar y predicar, porque surgieron todo tipo de campañas insidiosas. Indiscutiblemente los sectores privilegiados empezaron a sentirse afectados de cierta forma por la Revolución.

Después viene la Reforma Agraria. Esa fue la primera ley que verdaderamente estableció la ruptura entre la Revolución y los sectores más ricos y privilegiados del país, y la ruptura con los propios Estados Unidos, con las empresas transnacionales. Porque desde el principio de la República las mejores tierras eran propiedad de compañías norteamericanas, que se habían apoderado de ellas o las habían comprado muy baratas. No parecía radical nuestra ley porque establecía un límite máximo de 400 hectáreas, y, por excepción, en unidades de agricultura intensiva muy bien organizadas, con alta productividad, admitíamos hasta 1 200 hectáreas. En China no sé si hubo algún terrateniente cuando la revolución que tuviera 400 hectáreas o 1 200 hectáreas. Sin embargo, esta fue una ley muy radical en nuestro país, puesto que había empresas norteamericanas que tenían hasta 200 mil hectáreas de tierra.

Ya con esta ley las propias tierras de mi familia quedaron afectadas y limitadas a 400 hectáreas de las que eran propiedad familiar; perdieron la mitad de las tierras propias y el ciento por ciento de las tierras arrendadas, aquellas de que te hablé anteriormente.

Esta ley afectó a unos cuantos cientos de empresas; puede ser que alrededor de mil propietarios fueran afectados; no fueron muchos, porque había grandes latifundios. Los sectores privilegiados empezaron a percatarse de que había de verdad una revolución, los norteamericanos empezaron a percatarse también de que había un gobierno distinto.

En definitiva, lo que nosotros hicimos inicialmente fue poner en práctica el programa del Moncada, aquel programa de que te hablé que ya desde 1951 tenía en la cabeza, que fue planteado en 1953 a raíz del Moncada, que hablaba de la reforma agraria y de una serie de medidas sociales, las mismas que aplicamos nosotros en la primera fase de la Revolución. Tal vez mucha gente tenía la seguridad de que ninguno de esos programas se cumpliría, porque muchas veces se habló de programas en Cuba, y cuando los gobiernos llegaron al poder no los aplicaron nunca, muchos sectores de los más acomodados no concebían siquiera la idea de una revolución en nuestro país a 90 millas de Estados Unidos, ni que Estados Unidos permitiera una revolución en nuestro país. Pensaban que tal vez eran fiebres de revolucionarios en su juventud, como había habido tantos en la historia de Cuba que nunca se habían llevado a la práctica.

Pero ya todos estos sectores, acostumbrados a administrar el gobierno, se dan cuenta de que hay un gobierno diferente que no puede ser administrado por ellos, que no admite tampoco ser administrado por Estados Unidos, que empieza a actuar con rectitud, con justicia. El pueblo empieza a ver que hay un gobierno que lo está defendiendo, que se identifica realmente con sus intereses.

En realidad, aunque todo el mundo apoyaba y aplaudía, había al principio una simpatía generalizada, no una militancia revolucionaria, de todo el pueblo. Cuando se hacen estas primeras leyes revolucionarias, la Revolución comienza a perder un poco de fuerza en extensión; es decir, si el 95 o el 96 por ciento de la población la apoyaba, ese apoyo empieza a reducirse al 92 por ciento, al 90 por ciento. Pero comienza a ganar en profundidad. Este 90 por ciento se va haciendo más militantemente revolucionario y a comprometerse cada vez más con la Revolución.

Y una serie de medidas que te mencioné: fin a la discriminación racial, reintegro al trabajo de aquellos que fueron expulsados en la época de Batista, rebaja de los alquileres, protección a los trabajadores, reforma agraria, surtieron su efecto.

También los obreros, que habían estado reprimidos, con el triunfo de la Revolución empiezan a reclamar, y muchos industriales, incluso por congraciarse, empezaron a acceder a demandas de todo tipo; más que nosotros desde el Gobierno, fueron realmente los propios empresarios los que empezaron a acceder a distintas demandas de los obreros, y los propios sindicatos, por su cuenta, empezaron a obtener numerosas reivindicaciones laborales en los primeros tiempos.

Yo, por cierto, incluso tuve que reunirme con todos los obreros azucareros, pues estaban reclamando con mucha fuerza el cuarto turno en los centrales azucareros. Había solo tres turnos, y como teníamos en el país muchos desempleados, esta demanda había ganado gran fuerza. Yo me tuve que reunir con los delegados de todo el país, en un teatro donde hasta ese momento, de manera delirante, habían estado apoyando ese cuarto turno; incluso la gente de nuestra organización lo había estado apoyando delirantemente. Tuve que reunirme una noche y hablar largamente con los trabajadores para explicarles por qué, a nuestro juicio, ese no era el camino para la solución del desempleo. Aquello no resultaba fácil cuando todavía las empresas eran privadas y podría parecer una contradicción de intereses entre la empresa y los trabajadores. Nosotros explicamos que esos recursos que ahorraran, esas ganancias que se obtuvieran, tendrían que ser invertidas en el desarrollo; que nosotros no íbamos a permitir que se las llevaran, sino que se invirtieran en el desarrollo del país. Aunque yo tenía una concepción socialista en aquel momento, sin embargo, no era, a mi juicio, la oportunidad de empezar a aplicar un programa socialista.

Es más fácil explicarle al trabajador, al obrero, desde una posición socialista, pedirle que comprenda, que haga un sacrificio, que explicarlo dentro de una situación en que él ve sus intereses en contradicción con los de la empresa, con el de los propietarios privados, y consideran que cada peso menos que cobren ellos, es un peso más que gana el propietario. En aquellas circunstancias, explicarles a los obreros los problemas con claridad y objetividad, porque nosotros siempre hicimos el máximo por rehuir la demagogia, no caer nunca en la demagogia, no era fácil.

Ahora, algunas medidas, como la rebaja de alquiler, desde el punto de vista económico, eran lo que pudiéramos llamar hoy de tipo inflacionario, desde el momento en que tú liberas mucho dinero; pero esa era una vieja demanda, porque la población era víctima realmente de una exacción terrible a través de los alquileres; una demanda que tenía mucha fuerza.

FREI BETTO. ¿Y cómo fueron las tensiones con la Iglesia en ese momento?

Fidel Castro. Bueno, las tensiones con la Iglesia comienzan cuando la Revolución choca con todos estos sectores privilegiados. Esa es la verdad histórica.

Ahora, en primer lugar, el Arzobispo de La Habana, que después fue cardenal –creo que lo habían hecho cardenal antes de la Revolución–, tenía excelentes relaciones oficiales con la dictadura de Batista.

Frei Betto. ¿Cómo se llamaba?

Fidel Castro. Manuel Arteaga. El tenía excelentes relaciones con Batista; esa era una de las cosas que se le criticaba.

Yo recuerdo que en los primeros días de la Revolución saludamos a todas las autoridades. En esos primeros días, empiezan a pedirme audiencia mucha gente aquí, y yo trato, por amabilidad y cortesía, de atender a todos los que querían verme; empiezan las llamadas clases vivas: el presidente de los industriales, el presidente de los comerciantes, la otra asociación, la alta jerarquía eclesiástica, todas aquellas instituciones empiezan a pedirme audiencia, y yo recibiendo a todo el que quería verme.

Me acuerdo de los primeros días en La Habana, al cabo de unas tres o cuatro semanas, cuando habíamos logrado cierto orden, yo trato de organizar mi trabajo y me encuentro una enorme agenda de entrevistas. Así estuve como 15 o 20 días, de dos a tres semanas, en que descubro que la vida mía era lo más estéril del mundo, y que si yo seguía por ese camino me iba a tener que dedicar exclusivamente a recibir personalidades. Eran aquellas personalidades que visitaban al Gobierno, a pesar de que yo no tenía un cargo en el ejecutivo; estaba funcionando el Gobierno, yo tenía mi cargo de Comandante en Jefe del Ejército Rebelde, y fui muy cuidadoso de no inmiscuirme en los asuntos del Gobierno.

Frei Betto. ¿Urrutia era el presidente?

Fidel Castro. Sí, había un presidente provisional, un juez que había tenido una actitud justa en Santiago de Cuba y ganado prestigio porque había absuelto a algunos revolucionarios; esos eran sus méritos. Nosotros lo promovimos a ese cargo, sin que tuviera ninguna participación en el proceso revolucionario, entre otras cosas, porque queríamos poner en evidencia total que no estábamos luchando por cargos públicos; y, efectivamente, triunfa la Revolución y le entregamos el Gobierno. Lo que pasó fue que este personaje era realmente un individuo que vivía en la luna de Valencia, irreal por completo; empezó a crear problemas desde el primer día; adoptó actitudes, incluso, antiobreras; nos creó situaciones difíciles. Yo tuve que reunirme con obreros, explicarles que entendieran, que tuvieran paciencia, y también tuvimos que reunirnos con el Consejo de Ministros y decir: se están creando problemas políticos.

No hubo problemas con las primeras leyes de la Revolución, pero este juez era lo que podríamos llamar realmente un presidente de derecha, lo cual llevó en un momento a un conflicto serio; empieza a hacer declaraciones anticomunistas, haciendo el juego a las campañas de Estados Unidos, a los periódicos más reaccionarios, a los sectores más reaccionarios, y a crear divisiones entre las fuerzas revolucionarias –esto fue un poco más adelante–, y se establece un conflicto. Digo: bueno, ¿qué hacemos nosotros? El pueblo estaba con nosotros, todo el pueblo; la Revolución tenía el 90 por ciento del apoyo del pueblo –digamos– en ese momento, o más; apoyaban a la Revolución, apoyaban al Ejército Rebelde, apoyaban a la dirección revolucionaria, no apoyaban a Urrutia. Si Urrutia se imaginó por un segundo que ese apoyo le pertenecía a él o era personal de él, es lo más peregrino que se le pueda haber ocurrido a alguien, pero parece que en algún momento lo creyó y empezó a actuar de esta forma, de manera que se creó un conflicto. Yo digo: ¿cómo se resuelve esto?, esto no se puede resolver por la fuerza, no se puede. ¿En qué situación vamos a caer si se produce un conflicto entre la fuerza revolucionaria y el Presidente, que tengamos que destituirlo? Vamos a dar toda la apariencia de un golpe de Estado en este país. Yo pensé mucho, medité mucho sobre aquello.

Anteriormente se había producido el nombramiento mío como Primer Ministro. Fue previo a las leyes revolucionarias que se aplicaron. Los propios ministros me lo pidieron; el que estaba de Primer Ministro me lo pidió en nombre de ellos, y se lo planteó a Urrutia y lo planteó en el pleno del Consejo de Ministros. Yo puse una sola condición. Digo: si acepto el cargo de Primer Ministro, ustedes tienen que darme la responsabilidad de la política que se va a seguir, es decir, de las leyes revolucionarias que se van a hacer. Fue la condición que puse. Se aceptó aquella condición, sencillamente; como Primer Ministro, era responsable de los decretos revolucionarios que se fueran a dictar.

A partir de ese momento se hacen una serie de leyes revolucionarias, pero más tarde se produce una contradicción institucional entre el Primer Ministro y el Presidente de la República. Yo medito mucho sobre aquello, no me dejo arrastrar por ningún tipo de provocación y lo que decido es renunciar, y renunciar en serio, porque renuncié en serio. Dije: prefiero renunciar al cargo antes de que vaya a producirse algo parecido a un golpe de Estado. Renuncio, se anunció en el periódico, convoqué a la televisión y explico las razones por las que había renunciado. Estaba el presidente Urrutia en el Palacio y yo en la televisión.

FREI BETTO. ¿En qué fecha fue esto, cuánto tiempo después de la victoria?

FIDEL CASTRO. Debe ser, por lo menos, como cinco meses, o más. Tendría que buscar los datos.

FREI BETTO. ¿Todavía en el año 1959?

FIDEL CASTRO. Sí, todavía en 1959. Varios meses después.

Él estaba en Palacio y yo en la televisión. Entonces explico por qué había renunciado. Él llamó a los periodistas para hacer una declaración, me lo informan mientras yo hablaba. Digo: no, envíenle la televisión para allá, vamos a discutir públicamente por televisión, delante de todo el pueblo. Él no quiso discutir por la televisión ante todo el pueblo y, horas después, por presión de la opinión pública exclusivamente, renunció. Un compañero prestigioso que sí había participado en la Revolución fue nombrado Presidente por el Consejo de Ministros. Entonces transcurrió un período sin que yo participara en el Gobierno, porque realmente yo no quería aceptar de nuevo el cargo de Primer Ministro; no quería de ninguna forma dar la apariencia de que aquella renuncia hubiera sido una táctica simplemente para resolver el problema. Lo que dije simplemente fue: bueno, antes de vernos obligados a usar la fuerza, renuncio. Desde luego, no iba a renunciar a la Revolución; está, por supuesto, eso: que no renunciaba a la Revolución. Pero, por lo menos, renunciaba a ese cargo, porque no podía, en esas condiciones, seguirlo ejerciendo. Pero estábamos decididos a no usar la fuerza para resolver esa contradicción.

La resolvió el pueblo, el pueblo es capaz de resolver muchos de los problemas. Después, ejercí realmente cierta resistencia a ocupar el cargo, hasta que pareció casi absurdo ya, ante las presiones de los compañeros y de todo el pueblo. Vuelvo a aceptar el cargo de Primer Ministro, y tengo la responsabilidad fundamental del Gobierno.

Frei Betto. Usted iba a hablar de los contactos con el Cardenal.

Fidel Castro. Bien, yo te contaba que en los primeros días descubro –sería en el mes de febrero, tal vez– que mi vida iba a ser lo más inútil, lo más estéril del mundo, que iba a tener que dedicarme a cosas protocolares y a recibir personalidades. Entre esas personalidades, más de una vez, aparecieron dos tipos gorditos allí, pidiendo entrevistas. Y yo decía: "¿Quiénes son?" "Son los sobrinos del Cardenal." Los sobrinos del Cardenal, que querían verme. Como dos o tres entrevistas les di a los sobrinos del Cardenal, y dije: bueno, voy a tener que dedicarme aquí nada más que a atender a los sobrinos del Cardenal. Les interesaban cosas, porque tenían negocios, y salir en los periódicos, porque aquello también era un asunto social; en el periódico salía al otro día: "Recibido Fulano y Mengano." Y a mí nunca me gustó eso, realmente, hasta que, afortunadamente, en breve tiempo, me libré de aquel estilo de trabajo. Dije: bueno, ahora yo debo ver realmente a las personas que me interesa ver, ir a los lugares que me interesa ir, y no estar esclavizado para ver a cuanto personaje de estos, que no producían absolutamente nada, ni resolvían nada, quería verme. Y cambié de método. Pero recuerdo por aquellos días a unos gordos, bien alimentados muchachos, que pedían a cada rato una entrevista, y parecía que iba a tener que dedicarme a eso exclusivamente. El Cardenal mantenía también muy buenas relaciones oficiales con el Gobierno Revolucionario.

Eso no fue motivo de problemas de ninguna clase. Los problemas surgen con las leyes revolucionarias: Reforma Urbana, Reforma Agraria.

Frei Betto. El problema de las escuelas. ¿Cuándo se hace la ley de las escuelas, las intervenciones?

Fidel Castro. Bueno, inicialmente no se hace. Nosotros las primeras medidas que tomamos no fueron las de nacionalizar escuelas privadas, ni estaba contemplado como un programa inmediato la nacionalización de las escuelas. Lo que teníamos era el programa de hacer la campaña de alfabetización y llevar el maestro a todos los rincones del país.

Parejamente con estas medidas revolucionarias, empezamos a construir caminos, hospitales y policlínicos en las montañas, centros sanitarios en las montañas, escuelas allí y en el resto del campo, en todas partes, y se crearon 10 mil nuevas plazas de maestros. Esa fue otra de las medidas en los primeros meses de la Revolución, se crearon 10 mil plazas y se movilizaron maestros a todas partes del país.

Las leyes revolucionarias empiezan a producir conflictos, sin duda de ninguna clase, porque los sectores burgueses y los terratenientes, sectores ricos, cambian de actitud con la Revolución y deciden hacerle oposición. Junto con ellos, las instituciones que estaban al servicio de todos esos intereses, empiezan a hacer campañas contra la Revolución.

Así es como se producen los primeros conflictos con la Iglesia, porque realmente estos sectores quisieron utilizar a la Iglesia de instrumento contra la Revolución.

¿Por qué pudieron intentar hacer eso? Por una razón muy particular de Cuba, que no es la situación de Brasil, ni de Colombia, ni de México, ni de Perú, ni de muchos países latinoamericanos: es que la Iglesia en Cuba no era popular, no era Iglesia propiamente del pueblo, no era la Iglesia de los trabajadores, de los campesinos, de los pobladores, de los sectores humildes de la población; aquí nunca en nuestro país realmente se había hecho la práctica –que ya en algunos países se hacía y después fue frecuente en América Latina– de sacerdotes trabajando con los pobladores, sacerdotes trabajando con los obreros y sacerdotes trabajando en el campo. En nuestro país, donde el 70 por ciento de la población era campesina, no había una sola iglesia en el campo. Este es un dato importante: no había una sola iglesia en el campo, ¡no había un solo sacerdote en el campo!, donde vivía el 70 por ciento de la población. Todo ocurría igual que lo que ocurría donde yo nací, como te conté ayer; no había ningún trabajo evangélico, apostólico, digamos –yo no sé cómo le llaman ustedes–, de educación religiosa de la población.

Frei Betto. Evangelización.

Fidel Castro. Evangelización.

Como te decía, se consideraba católica la sociedad, y existía el hábito del bautizo, todas aquellas cosas que te expliqué ayer, pero no realmente la enseñanza de la religión, o la práctica de la religión.

La religión en Cuba se divulgaba, se propagaba, a través de las escuelas privadas fundamentalmente, es decir, de las escuelas regidas por religiosos o religiosas, los colegios que te mencioné ayer, donde asistían los hijos de las familias más ricas del país, de la más rancia aristocracia, o que presumían de aristócratas, de las clases medias altas, y una parte de la clase media en general; o –como yo te decía ayer–

un médico tal vez podía mandar a un hijo a una escuela, externo, pagando el equivalente de 10 dólares por aquella escuela. Este era el vehículo fundamental de propagación de la religión en nuestro país y, como consecuencia, eran los que realmente recibían una educación religiosa y participaban en las prácticas religiosas, aunque no de manera muy metódica ni muy rigurosa. Porque quizás una de las características de estas clases eran sus costumbres muy relajadas, su ausencia de disciplina en la práctica de la religión, porque algunos no iban a misa, por ejemplo. Un verdadero católico militante no deja de ir a misa un domingo; pero había otros muchos que iban a misa el domingo como una práctica social o como algo de buen gusto, y después, bueno, a disfrutar de su bienestar y de su riqueza. No era gente que se caracterizaba por una fidelidad a la práctica de los principios de su religión.

El núcleo fundamental de la Iglesia Católica estaba integrado en nuestro país por estos sectores, y son los que tenían más vínculos con las parroquias, que estaban, por lo general, en barrios de ricos. Había, desde luego, algunas iglesias en áreas urbanas normales desde hacía tiempo; pero en toda nueva área hacia donde se desarrollaban los barrios residenciales de la alta burguesía y de la gente muy rica, se construían excelentes iglesias; para ellos el servicio estaba garantizado. En los barrios de indigentes, en los barrios pobres, en los barrios campesinos, en los barrios obreros, ningún servicio religioso estaba garantizado. Las clases ricas tenían familiares relaciones con los obispos, por lo general, y con la alta jerarquía.

Aparte de eso, una gran parte del clero era extranjero, y de este una gran parte era español –como te explicaba ayer cuando te contaba lo de los jesuitas–, muy permeado de las ideas reaccionarias, ideas de derecha, ideas nacionalistas españolas e, incluso, de las ideas franquistas. Cuando aquella gente trata de utilizar la Iglesia como instrumento, como partido contra la Revolución, es cuando surgen los primeros conflictos con la Iglesia.

Claro, no solo la Iglesia Católica tenía colegios privados. Había algunas Iglesias protestantes que también los tenían; no muchos, algunas escuelas, y gozaban de cierto prestigio esas escuelas. Había, por ejemplo, una escuela en El Cristo, provincia de Oriente, donde por cierto estudió una hermana mía, la más pequeña; una escuela que era de protestantes y tenía prestigio. No era muy cara, era más bien económica, no sé si recibiría alguna ayuda de la Iglesia.

En Cárdenas había la llamada Escuela Progresiva, también protestante, una escuela con prestigio, una escuela muchos de cuyos antiguos alumnos están con la Revolución. Por ejemplo, el compañero Pepín Naranjo estudió en esa escuela. Todavía vive el director de más prestigio de esa escuela, Emilio Rodríguez Busto; siempre apoyó la Revolución. No hubo problemas, era un sector más humilde.

En La Habana había también algunas escuelas protestantes, y algunas de ellas con nombre en inglés; una, si mal no recuerdo, se llamaba Candler College, escuela de mucho lujo, pudiéramos decir, y el nombre, incluso, era inglés. La recuerdo bien, porque era uno de nuestros rivales en los partidos de básquet y de beisbol, uno de los rivales deportivos cuando yo estaba en el Colegio de Belén. También había escuelas privadas laicas.

Entonces, excepto algunas, pero muy pocas, casi todas las escuelas eran católicas, como en la que yo estudié al final. ¡Mil alumnos!, esa era la escuela más grande del país. Hoy nosotros tenemos varias escuelas con 4 500 alumnos internos cada una. Aquella escuela tenía unos mil alumnos, de ellos, unos 150 a 200 internos. Era el Colegio de Belén, el mayor y uno de los más prestigiosos del país.

De esas escuelas se nutría la Iglesia fundamentalmente. Pongo a un lado las creencias, lo que pudiéramos llamar las creencias populares: todo el fervor por la Virgen de la Caridad, era fervor popular; el fervor por San Lázaro, los que le ponían vela, ese era popular también; como el hábito de bautizarse que practicaba la gran masa de la población.

Frei Betto. Entonces, ¿usted no niega que hay una religiosidad difusa en la cultura del pueblo cubano? Por ejemplo, en las obras de Martí se percibe, y muchas veces uno tal vez quiere dar la impresión, aunque aquí el pueblo fue siempre un pueblo laico, que no tuvo ninguna tradición religiosa, y por lo poco que conozco el país, tengo la impresión de que la santería tuvo influencia, las religiones afro, y que hay en la cultura una religiosidad difusa. ¿Usted confirma eso, cómo es?

Fidel Castro. Esto mismo que te estaba explicando: el culto a la Virgen de la Caridad, el culto a San Lázaro, el culto a distintas divinidades. Ya te expliqué que estaba extendido también lo que llamaban el espiritismo, creencias de todo tipo; nos quedaba también la herencia recibida de África, la herencia de las religiones animistas, que después se mezclaron con la católica, y otras. Tú hablas de una religiosidad difusa. Bien, creo que no hay ningún pueblo en la historia humana que no haya tenido una religiosidad difusa.

Cuando Colón llegó aquí con su Iglesia, que era la Iglesia Católica, él vino, bueno, con la espada y con la cruz: con la espada consagró el derecho de la conquista, y con la cruz lo bendijo. Estos indios que había aquí tenían sus creencias religiosas, todos.

Cuando Cortés llegó a México, se encontró ampliamente extendida la cultura y la religiosidad, más aún que en España. Yo podría decir realmente que los aztecas eran más religiosos que los españoles, a tal extremo lo eran que todavía casi nos impacta el grado en que se consagraban a la religión aquellos sacerdotes, con los sacrificios humanos. Y los gobiernos eran teocráticos. Se han escrito libros y obras sobre eso, en los que se habla ampliamente de aquellos métodos. Y, bien, vinieron los cristianos con su moral, los declararon crueles; a lo mejor si llega un azteca a España, considera muy cruel que en medio del calor del verano, un sacerdote hubiera estado vestido con una sotana, o hubiera podido considerar crueles otras cosas. Porque ellos hubieran juzgado, y les habrían parecido unos bárbaros los espa-

211

ñoles, puesto que no les ofrecían sacrificios a los dioses y, en cambio, podían quemar vivo en la hoguera a un hereje.

Hay que ver cuánto hay de barbarie en uno y en otro, de crueldad en uno y en otro. Pero los aztecas no sacrificaban una vida humana como un acto de crueldad contra una persona, sino que lo consideraban el más grande privilegio para la víctima. Como también se considera un privilegio en algunas religiones asiáticas que la mujer se incinere junto al esposo muerto. Ellos consideraban como la mayor felicidad, la mayor dicha y los mayores premios, ser sacrificados a sus dioses de piedra. Es difícil encontrar un pueblo más religioso que el azteca o que el maya. Llenaron a México de pirámides, de construcciones religiosas, de modo que cuando usted pregunta: ¿y esta gran pirámide y esta gran obra que hicieron?, todo tenía un fin religioso. Es decir, los aztecas tenían una religiosidad más amplia que los españoles.

Los incas, del Perú, tenían una religiosidad también mayor que los conquistadores, que Pizarro y que toda aquella gente. Pizarro pensaba mucho más en el oro que en la Biblia, y todos aquellos conquistadores pensaban fundamentalmente en el oro. Criticaban a los otros que adoraban a las piedras y ellos adoraban el oro; criticaban a los que hacían sacrificios humanos a los dioses de piedra, y ellos hacían miles de sacrificios humanos al dios de la riqueza y del oro, porque mataron indios por millones trabajando en las minas y mataron españoles. Al propio Atahualpa lo hicieron prisionero y, además, lo engañaron, porque le cobraron un rescate de un salón lleno de objetos de oro, y después lo asesinaron.

Así que ni siquiera se puede decir que los que vinieron aquí a este hemisferio a conquistarlo, tuvieran una mayor religiosidad. Aquellos conquistadores no tenían, a mi juicio, gran religiosidad, a decir verdad.

Entonces, tú analizas la historia de la India, tú analizas la historia de China, tú analizas toda la historia de África, de todos los pueblos, y lo primero que te encuentras es la religiosidad. Y te la encuentras, además, con una gran pureza, aunque no la comprendamos, aunque nos parezcan bárbaros sus métodos y absurdas sus cosas, aunque en muchas ocasiones se dijera: "Estos son bárbaros, creen en la luna o creen en un animal o creen en un objeto". Pero hay que decir que en la historia humana, lo primero que se refleja por todas partes es la religiosidad difusa. Es decir que no es un principio aplicable a un pueblo en particular, sino que todos los pueblos, de una forma o de otra, la han tenido e, indiscutiblemente, en Cuba la había. Lo que te puedo decir es que no había la tradición de la religión organizada, sistemática, metódica, la práctica y la militancia de una religión; sí una gran mezcla de religiones, y además, un espíritu, en general, influido por ideas y creencias religiosas.

Yo creo que ninguna sociedad ha escapado. Desde luego, me parece que en México hay más que la que había aquí, para poner un ejemplo; me parece que en otros países latinoamericanos hay más que la que teníamos aquí. En la propia España, en un grado mayor, ha estado presente esa religiosidad difusa de que tú hablas, pero que se manifestaba aquí de mil formas distintas y no a través de la práctica sistemática de la religión.

Frei Betto. Perfecto.

Me gustaría entonces regresar al tema de las tensiones iniciales, por ejemplo, la situación de la enseñanza de las escuelas. Creo que ese debe haber sido uno de los puntos más conflictivos en las relaciones de la Revolución con la Iglesia.

Fidel Castro. Cuando se inician los conflictos, que fueron conflictos de clase realmente –porque te explicaba que esa clase rica que tenía el monopolio de las iglesias trató de instrumentarlos y de llevar a obispos, sacerdotes y católicos a posiciones contrarrevolucionarias–, eso también, desde luego, produce una reacción opuesta en sectores católicos, sectores de clase media católicos, y algunos sectores más humildes, que no aceptaron esa línea contrarrevolucionaria. Un grupo activo de católicos, en gran parte constituido por mujeres, que fue un sector siempre muy sensible a la obra revolucionaria, creó una organización a la que llamaron "Con la Cruz y con la Patria", que apoyó decididamente a la Revolución. Muchas de ellas fueron fundadoras de la Federación de Mujeres Cubanas.

Se podía apreciar, por otro lado, una diferencia en la conducta de las Iglesias evangélicas. Yo pude apreciar, lo observé siempre, que las Iglesias evangélicas se habían propagado más bien en sectores humildes de la población, como regla, y también observaba en ellos una práctica de la religión más militante; quiero decir, observaba más disciplina en las Iglesias evangélicas, dentro de sus concepciones, dentro de sus estilos, sus métodos, su forma de hacer la oración.

FREI BETTO. Más coherencia.

FIDEL CASTRO. Sí, eran más consecuentes con su práctica religiosa. No había muchos, pero el que pertenecía a tal escuela, a tal Iglesia evangélica –a una o a la otra de las muchas que existen–, era, por lo general, consecuente con sus sentimientos y sus concepciones religiosas, mucho más que los católicos; eran más disciplinados. De modo que realmente no surgieron problemas con estos sectores evangélicos; al contrario, en general, siempre fueron muy buenas y fáciles las relaciones con ellos.

Tampoco surgieron problemas con las creencias animistas o con cualquier otro tipo de creencias. Y tampoco surgieron problemas con la creencia católica: surgieron problemas con las instituciones católicas, que no es lo mismo.

Dentro de las Iglesias evangélicas, hay algunas con las que, por sus especiales características, sí surgieron algunos problemas con la Revolución, como fue con los Testigos de Jehová; pero he leído que los Testigos de Jehová suelen tener problemas en todas partes.

FREI BETTO. En todas partes, incluso con los militares brasileños.

Fidel Castro. Entran en conflicto con los símbolos patrios, con la escuela, con la salud, con la defensa del país, con muchas cosas, y en ese sentido nosotros éramos especialmente sensibles. Amenazados por Estados Unidos y necesitados de instrumentar una defensa fuerte, nos encontramos con una prédica que se oponía al servicio militar. No fueron las creencias, sino ciertas concepciones, que no se sabe si son religiosas o son políticas más bien, y conflictos de esas concepciones, en las condiciones especiales de Cuba, con la Revolución; dos o tres casos de Iglesias evangélicas.

Con las instituciones católicas sí surgieron conflictos, surgieron enfrentamientos, indiscutiblemente; no violentos, realmente no hubo ningún tipo de enfrentamiento violento, pero surgieron enfrentamientos políticos. No estaba inicialmente previsto, ni se había hablado de nacionalizar las escuelas privadas. Claro que, por definición revolucionaria, aspirábamos al desarrollo de escuelas del Estado, tan buenas o mejores que las mejores escuelas privadas. Y creo que hemos cumplido ese principio, porque ya nosotros tenemos miles de escuelas, el país en total cuenta, entre círculos infantiles, alumnos seminternos y alumnos becarios, con más de un millón de nuevas capacidades creadas.

Como yo te decía, una sola de nuestras escuelas vocacionales, de las grandes, de 4 500 alumnos, tiene más alumnos internos que todos los alumnos internos que había en el país, porque si yo te analizo las escuelas de más alumnos: el Colegio de Belén, unos 200; Dolores, en Santiago de Cuba, 30; te cito aquí dos de las que yo conocí. Yo dudo que, alumnos internos propiamente, lo que nosotros llamamos un alumno becado, hubiera 2 mil alumnos internos en el pasado, y nosotros tenemos hoy 600 mil alumnos becados, que reciben no solo la educación, el albergue, la alimentación, sino la ropa, los libros, la atención médica, el transporte, todo lo reciben; es decir que nosotros debemos tener unas 300 veces más alumnos becados que alumnos internos tenían los burgueses y los terratenientes aquí. De manera que hoy un humilde campesino, una humilde familia de las montañas, de la Sierra, un trabajador, tiene su hijo o su hija, si es necesario, porque vive en el campo, por cualquier razón, con la educación asegurada y en mejores condiciones que la que recibían antes los hijos de la minoría privilegiada del país.

Hoy tenemos la institución del círculo infantil, que no existía antes de la Revolución, disponemos de aproximadamente mil círculos infantiles; hoy tenemos escuelas especiales con matrícula para 42 mil alumnos, alumnos con problemas de sordera, de visión, de habla o de cualquier otro tipo de trastorno; hoy contamos con muchos centros prescolares. En las universidades tenemos decenas de miles de alumnos becados. Es decir que nosotros hemos logrado aplicar el principio, al cabo de 26 años de Revolución, de poner al alcance de las familias más humildes escuelas mejores que las que tenían las familias privilegiadas, y eso lo da la sociedad, lo proporciona el Estado socialista.

Pues bien, sin aquellos conflictos, nosotros no habríamos tenido ninguna necesidad de nacionalizar aquellas escuelas. Es probable que mucha gente, en vez de pagar un tipo de escuela privada, hubiera preferido una escuela estatal. Después de todo, la mayoría de los profesionales de América Latina se formaron en universidades públicas. O quizás se hubiera producido una emulación entre aquellas escuelas y las nuestras. Pero no estaba establecido que íbamos a nacionalizar las escuelas privadas. Los conflictos en aquel período, cuando todavía no teníamos las nuevas escuelas, originaron la necesidad de la nacionalización de las escuelas privadas, porque precisamente en aquellas escuelas, principalmente en las católicas, estaban los hijos de las familias ricas que se situaron contra la Revolución, y se nos convertían en centros de actividades contrarrevolucionarias. Aquello originó la necesidad de ir a la nacionalización de todas, pero no se discriminó. No es que se nacionalizó la escuela católica; se nacionalizaron también las escuelas protestantes y las escuelas laicas privadas; quiero decir que no fueron solo las escuelas católicas ni protestantes, sino que todas fueron nacionalizadas.

Yo tendría ahora que hacer una revisión y un análisis –acuérdate que estamos hablando improvisadamente–, te estoy hablando de lo que yo recuerdo como factor que desató aquel proceso. Tú me preguntarías: ¿ahora, a 26 años, existirían esas escuelas? Bueno, tal vez existirían esas escuelas. Es decir, no planteo, no establezco, no promuevo que necesariamente tengan que nacionalizarse las escuelas privadas si no hay conflicto contra la Revolución entre las familias que envían los hijos a esas escuelas, porque si las escuelas se van a convertir en nidos de actividades contrarrevolucionarias, más cuando las actividades se hacen violentas, más cuando se asocian a sabotajes, bombas, y otras actividades de la CIA, moviéndose por todas partes, agresiones de Estados Unidos, bloqueos económicos que obligaban al país a defenderse, no quedaba otra alternativa. En condiciones realmente de relaciones armoniosas dentro de la sociedad, tú pudieras decir, desde el punto de vista económico: si yo tengo 300 millones de pesos para educación, voy a dedicar 200 millones a los sectores que no pueden pagar la escuela y me ahorro 100 millones que puedo destinar a la salud pública, a construir viviendas y al desarrollo económico; no sería necesario dedicarlos a los sectores que pueden pagar la escuela. Porque, aun hoy, hay familias en Cuba que podrían pagar la escuela privada, no porque sean industriales o porque sean terratenientes, sino porque tienen mil pesos de ingresos mensuales, porque son médicos, son ingenieros u obreros. Aquí hay familias que tienen más de mil pesos de ingresos cada mes, muchas, porque son varios los que trabajan en la casa, que tengan un hijo, que podrían pagar 50 pesos por una escuela, o hasta 100 pesos.

Incluso hasta el Estado socialista podría tener escuelas pagadas, si lo considerara conveniente, con tal de que no falten ni sean peores las escuelas para los demás niños. Si hubiera escuelas privadas, religiosas, en un país que inicia la revolución, se pudiera considerar que están prestando un servicio a la educación del país y que están ayudando a costear los gastos de la educación. Los países del Tercer Mundo, los países por desarrollar que no tienen mucho dinero y que tienen muchas necesidades, pueden decir: estos 100 millones los voy a dedicar a otros fines.

De manera que lejos de ver dogmáticamente como una necesidad la nacionalización de la escuela privada, puedo verla, incluso, como un aporte de ciertos sectores a la economía del país y como una ayuda para dedicar fondos que tendrían que dedicarse a esas escuelas, a otras necesidades muy importantes del país. No lo veo como un dogma de la revolución. Hablo de nuestra experiencia particular, que fue diferente. Logramos establecer lo que se puede llamar un ideal: darles a todos los niños del país una misma posibilidad de educación con calidad.

Frei Betto. Comandante, en mi infancia, yo escuchaba a algunos curas decir que teníamos que luchar contra el comunismo, contra el socialismo, porque cuando llega el socialismo se cierran las iglesias, se mata a los curas, se violenta a las monjitas, se ahorca a los obispos. Yo pregunto: ¿en Cuba se cerraron las iglesias, se fusiló a los curas, se torturó a los obispos, como se hizo en Brasil durante el régimen militar? ¿Cómo fue?

Fidel Castro. Te voy a explicar. Yo creo que en las revoluciones históricas clásicas han existido conflictos serios entre la revolución, los movimientos políticos, y la Iglesia; han existido. Unas veces con la Católica; en el viejo imperio de los zares ocurrió con la Iglesia Ortodoxa.

Frei Betto. En México, la Revolución Mexicana.

Fidel Castro. Sí, te la iba a mencionar, pero me remontaba a épocas todavía pasadas. Incluso la Reforma dio lugar a conflictos muy violentos, cuando surge el movimiento de Lutero y de Calvino y de distintas Iglesias. Las reformas dieron lugar a violencias y derramamientos de sangre.

Siempre, desde muy temprano, a mí me empezaron a hablar de la Noche de San Bartolomé, en Francia; eso es histórico, miles de personas murieron asesinadas por conflictos religiosos. Es decir que hubo violencia no solo en los conflictos políticos y sociales, sino hubo violencia de gran magnitud, de gran intensidad, dentro de los propios movimientos religiosos. No sé si alguien habrá sacado la cuenta de cuántas gentes fueron sacrificadas por estos motivos.

Frei Betto. Por la Inquisición.

Fidel Castro. Sí, desde la Inquisición por un lado o por otro, porque tengo entendido que todos aplicaron de una forma o de otra la violencia; a veces fue el Estado y a veces fue la Iglesia. Es decir que no solo en los conflictos políticos hubo violencia entre alguna Iglesia y el movimiento político, sino –es lo que quiero decir– en los propios movimientos religiosos hubo mucha violencia. Bueno, de más está decir que cuando el cristianismo surge, en nombre de la vieja Iglesia pagana de Roma fueron sacrificados millones de cristianos.

No se sabe a cuántos cristianos sacrificó el Imperio Romano durante 300 años, desde Cristo, que fue el primero, hasta el último antes de que el cristianismo se convirtiera en la religión oficial del Imperio.

Es decir que en las propias luchas de la Iglesia, hubo mucho sacrificio, hubo violencia contra ella, y, luego, la Iglesia aplicó la violencia también en grado considerable. Por eso no es absolutamente extraño el hecho de que surja violencia entre el movimiento político revolucionario y la Iglesia.

En las revoluciones clásicas, si empezamos por la Revolución Francesa, un acontecimiento de mucho interés histórico, hubo en esa revolución violencia entre ella y la Iglesia, y no toda la Iglesia, sino una parte de la Iglesia. Porque no hay que olvidarse cómo surge la Revolución Francesa, con una asamblea donde había tres estamentos sociales: la nobleza, el clero y el estado llano, es decir, comerciantes, profesionales, artesanos, lo que pudiéramos llamar la clase media. Y fueron precisamente el clero y el bajo clero, aunque no estuvieron ausentes algunos obispos, quienes determinaron la mayoría del estado llano; así que cuando se reúne aquella asamblea que convocó el Rey, incluso algunos nobles apoyaron a las capas medias de la población, pero los que dieron la mayoría fueron fundamentalmente el clero y el bajo clero, los curas que estaban allí, algunos arzobispos, pero también algunos nobles. No hay que olvidarse de La Fayette y algunos otros que apoyaron la revolución. Esta fue la primera revolución clásica de la era moderna, y fue violenta. En esas luchas hubo obispos sacrificados y curas, de un lado y de otro, de los dos lados, no solo de un lado; pero no hay que olvidarse que el clero, los sacerdotes, tuvieron un papel decisivo en el surgimiento de la Revolución Francesa.

Esos conflictos se repiten de una forma u otra en la segunda gran revolución social de nuestra era, que fue la Revolución Bolchevique. No sé muchos datos, pero me imagino que como en toda revolución tienen que haberse producido casos de conflictos entre Iglesia y revolución, y puede haber habido sacerdotes fusilados; no me consta, porque realmente uno no presta mucha atención a los datos en esos grandes procesos históricos; conozco más datos de lo que ocurrió sobre esto –se han escrito muchos libros– en la Revolución Francesa; pero también hubo conflictos.

Una revolución aquí en nuestro hemisferio, la mexicana, fue también una revolución social; no una revolución socialista, sino una revolución social. Y hubo también de todo, parte de la Iglesia que estaba con la revolución, parte que estaba en contra, lo cual dio lugar a violencias y a conflictos serios; fue sangriento el conflicto.

Si, por ejemplo, recordamos la guerra civil española, vemos que también fue sangriento el conflicto, hubo mano dura de parte y parte, y hubo sacerdotes fusilados, posiblemente obispos fusilados por una parte, y debe haber habido también sacerdotes fusilados por la otra parte.

Si vamos a nuestra revolución, es una revolución social profunda. Sin embargo, no se ha dado un solo caso de obispo fusilado, de sacerdote fusilado, no se ha dado un solo caso de sacerdote maltratado físicamente, torturado. Con relación a esto lo más notable, yo diría, es que no se ha dado el caso ni de un sacerdote ni de un laico. Porque nosotros, desde que estábamos en la Sierra Maestra y desde que hicimos las leyes de que te hablé contra los torturadores y los asesinos, establecimos una conciencia profunda en todos nuestros combatientes sobre el respeto a la vida humana, sobre el respeto a la persona humana, sobre el rechazo a la arbitrariedad, la injusticia, la violencia física contra las personas, contra el prisionero.

Nosotros no solo ganamos la guerra combatiendo, sino también porque supimos seguir una política con los prisioneros. No se dio un solo caso de un soldado enemigo prisionero fusilado; un solo caso de prisionero enemigo torturado, ni siquiera para arrancarle una información importante. Nosotros, desde luego, teníamos leyes, podíamos descubrir a un espía y podíamos juzgarlo, sancionarlo e incluso fusilarlo. Pero no lo torturábamos para sacarle nada. Por lo general esa gente se desmoraliza, y nos parecía que nos mancillábamos a nosotros mismos haciendo eso.

Si precisamente la gente nuestra se inspiraba en el odio a la tortura y al crimen, ¿cómo nosotros podíamos darles a nuestros soldados el ejemplo de la tortura y el crimen? Los íbamos a desmoralizar. Y los que no entienden que en una revolución la moral es el factor fundamental, están perdidos y están fracasados; son los valores, es la moral lo que arma espiritualmente al hombre. Porque tú comprenderás, realmente, que, independientemente de la creencia, nosotros no movemos a un combatiente revolucionario con la idea de un premio en el otro mundo, o que va a recibir eternamente una gran felicidad si muere. Aquellos hombres iban a morir, y aquellos que no eran creyentes, sin embargo, estaban dispuestos a morir, porque había valores por los cuales consideraban que valía la pena sacrificar la vida, aunque lo único que tuvieran fuera la vida. Entonces, ¿cómo tú puedes lograr que el hombre te haga eso, si no es a base de determinados valores, y cómo tú vas a mancillar esos valores y destruirlos?

No se dio en nuestra guerra el caso de un soldado prisionero fusilado; eso ayudó mucho, porque eso despertó prestigio, autoridad, moral de las fuerzas revolucionarias frente a un enemigo que en cambio sí torturaba, mataba y cometía toda clase de crímenes. Esa tradición la hemos mantenido a lo largo de más de 26 años, de todos estos años de Revolución, porque fue una política firme, decidida y no lo hemos tolerado jamás. ¡No importa lo que digan los enemigos por ahí! Dicen barbaridades, no les hacemos caso. Tú lees en cualquier momento cualquier cable y están irritados, furiosos, porque realmente no pueden presentar una sola prueba de que la Revolución haya cometido un asesinato, de que la Revolución haya torturado a un hombre, de que la Revolución haya desaparecido a un hombre, eso no, no encontrarán una sola prueba en 26 años. Y yo digo que ésta ha sido una revolución ordenada, así se puede decir; es decir, que se ha ido desarrollando con un gran orden.

Hemos sido muy radicales, pero sin excesos; nunca hemos encontrado justificación, ni la encontraremos, ni la aceptaremos, para violar algunos de esos valores, mancillar algunos de esos valores sobre los cuales se sustenta la Revolución. En ese sentido te digo que no solo un sacerdote, un obispo, sino el peor enemigo, los que han preparado atentados contra los dirigentes de la Revolución, y han sido decenas los que planeó la CIA, ninguno fue objeto de tales métodos. Aquí llegó un momento en que había 300 organizaciones contrarrevolucionarias; cada vez que se reunían cinco o seis hacían una organización, creían que con Estados Unidos detrás, animados por Estados Unidos, inspirados por Estados Unidos, estimulados por Estados Unidos, apoyados por Estados Unidos contra la Revolución, esta no podía sostenerse, y había incluso, toda clase de oportunistas metidos en aquellas organizaciones. Cualquiera de esta gente responsable de un hecho muy grave podía ser fusilada, pero fusilada en virtud de leyes previas y en virtud de juicios y en virtud de pruebas irrebatibles de lo que el individuo hacía. Te hablo de 300 organizaciones, y nosotros sabíamos más que ellos lo que hacían, porque como precisamente nuestros órganos de seguridad no torturaban, se desarrollaron como instituciones muy eficientes, y buscaron otros medios de saber lo que hacía el enemigo, de conocerlo, penetrarlo. Llegó un momento, casi al final, en que la gente nuestra, los revolucionarios, eran jefes de casi todas estas organizaciones contrarrevolucionarias, porque hicieron un trabajo verdaderamente preciosista, perfecto, de lucha para obtener información, que no incluía la violencia física contra las personas. Y si un contrarrevolucionario en enero de 1961 había hecho un número de cosas, nosotros sabíamos qué había hecho cada día del mes, y dónde y con quiénes se había reunido, teníamos toda la información; si a él lo arrestaban en el año 1962, cuando ya era un elemento peligroso, él no se acordaba con precisión probablemente de lo que había hecho exactamente tal día del mes de enero, ni con quién se reunió, pero en los archivos sí estaba todo eso. Por lo general esta gente se desmoralizaba. Porque, fíjate, estos no eran gente de convicciones profundas; tenían una mentalidad egoísta, intereses materiales, ambiciones materiales, y por no tener una moral, por tenerse que enfrentar con el hecho de una revolución con una moral muy alta, por lo general ellos no se sostenían, se desmoralizaban apenas los arrestaban, apenas les demostraban que se conocía todo, e informaban espontáneamente todo. Pero nunca se le arrancó a nadie mediante violencia física una declaración o una información.

Podría preguntarse: ¿hubo algún cura fusilado por delitos contrarrevolucionarios? Digo: no. ¿Legalmente era posible? Sí, legalmente era posible, y se cometieron algunos delitos graves.

FREI BETTO. Había tres curas en la invasión de Bahía de Cochinos.

Fidel Castro. Tengo que precisar el dato, porque no recuerdo con precisión, pero estoy casi seguro de que eran tres. Técnicamente todos los invasores habían incurrido en un delito de traición a la patria, porque si usted se va para un país extranjero enemigo de su país, y bajo las órdenes de ese país invade su propia patria y cuesta sangre y cuesta vida de sus ciudadanos, eso técnicamente es una traición; casi todos los códigos lo condenan con la pena capital.

Hubo también casos de complicidad con actividades contrarrevolucionarias graves, que pudieran haber dado lugar a juicios con sanciones severas como el fusilamiento. Sin embargo, no se dio ni un solo caso, porque nosotros procuramos, incluso, que eso no ocurriera nunca, porque no queríamos, bajo ningún concepto, hacerle el juego a la reacción y al imperialismo dando la imagen de la Revolución fusilando a un cura; ese cuidado se tuvo siempre. Cometieron en algunos casos hechos graves, pero nunca se les aplicó la sanción más grave. Y ciertamente no fueron muchos los que incurrieron en hechos graves, porque una cosa es la oposición política, darle cobertura política e ideológica a la contrarrevolución, y otra la realización de sabotajes o de graves hechos contrarrevolucionarios. Realmente no fueron muchos, pero en ninguno de los casos que se hubiera podido justificar se aplicó la ley, siempre se trató con consideración especial a los sacerdotes. En algunos casos fueron sancionados a prisión por hechos contrarrevolucionarios; sin embargo, nunca cumplieron la sentencia, estuvieron el mínimo de tiempo presos, siempre procuramos que salieran. No queríamos la imagen de un sacerdote preso y la imagen de la Revolución con un sacerdote preso, aunque fuera justificada la sanción.

En esto influyó también que tuvimos aquí un Nuncio muy inteligente, muy capaz, que es moseñor Zacchi, un gran Nuncio, una persona con mucha capacidad constructiva, muy inteligente, gran don de gente, que vio la inconveniencia de estos conflictos entre la Iglesia y la Revolución y ayudó a evitarlos. Creo que hizo una contribución importante para evitar que se profundizaran estos conflictos. Y nosotros, a través de él, poníamos en libertad a los pocos casos de sacerdotes mencionados.

FREI BETTO. ¿Ahora, se cerraron iglesias, se expulsaron sacerdotes?

FIDEL CASTRO. No, no hay una sola iglesia que se haya cerrado en el país, no hay una sola, nunca. Sí hubo casos, en determinado momento, en que fue muy fuerte el enfrentamiento político y por la actitud militante políticamente de algunos sacerdotes, sobre todo de origen español, nosotros solicitamos que fuesen retirados del país, les suspendimos la autorización para permanecer aquí. Ese caso sí se dio, fue el tipo de medidas que se tomaron; sin embargo, se autorizó que vinieran otros sacerdotes para remplazar aquellos que habíamos pedido que salieran del país. Pero pudiéramos decir que esa fue la única medida de ese tipo que sí en un momento, una sola vez, fue necesario tomar. Después se fueron normalizando las relaciones.

FREI BETTO. ¿Y ese caso del Cardenal que se fue a la Embajada argentina en ocasión de Girón?

FIDEL CASTRO. Sí, eso fue a raíz de la invasión de Girón. En la segunda quincena de abril de 1961, por los días de Girón, parece que el Cardenal se asusta. Ignoramos cuáles pudieron ser las causas por las cuales tuvo ese temor, pero coincidiendo con aquellos acontecimientos, se fue a residir en la casa del Embajador de Argentina. Ya era una persona de bastante edad. Cuando Argentina rompe las relaciones en febrero de 1962, el Encargado de Negocios de la Santa Sede lo convence para que se quede en Cuba. Es llevado entonces a un hogar clínica en Marianao, y allí vivió después hasta su muerte. Fue lo que ocurrió.

Te voy a poner ejemplos, casos que se dieron. Un familiar del Cardenal organiza un levantamiento armado en la provincia de Oriente. Se hospeda en el Seminario del Cobre, en Santiago de Cuba, de allí sigue para las montañas y organiza una guerrilla contrarrevolucionaria; desde luego, fue localizado, cercado y rendido. No obstante la gravedad del delito, se le condenó solamente a pena de cárcel. Ya tú puedes ver un tipo de actividad: que un familiar del Cardenal, con una posición contrarrevolucionaria, utilice un seminario católico, organice una guerrilla, movilice todas esas armas y se alcen en armas contra la Revolución, en días difíciles, de amenazas norteamericanas, de agresiones norteamericanas, y ni aun en ese caso fuimos muy severos. Fue, desde luego, sancionado a pena de prisión.

Eso es lo que conozco, pero, realmente, no te podría decir cuáles fueron las causas por las que se haya producido aquel refugio en una Embajada. Fundamento no tendría; aunque hubiera tenido alguna complicidad en aquellas cosas, nosotros, por consideraciones políticas, no íbamos a arrestar al Cardenal. Podíamos hablar con él, podíamos advertirle que era incorrecto y hubiéramos tratado de evitarlo. Aunque hubiera estado en complicidad con los invasores de Girón, no tenía que asilarse ni buscar seguridad, porque nosotros no hubiéramos tomado medidas drásticas contra él.

Frei Betto. ¿El carácter socialista de la Revolución se declaró después de Playa Girón en 1961?

Fidel Castro. No precisamente después, sino el mismo día que empezó la invasión.

Frei Betto. Al inicio existían las Organizaciones Revolucionarias Integradas, que reunían los tres movimientos revolucionarios: el Movimiento 26 de Julio, el Directorio Revolucionario y el PSP, que era el nombre del partido comunista de Cuba, y en 1965 esas Organizaciones Revolucionarias Integradas dan origen al Partido Comunista de Cuba.

Fidel Castro. Sí.

Frei Betto. Entonces, ¿en el Partido Comunista cubano no se admite la presencia de cristianos?

Fidel Castro. Es cierto, no se admite.

Frei Betto. Es cierto. Es un partido confesional en la medida en que es un partido ateo, que proclama la no existencia de Dios. Yo pregunto: ¿hay posibilidades de que sea en el futuro un partido laico? Y segundo, ¿hay posibilidad de que un cristiano revolucionario cubano pueda en un futuro pertenecer a las filas del Partido?

Fidel Castro. Creo que esa es una de las preguntas más interesantes, más importantes, que tú has hecho en relación con estos temas de la religión y de la Revolución.

Yo te conté que, desde varios años antes de 1951, yo tenía no solo una formación revolucionaria sino una concepción marxista-leninista, socialista, de la lucha política, y que ya tenía, incluso, en esa temprana fecha, una concepción estratégica de cómo llevarla a cabo; te conté que un núcleo reducido de los que organizamos el Movimiento 26 de Julio ya teníamos esa formación. Sin embargo, te expliqué también que teníamos una estrategia, un programa, por etapas. De eso te hablé ayer, no es necesario repetirlo hoy. En una primera fase, un programa que pudiéramos llamar técnicamente de liberación nacional, de independencia nacional. Consistiría en una serie de reformas sociales avanzadas, a las cuales seguirían ulteriormente, en un período determinado, nuevas medidas que podían ser ya de carácter socialista.

Claro, estamos hablando ahora en el año 1985. Imagínate, nosotros en el año 1956, en 1958, 1959 y 1960, cuando no contábamos, desde luego, con el nivel de experiencia que tenemos hoy, teníamos ideas básicas correctas: cómo hacer las cosas, qué se podía hacer, en qué momento. Si tú me preguntas si teníamos programado el día, el año, el período exacto en que íbamos a hacer cada cosa, yo te diría: no. Teníamos la idea básica de cómo había que llegar a una revolución social en las condiciones de nuestro país, cómo llevarla a cabo en las distintas etapas, cómo tenía que ir acompañada de la educación del pueblo, de las masas, de la divulgación de las ideas, de modo que el pueblo fuera llegando a sus propias conclusiones, como realmente ocurrió.

Aquí lo que contribuyó extraordinariamente al avance político y a la educación política de nuestro pueblo fueron las leyes revolucionarias, porque desde el primer momento el pueblo vio que había un gobierno, por fin, que era su gobierno. A lo largo de la historia –y esto puede empezar desde la conquista de Cuba por los españoles–, la gente no había tenido un gobierno que fuera su gobierno. Porque el gobierno español aquí, el gobierno de Diego Velázquez, Pánfilo de Narváez y otras gentes que conquistaron a Cuba, fundaron ciudades y gobernaron regiones del país, no era el gobierno de los indios. Los indios eran los trabajadores, los indios eran los esclavos, los indios eran los que buscaban pepitas de oro en los ríos, los indios trabajaban en las minas, los indios trabajaban bajo el sol ardiente, de tal forma que los colonizadores exterminaron el 90 por ciento de la población indígena. Casi exterminados los indios, cientos de miles de africanos fueron arrancados de sus tierras y convertidos en esclavos para atender las minas y las plantaciones de caña y café, bajo los rigores del sol, el calor y la humedad tropical. De la mezcla de españoles con indios y negros, surgieron los mestizos, que si eran hijos de esclavas continuaban siendo esclavos.

Después, cuando se fue desarrollando una nacionalidad, y ya empezó a surgir el concepto de cubano entre los descendientes blancos de españoles, los mestizos y los descendientes libres de negros e indios, a lo largo de siglos aquel gobierno no era su gobierno, era el gobierno de los españoles. Así, desde el año 1898, en que se produce, al final de la última guerra de independencia, la intervención y ocupación del país por tropas de Estados Unidos hasta 1902, cuando se instala aquí un gobierno de Estados Unidos –de un hombre, incluso, que se había hecho ciudadano de Estados Unidos y fue el candidato de Estados Unidos–, desde entonces todos los que le sucedieron hasta 1959, constituían el gobierno de los terratenientes, el gobierno de los ricos, el gobierno de los privilegiados, el gobierno de las empresas extranjeras, el gobierno de Estados Unidos. Por primera vez en su historia –y esto en la historia de cualquier pueblo siempre producirá efectos extraordinarios–, en 1959 hay un gobierno del pueblo. Eso era nuevo: antes, Estado y pueblo eran dos cosas diferentes; gobierno y pueblo, dos cosas diferentes.

Desde el momento en que surgen las amenazas de Estados Unidos, que el pueblo se organiza y se arma, el pueblo empieza a darse cuenta de que la autoridad es él. Antes había un ejército divorciado del pueblo, totalmente profesional, el pueblo no se identificaba con aquella autoridad. Si un hombre tenía un fusil, aquel fusil se utilizaba para reprimir huelgas, para reprimir manifestaciones de estudiantes, para reprimir movimientos campesinos; siempre estuvo al lado de aquel poder. Cuando surge la Revolución, entonces el pueblo empieza a ser soldado, el pueblo empieza a ser funcionario, el pueblo empieza a ser administrador, el pueblo empieza a ser parte del orden social, empieza a ser parte del Estado, parte de la autoridad; de modo que si allá a principios del siglo XVIII un rey absolutista de Francia pudo decir: "El Estado soy yo", en 1959, cuando triunfa la Revolución, cuando el pueblo llega al poder, cuando el pueblo se arma y cuando el pueblo defiende al país, entonces el ciudadano común y corriente de nuestro país pudo decir: "El Estado soy yo". Empezaron a surgir las leyes revolucionarias y las medidas de justicia social, que conquistaron la voluntad de la población. Eso hizo mucho por la conciencia, por la profundización de la conciencia de nuestro pueblo y el desarrollo de una conciencia política socialista.

Ahora, desde que se funda el Movimiento 26 de Julio, o el Movimiento que después se llamaría 26 de Julio, nuestro movimiento para la lucha contra Batista parte de un núcleo de dirección. Yo promuevo la creación de un núcleo, con un grupo de compañeros de los más valiosos y de los más capaces; incluso, de ese núcleo de cierta amplitud se selecciona un pequeño núcleo ejecutivo de tres compañeros, para llevar a cabo las actividades más secretas y las actividades más delicadas. Ahí estaba Abel Santamaría, estaba otro compañero que se llamaba Raúl Martínez y el otro era yo.

Frei Betto. ¿Y el señor Martínez dónde está?

Fidel Castro. Raúl Martínez se desligó del Movimiento después del Moncada. Él era el que estaba en la acción de Bayamo. Era un muchacho activo, se movía, organizado, no era muy ideológico, le gustaba principalmente la acción; en cambio, Abel era muy activo, muy capaz y, además, tenía ideas revolucionarias, concepciones revolucionarias avanzadas. Yo tenía dentro de esta organización mis responsabilidades y mis tareas bien definidas. Así que lo primero que hice desde que me decidí a crear una organización para la lucha, fue establecer una dirección colectiva.

Después viene la guerra. En la guerra yo soy Comandante en Jefe de las fuerzas rebeldes. Hubo un momento en que fui Comandante en Jefe de mí mismo y dos más, digamos, dos más y yo mismo, para poner la cosa en orden; después fui Comandante en Jefe de un grupo de 7 u 8 compañeros, y el primer combate victorioso se realiza con 22 compañeros armados, en el mes de enero de 1957; si mal no recuerdo, fue el 17 de enero. Es decir, como mes y medio después que habían dispersado completamente al grupo original, dimos nuestro primer combate victorioso. Yo era jefe de aquella tropa, y en un ejército usted en combate manda las unidades; ese es un principio, hay una subordinación a un mando.

Pero nosotros pertenecíamos a un movimiento, el Movimiento 26 de Julio, que tenía una dirección nacional que funcionaba plenamente. Esa dirección virtualmente tenía toda la responsabilidad del Movimiento en el llano y en las ciudades. Cuando nosotros estábamos en México organizando la expedición, ellos tenían toda la responsabilidad del Movimiento en Cuba; cuando nosotros estábamos en las montañas, ellos dirigían el Movimiento en el resto del país. Cuando teníamos algún asunto muy importante, nos consultábamos y discutíamos, y las decisiones fundamentales se tomaban, pero siempre hubo un movimiento con una dirección nacional que funcionaba, que tenía atribuciones, y a veces demasiadas atribuciones, yo diría que en exceso más bien que en defecto. Porque si ellos tenían un criterio mayoritario, entonces nosotros lo acatábamos totalmente y teníamos que cumplirlo, no había otro camino. A veces, lo analizo históricamente, no siempre era justo el criterio que tenía la mayoría; sin embargo, nosotros lo acatábamos, el ejército nuestro, embrión del ejército que estábamos desarrollando.

Siempre hubo, desde que se fundó nuestra organización, desde antes del Moncada, el concepto de una dirección colectiva, pequeña, reducida, de mucha confianza, porque no puede hacerse de otra forma en un movimiento político: el concepto de un núcleo de dirección y de una dirección colectiva, compartir las responsabilidades. Esto ocurre antes del 1º de enero de 1959, en que triunfa la Revolución. Desde luego, en el momento del triunfo, el papel del Ejército Rebelde fue considerable. Había unos 3 mil hombres sobre las armas, con armas de guerra propiamente dichas. Nosotros con solo 3 mil hombres teníamos en la provincia de Oriente 17 mil soldados cercados y la isla dividida en dos partes. El régimen estaba liquidado, el ejército de Batista no podía resistir más. Es decir, juegan un papel fundamental las unidades de combate del Ejército Rebelde en la culminación de esta guerra.

El apoyo del pueblo, por supuesto, es un factor decisivo. Esto se demostró cuando la alta oficialidad del ejército de Batista intenta dar un golpe de Estado, incumpliendo un acuerdo con nosotros. Porque el jefe de operaciones enemigo me pide una entrevista, admite que ha perdido la guerra, y llega a un acuerdo con nosotros. Yo mismo le sugiero: "Vamos a buscar una salida elegante, vamos a salvar a muchos de los oficiales". Porque no todos los oficiales eran asesinos, aunque, desgraciadamente, muchos de los jefes principales eran crueles, de los jefes principales de las Fuerzas Armadas. Pero este jefe de operaciones, que fue el que realizó la última ofensiva en la Sierra Maestra –10 mil hombres contra 300, un hecho notable porque 10 mil hombres no pudieron derrotar a 300 en 70 días de combate, al final, los 300 nos habíamos convertido en 805 hombres armados y les habíamos hecho más de mil bajas, habíamos derrotado la ofensiva y a las mejores tropas enemigas, ocupándoles gran cantidad de armas y triplicando nuestra fuerza–, este hombre que dirigió aquellas tropas era un oficial con capacidad y no un criminal; tenía prestigio.

En realidad, nosotros tuvimos en cuenta eso y él era el jefe de todas las fuerzas en operaciones que luchaban contra nosotros; casi al final de la guerra, se reúne conmigo y me dice: "Hemos perdido la guerra". Yo le sugiero que organicemos un levantamiento conjunto: "Podemos salvar a muchos oficiales bien preparados y valiosos, no comprometidos con los crímenes". Estuvo de acuerdo, pero insistió en ir a La Habana. Yo le recomendaba que no lo hiciera; le dije: "Hay riesgos". El insistió en que tenía suficientes contactos y que no podían tocarlo. Entonces es cuando le planteo tres cosas: no queremos contacto con la Embajada norteamericana, no queremos golpe de Estado en la capital, y no queremos que dejen escapar a Batista. Desgraciadamente, este hombre, vaya usted a saber quién lo convenció por el camino, qué lo perturbó de tal forma que después de concertar el acuerdo, en virtud del cual el día 31 de diciembre se iba a producir el levantamiento de las tropas en operaciones, hace exactamente las tres cosas que se había comprometido a no hacer: se pone en contacto con la Embajada norteamericana, da un golpe de Estado en la capital y despide a Batista en el aeropuerto. Al otro día nosotros lanzamos la consigna de la huelga general y les dimos instrucciones a todas las tropas de no hacer alto al fuego, y en 72 horas estaba desarmado el resto del ejército.

Quiero decir con esto que el Ejército Rebelde juega un papel decisivo. Detrás del ejército, pues en ese momento el Movimiento se manifiesta fundamentalmente a través del ejército guerrillero, un río de pueblo. Yo decía esta frase: "Un Amazonas de pueblo en un pequeño cauce, que no podía ni organizar ni abarcar tanta masa de pueblo", porque lo que había era un Amazonas de pueblo detrás de la Revolución, y una organización política relativamente pequeña. Y nuestro propio Movimiento, desde luego, tenía sus corrientes internas, donde pudiéramos hallar un poco de derecha y un poco de izquierda, había ciertas contradicciones en todo eso.

Pero yo comprendía perfectamente que la masa de pueblo que apoyaba la Revolución, era mucho mayor que nuestro Movimiento y mucho más amplia que nuestro Movimiento y que no podíamos ser sectarios. Porque podemos decir que teníamos el apoyo total por el rol que había jugado nuestro Movimiento, pero desechamos las ideas de tipo hegemónico, y nosotros si lo deseábamos estábamos en condiciones de ejercer una hegemonía total. Yo me preguntaría cuántas personas, cuántos dirigentes políticos, en las condiciones en que estábamos nosotros en Cuba, hubieran renunciado a la idea de la hegemonía.

Frei Betto. Cuando usted habla de no ser sectario, yo pregunto si era parte de esta posición evitar la utilización frecuente de consignas clásicas del marxismo-leninismo. Quiero añadir a esta pregunta una impresión. Cuando se viene la primera vez a Cuba, es una sorpresa para nosotros constatar que, al contrario de la impresión que nos hace pasar el imperialismo, casi no se encuentran por las calles imágenes de Marx, de Lenin, y se encuentra siempre la figura de Martí. Entonces pregunto si en esa posición no sectaria está ahí también el rescate de los valores nacionales y de los símbolos que tienen significado en la cultura del pueblo, teniendo cuidado con cosas que son importantes y que muchas veces la gente no capta con facilidad.

Fidel Castro. Yo no lo relaciono precisamente con eso, porque ya eso depende de otros factores, de otros criterios, de otras ideas. En este caso, cuando estoy hablando de sectarismo, lo digo porque nuestro Movimiento había jugado el rol fundamental en la lucha y en la victoria, tenía el apoyo de todo el pueblo; es decir que hubiéramos podido tratar de hacer prevalecer nuestra organización y nuestro Movimiento como el centro clave de la Revolución. Podíamos decir: bueno, somos más fuertes que todas las demás organizaciones, vamos a no compartir las responsabilidades, vamos a asumirlas nosotros solos. Eso ha ocurrido infinidad de veces en la historia, casi sin excepción. Sin embargo, ese no fue el camino que seguimos. Yo creo que los éxitos de la Revolución están precedidos realmente, en muchos casos, de soluciones correctas, de soluciones serias, de soluciones sabias.

El primer sectarismo contra el que yo empiezo a luchar, es el sectarismo de los que habíamos estado en las montañas, porque ya empezaban a ver de modo diferente a los que habían estado en el llano y a los que habían estado en la clandestinidad. Digo: no, si lucharon, si corrieron riesgos, muchas veces, incluso, más riesgos que nosotros. Tal vez no caminaron lo que caminamos nosotros, ni subieron las montañas que subimos nosotros, pero sí corrían riesgos todos los días. Cuando ya nosotros dominábamos el territorio, podían aparecerse, desde luego, los aviones y localizarnos en un amanecer, en un atardecer, al mediodía; eran otros tipos de riesgos que nosotros sabíamos prever. Pero los compañeros en la clandestinidad corrieron muchos riesgos; muchos murieron, y murieron incluso probablemente más en la clandestinidad que en la guerrilla. Desde luego, el guerrillero, el combatiente en una unidad militar adquiere más disciplina, más espíritu colectivo; el hombre de la clandestinidad es un poco más individualista, está por lo general más solo, más aislado. Yo diría que ayuda más la lucha abierta a la formación de un espíritu de confraternidad, de disciplina, de colectividad, que la lucha clandestina.

La segunda tendencia sectaria a combatir era la de nuestra organización con relación a las demás organizaciones, que tenían menos fuerza y eran más pequeñas. Esto debía evitarse no solo con el Partido Socialista Popular, que después del 26 de Julio era la organización que tenía más fuerzas organizadas y poseía influencia en sectores obreros, aunque nuestro Movimiento, nuestro ejército guerrillero, tenía un inmenso prestigio entre los trabajadores del país, a pesar de que todos los sindicatos estaban en manos de Batista, es decir, las direcciones sindicales. El día 1º de enero, cuando ocurre precisamente el hecho mencionado del golpe de Estado en la capital, nosotros lanzamos la consigna de huelga general revolucionaria, que era la misma que teníamos planeada cinco años y medio antes cuando atacamos el Moncada, la misma idea básica. Les ordenamos a las tropas que siguieran el avance y a los trabajadores del país, al pueblo, les pedimos que paralizaran todas las actividades y las paralizaron completamente, con impresionante disciplina; no se movía nada en el país. Los trabajadores de las estaciones de radio y televisión, a su vez, pusieron a Radio Rebelde, la radio de la Comandancia General, en sintonía con todas las estaciones de radio y televisión del país. Lo único que no paralizaron fue la televisión y la radio, que dejaron conectadas con Radio Rebelde. Ya podíamos hablarle a todo el pueblo, porque fueron los únicos centros que no pararon. Es decir, había una ascendencia moral muy grande sobre los trabajadores.

Desde luego, el Partido Socialista Popular era la organización que tenía más experiencia partidaria, más organización política, más viejos militantes; nosotros éramos un grupo más reducido de nuevos militantes, los que habíamos llevado a cabo aquella lucha, aunque teníamos muchos compañeros jóvenes con grandes méritos acumulados en esa etapa. Después estaba el Directorio Revolucionario, organización surgida de los estudiantes, de la cual había sido líder precisamente José Antonio Echeverría, quien fue sustituido a su muerte por otro compañero, Faure Chomón. Ya eran tres organizaciones que lucharon.

Pero también estaban todos los demás partidos y organizaciones que habían estado contra Batista aunque no hubieran participado en la lucha armada. Y yo hablé con todas las organizaciones, con todos los partidos, incluso los viejos y desacreditados partidos que habían sido desalojados del poder. Ni con esos quisimos ser sectarios y levantamos la bandera de unir a todas las fuerzas.

Digamos, si el 95 por ciento del pueblo estaba con la Revolución, y el 26 de Julio podía tener el 85 o el 90 por ciento de la gente, fuera un 10 por ciento o fuera un 5 por ciento lo que tuvieran los demás, nosotros dijimos: hace falta ese 5 por ciento, y hace falta la unidad; porque la unidad es una cuestión no solo cuantitativa, es también cualitativa en una revolución; no mido si los demás partidos equivalen al 10 por ciento ó al 15 por ciento de la fuerza. No. Digo: los demás partidos le dan una calidad a la revolución, que es la unidad y el principio de la unidad. Si el principio de la unidad no prevalece, no solo te divide de los demás partidos, sino que se producen divisiones en el seno de tu propia organización, cuando empiezan a surgir tendencias, criterios, antagonismos, a veces hasta de clase; porque nuestro Movimiento era más heterogéneo, nuestro Movimiento se caracterizaba por ser, como era, toda la gran masa, el Amazonas de pueblo en un pequeño río, y en aquel Amazonas había de todo, de un sector y de otros.

Y, nosotros, el principio de la unidad lo aplicamos con todas las organizaciones. Tú puedes estar seguro de que el que no se quedó con la Revolución es porque no quiso quedarse con la Revolución, no porque no tuviera oportunidad de permanecer en ella. Porque les dimos la oportunidad a todos. Pero entonces la inconformidad, las ambiciones, las frustraciones comenzaron a actuar, empieza la política divisionista y subversiva de Estados Unidos, empiezan los conflictos de intereses y, lógicamente, muchos de aquellos partidos comienzan a inclinarse a favor de los intereses de Estados Unidos y a favor de los intereses de la reacción. Van quedando fundamentalmente las tres organizaciones que realmente tenían más prestigio en la lucha, que fueron el 26 de Julio, el Partido Socialista Popular, antiguo partido comunista, y el Directorio Revolucionario, la organización política de los estudiantes. Y enseguida empezamos a coordinar, primero que todo a coordinar.

Esto no fue fácil, porque después hubo sectarismo. Nosotros habíamos luchado contra nuestro sectarismo, pero el PSP no había luchado contra su sectarismo realmente, y hubo sectarismo, que dio lugar a discusiones y a críticas, que fue necesario erradicar en cierto momento. En el Directorio puede haber habido también algunas manifestaciones de cierto sectarismo, pero solo en los primeros días.

Se fue creando realmente una unión entre estas fuerzas y una cooperación, tanto en la base como entre los dirigentes, de modo que pocos meses después de la Revolución ya empezamos a constituir una dirección también de tipo colectiva, en que estaban representadas las distintas fuerzas. Estaban presentes en esta organización, por supuesto, los cuadros principales, porque ahí estaba el Che, estaba Raúl, estaba yo y un grupo de compañeros procedentes del Ejército Rebelde y del 26 de Julio, y compañeros de otras organizaciones.

El principio de la dirección colectiva, siguiendo la tradición, se establece también rápidamente después de la Revolución, de modo que cuando no estaban integradas las organizaciones todavía de forma orgánica, ya nosotros teníamos una dirección colectiva otra vez desde los primeros tiempos de la Revolución, y casi todas las medidas las analizábamos y las discutíamos en esa dirección. Es decir que fuimos creando el órgano de dirección desde el primer momento de la Revolución, y ese principio se ha mantenido hasta hoy; porque después vino el momento de la integración de todas las fuerzas, la desaparición de las distintas organizaciones y la constitución de una sola organización. Es cuando surgen, primero, las ORI, Organizaciones Revolucionarias Integradas; fue lo primero.

Hubo en ese período fenómenos de sectarismo. ¿Qué origina el sectarismo? El Partido Socialista Popular tenía una organización más homogénea que la nuestra, porque era de origen obrero, y con más educación política; nuestra organización era más heterogénea, y con algunas dificultades y tendencias dentro de la misma. Es cuando empieza la actividad muy dura del imperialismo. Como el número de cuadros que nosotros teníamos era relativamente reducido, a veces había que nombrar a alguien para una tarea política determinada que requería gran confianza en el cuadro y teníamos que echar mano de un viejo militante comunista. Nos daba más seguridad a veces que si seleccionábamos a otro tipo de compañero más nuevo y con menos formación.

Ellos aportaron cuadros realmente que fueron muy útiles. No aportaron mucha masa en realidad, aunque tenían masa, pero no comparable con el volumen de la masa de nuestro Movimiento; dieron, sin embargo, importante ayuda de cuadros, que es la ventaja de tener cuadros. Acuérdate que desde que surge nuestro Movimiento hasta que triunfa han transcurrido apenas seis años. No podíamos decir que teníamos un movimiento con vieja militancia de 15, 20, 25 años. El Partido Socialista tenía decenas de años de organizado, tenía militantes bien formados ideológicamente; ellos aportaron cuadros. Claro que nuestro Movimiento aportó también muchos cuadros, la mayoría de los cuadros los aportó nuestro Movimiento, pero ellos aportaron valiosos cuadros. También los aportó el Directorio.

Partidarios de otras organizaciones vinieron también con la Revolución; sus jefes se fueron, pero la gente humilde de fila se quedó. Del número reducidísimo de simpatizantes que tenían, una parte siguió con la Revolución. Digo reducidísimo, porque el mismo proceso revolucionario, con ese mar de pueblo que llevó tras sí, prácticamente barrió con todos los partidos tradicionales. Algunos podrían decir: tengo 100 que me siguen o tengo 200; la Revolución tenía millones de personas que la seguían. Entonces aplicamos el principio de la unidad, un principio básico; la dirección colectiva, otro principio básico presente, siempre presente.

Hubo problemas, como yo te conté. En cierto momento, esa misma circunstancia de que el Partido Socialista Popular tuviera cuadros que eran confiables, porque se trataba de viejos militantes, dio lugar a cierto sectarismo por parte del viejo partido comunista. Ese problema venía desde antes ya; no se origina cuando se produce la unidad, sino en el propio período de la clandestinidad y de la lucha contra Batista se producen algunos de esos fenómenos dentro del viejo partido, originados por alguna gente con ambiciones y métodos incorrectos que, aprovechando las condiciones de la clandestinidad, habían empezado a ejercer atribuciones excesivas. Y cuando se produce la integración esos elementos están presentes. Pero fue rectificado sin problemas, sin dificultades, y siempre combatiendo los sectarismos. Porque yo lo que hice fue combatir los sectarismos: primero el de los guerrilleros, después el de nuestro Movimiento, después el de otras organizaciones, y después combatir cualquier manifestación que pudiera surgir; si hubo sectarismo de parte del Partido Socialista Popular, que no surgieran otros sectarismos porque aquellos habían sido sectarios. Fue una lucha invariable por mantener la unidad y combatir cualquier forma de sectarismo. Así avanzamos hasta que fundamos el Partido en 1965.

En ese período, el socialismo se declara en 1961. ¿Cuándo? A raíz de la invasión de Girón.

Cuando se produce la invasión, nosotros habíamos hecho muchas leyes, porque ya se habían producido medidas norteamericanas contra Cuba de embargos, bloqueos económicos, y nosotros respondimos nacionalizando industrias norteamericanas; quitaban la cuota azucarera, y nacionalizábamos un determinado número de industrias, todos los centrales azucareros; íbamos tomando medidas contra medidas. Todo eso aceleró el proceso de nacionalización, las medidas que iba tomando Estados Unidos contra nosotros.

Entonces, ya empezaba la gran campaña anticomunista. Ese fue el primer recurso al que acudieron, para explotar la ignorancia política de una gran parte de las masas, la falta de una preparación y una cultura política del pueblo, para aprovechar en su favor todos los prejuicios que habían sembrado durante decenas de años.

Hicieron cosas infames. Entre las campañas, por ejemplo, para promover el éxodo del país, un día inventaron un decreto, falso totalmente, diciendo que alguien lo había tomado de un ministerio, y que era un proyecto de decreto para privar a la familia de la patria potestad. Fíjate qué cosa absurda. Pero, como se sabe, muchas de estas cosas absurdas infunden temor, miedo, porque no constituyen una apelación a la razón, sino una apelación al instinto; una persona que pensara no diría nunca que eso puede ser creíble, pero una madre que ve a su niño, y que le dicen: oye, te van a quitar el niño... Y le decían que lo iban a enviar para la Unión Soviética, cosas por el estilo.

Yo digo: bueno, ¿y estos inventos los habrán hecho contra nosotros? Después cuando leí *Sangre en el Don* y toda una serie de otras obras de Shólojov, que después recibió el Premio Nobel de Literatura, me encuentro que esto era tan viejo como la Revolución Bolchevique. En aquella época habían inventado las mismas cosas que utilizaron contra nosotros cuarenta y tantos años después; eran viejas, no eran ni siquiera producto de una imaginación más fresca. Y muchas de esas campañas se hicieron también contra Cuba.

FREI BETTO. Muchas de esas cosas las dijeron de los cristianos en los primeros siglos, y decían que comían carne humana.

FIDEL CASTRO. Es cierto, tú has buscado un buen ejemplo. Yo a veces me he acordado de eso, del tipo de campaña calumniosa que se hacía contra los cristianos en aquella época. Me imagino que en la Revolución Francesa inventaron cosas por el estilo, y en todas partes las han inventado.

Eso, entre otros objetivos, para promover el éxodo. Estados Unidos empezó a llamar, a abrir las puertas, cosa que nunca había hecho, a todo el que quisiera ir para ese país, para privarnos de profesores, maestros, médicos, ingenieros, técnicos. Empezó el éxodo de profesionales calificados; ofrecieron altos salarios, ofrecieron lo que nunca habían ofrecido.

Nosotros aceptamos el reto; no prohibimos la salida de esa gente. Dijimos: bien, vamos a formar nuevas generaciones de técnicos y de profesionales, y mejores que los que se van. Con los que se quedaron, empezamos nosotros a desarrollar nuestras universidades.

FREI BETTO. ¿Cuántos salieron en esa época?

Fidel Castro. Para ponerte un ejemplo, había 6 mil médicos en nuestro país; se fueron 3 mil, la mitad de los médicos del país. Nosotros ocupamos hoy el primer lugar entre todos los países del Tercer Mundo en índices de salud, y por encima de varios países desarrollados. Empezamos nuestro programa de salud con la mitad de los médicos que había en el país. Hoy tenemos 20 500, y dentro de unos meses, al final de este curso, vamos a graduar 2 436 más. Crecerá en los próximos cursos y después, año por año, graduaremos, a partir de 1988, 3 mil médicos por año, 3 500 después de 1990; 50 mil nuevos médicos en los próximos 15 años. Pero hubo un tiempo en que nos quedamos con la mitad de los médicos que había en el país. Nos obligaron a aceptar el reto, aunque nosotros hemos aceptado muchos retos; creo que por eso estamos aquí.

El enemigo acudió al prejuicio, a la mentira, a las campañas, para desorientar, para confundir, para herir. Todavía el pueblo no tenía sólida cultura política, pero sí estaba con la Revolución, confiaba en la Revolución y sabía que la Revolución significaba un gobierno que estaba al lado del pueblo.

Íbamos cumpliendo nuestro programa poco a poco. Todas estas agresiones aceleraron el proceso revolucionario. ¿Fueron la causa? No, sería un error. Yo no pretendo que las agresiones son la causa del socialismo en Cuba. Eso es falso. En Cuba íbamos a construir el socialismo lo más ordenadamente posible, en un período razonable de tiempo, con la menor cantidad de trauma y de problemas; pero las agresiones del imperialismo aceleraron el proceso revolucionario.

También echaron a rodar la tesis de que esta era una revolución traicionada; que le habíamos dicho una cosa al pueblo y que estábamos haciendo otra. Quien lea el discurso de defensa en el juicio del Moncada, que después se publicó con el título de *La historia me absolverá,* verá que el programa que nosotros estábamos haciendo era ése. Lo que, indiscutiblemente, no estábamos calculando cuando hicimos ese programa, era que nos iban a quitar la cuota azucarera, iban a tomar las medidas agresivas, iban a tratar de liquidar la Revolución por las armas, e incluso de invadir el país. Quizás en aquella época padeciéramos todavía un poco la creencia idealista de que por ser un país soberano, porque haríamos cosas justas, esas cosas tenían que ser respetadas por todo el mundo.

Tuvimos una lección práctica realmente sobre esto; tuvimos una lección clara de que el imperialismo no permite cambios sociales, no los admite, y trata de destruirlos por la fuerza. La decisión que nos acompañó en aquel momento también fue fundamental. Si hubiéramos vacilado, si nos hubiéramos atemorizado, si hubiéramos retrocedido, hubiéramos estado perdidos.

Y así es cuando se produce la invasión. Lo primero que ocurre es un bombardeo sorpresivo sobre todas nuestras instalaciones aéreas, para destruirnos los pocos aviones que teníamos, el día 15 de abril de 1961, al amanecer. Yo estuve despierto toda la noche en el puesto de mando, porque habían llegado noticias de que por Oriente iba a desembarcar una fuerza enemiga que había sido detectada junto a la costa.

Raúl estaba en Oriente. Siempre que venían estas situaciones, nos dividíamos las regiones; Almeida era enviado al centro del país, el Che para Occidente, y yo permanecía en La Habana. Cada vez que se hablaba de invasión de Estados Unidos, nos dividíamos en el país. Claro, no teníamos la organización que tenemos hoy en todos los sentidos. Recibí la noticia del posible desembarco, permanezco en guardia y, al amanecer, veo pasar unos aviones muy cerca del puesto de mando, que era una casa que teníamos aquí en el Vedado, y veo que a los pocos segundos están atacando con cohetes la base aérea de Ciudad Libertad. Atacaron varias bases, para destruirnos los pocos aviones que teníamos. Murieron algunos combatientes.

Hay ahí una cosa impresionante. Uno de los que muere allí, está herido, está desangrándose, y en una pared escribió mi nombre con su sangre, en una tabla. Se conserva, debe estar en el museo. Ya te digo, una cosa impresionante, reflejaba la actitud de la gente: un joven miliciano que está muriendo, y su protesta fue escribir con su sangre un nombre.

Hay una indignación terrible. El día 16 estamos enterrando a los muertos, y decenas de miles de milicianos armados, y unidades del Ejército Rebelde, participan en el acto. El ejército todavía era pequeño, la gran masa de combatientes estaba constituida por el pueblo armado: obreros, campesinos, estudiantes. Ese día es cuando yo doy respuesta, no solo militar, sino política: proclamo el carácter socialista de la Revolución antes de los combates de Girón.

Ese mismo día, alrededor de las 12 de la noche, empiezan los desembarcos, entre el 16 y el 17. Ellos trataron de destruir nuestra fuerza aérea para tener completo dominio del aire, pero nos quedaban todavía más aviones que pilotos: unos ocho aviones y unos siete pilotos. Al amanecer del 17, todos los barcos estaban hundidos o en fuga, la flota completa, con los pocos aviones que teníamos. Al amanecer estaban en el aire, rumbo a Girón, cuando nos dimos cuenta de que era esa la dirección principal del ataque. Y ahí fueron los combates, no te voy a hablar de eso. Pero ese día se proclama el carácter socialista de la Revolución.

De manera que frente a la invasión organizada por los yankis, nuestro pueblo combate ya por el socialismo. Si desde 1956 está combatiendo por la Constitución, por el derrocamiento de Batista, por un programa social avanzado, pero todavía no socialista, en ese momento combate por el socialismo. Y eso tiene un gran simbolismo, porque decenas de miles de hombres se dispusieron a afrontar lo que viniera. No hay que olvidarse de que los combates de Girón se libraron en presencia de la escuadra norteamericana que estaba a tres millas de la costa, de sus naves de guerra: sus cruceros y sus portaviones. Su escuadra estaba a tres millas de donde se estaban librando los combates, y decenas de miles de hombres lucharon con una gran decisión y más de cien murieron en aquellos combates. No es tan elevado el número de los que murieron, como el de los que estuvieron dispuestos a morir si las tropas de Estados Unidos hubiesen desembarcado en nuestra patria. El fulminante y victorioso contrataque no les dio tiempo a crear las condiciones políticas mínimas planificadas, para justificar la intervención.

Es decir, ya a partir del 16 –y se lo dije al pueblo en vísperas de combates decisivos–, se luchó por el socialismo en nuestro país.

La otra pregunta sobre los que ingresan al Partido. Este proceso está precedido de todas las luchas que te expliqué anteriormente. ¿Qué ocurría? Todas aquellas clases sociales privilegiadas que tenían el monopolio de la Iglesia, estaban contra la Revolución, de modo que cuando nosotros organizamos el Partido, no estábamos excluyendo a un católico propiamente, nosotros estábamos excluyendo a un contrarrevolucionario potencial. No quiere decir esto que todos ni mucho menos lo fueran.

Tuvimos que ser muy estrictos en la exigencia ideológica y en la doctrina, muy estrictos. Entonces, no exigíamos propiamente que tuviera que ser un ateo, es decir, no se inspiraba esto en un propósito antirreligioso: lo que exigíamos era la adhesión integral y cabal al marxismo-leninismo. Desde luego, se llegó a ese rigor, determinado por aquellas circunstancias, en que no nos quedó más remedio que velar por la pureza ideológica del Partido. Claro está, en nuestras condiciones era políticamente posible, porque la gran masa de la población, del pueblo, trabajadores, campesinos, de los que nos apoyaban, no eran militantes católicos. No se le exigía al individuo: bueno, usted tiene que renegar de una creencia para entrar en el Partido. Se suponía que el que aceptaba el Partido, aceptaba la política y la doctrina del Partido en todos los aspectos.

¿Eso hubiera podido ocurrir en otro país? No. Si en nuestro país la gran masa hubiera sido cristiana, la gran masa de obreros, la gran masa de campesinos, la gran masa de estudiantes universitarios, cristiana militante, no podíamos hacer un partido revolucionario con esas premisas, no lo habríamos podido hacer. Tampoco tal vez una revolución si esa masa humilde hubiese sido contrarrevolucionaria, lo cual, por cierto, nunca podrá esperarse de ella. Pero como ocurrió el hecho de que la mayoría de la militancia católica estaba fundamentalmente en una clase rica, que apoyaba a la contrarrevolución y en gran parte, además, se fue del país, entonces nosotros podíamos y debíamos hacer eso, es decir, establecer una norma rigurosa y ortodoxa: hay que aceptar el marxismo-leninismo en todos sus aspectos, no solo político y programático, sino también filosófico. Como norma se estableció eso, que fue determinado por estas circunstancias.

Tú me puedes preguntar lo siguiente: ¿tiene que ser así? Te respondo: no tiene que ser así, no tengo la menor duda de que no tiene que ser así, y no ha sido así, incluso, históricamente. Tú tienes países donde el catolicismo, como el mismo caso de Polonia, es inmensamente mayoritario en la población y el partido comunista polaco tiene muchos católicos en sus filas. Es decir, esto no está en las tradiciones del movimiento revolucionario, ni siquiera del movimiento comunista, ni existe en América Latina.

Frei Betto. ¿Y usted como militante del Partido Comunista cubano, ve la posibilidad de que en el Tercer Congreso, ahora en febrero de 1986, se decida proclamar el carácter laico del Partido y exista la posibilidad de que cristianos revolucionarios cubanos puedan en un futuro ingresar en el Partido?

Fidel Castro. Yo creo que todavía –estamos muy próximos al Congreso– no están dadas las condiciones en nuestro país para eso; te lo digo francamente. Me hablas de una fecha tan cercana como febrero. Tú y yo hemos conversado mucho sobre estos temas, y hemos hablado incluso de eso.

La etapa en que estamos actualmente es de coexistencia y de respeto mutuo entre el Partido y las Iglesias. Con la Iglesia Católica tuvimos dificultades hace años, que fueron superadas; todos aquellos problemas que en un momento existieron, desaparecieron. Los problemas que existieron con ella, no los tuvimos nunca con las Iglesias protestantes, y nuestras relaciones con estas instituciones han sido siempre y son excelentes. No solo los católicos, sino muchos de esos militantes de Iglesias protestantes que nos apoyaron siempre, pueden decir: no es justo esa fórmula que nos discrimina. Claro, son más numerosos los católicos en nuestro país que los miembros de las Iglesias protestantes, pero ellos constituyen un número importante de personas en este país, que siempre han tenido muy buenas relaciones con la Revolución.

Hemos hablado que hay que hacer algo más que coexistir en paz. Debieran existir relaciones más estrechas, mejores, debiera haber relaciones de colaboración incluso, entre la Revolución y las Iglesias. Porque, desde luego, ya no pueden ser Iglesias de los terratenientes, de los burgueses, de los ricos. Con aquella Iglesia de los terratenientes, de los burgueses, de los ricos, era imposible que se desarrollara un acercamiento y una colaboración. Podríamos autocriticarnos en este sentido, tanto nosotros como las propias instituciones eclesiásticas en estos años, de no haber trabajado en esa dirección, de habernos conformado con coexistir y respetarnos mutuamente.

Como tú conoces perfectamente, está establecido y garantizado en la Constitución de nuestra República el más estricto respeto a las creencias religiosas de los ciudadanos. Esto no es una simple táctica política. Es correcto como principio político el respeto a los creyentes, puesto que vivimos en un mundo de muchos creyentes, y no es conveniente el enfrentamiento de las revoluciones con las creencias religiosas, o que la reacción y el imperialismo puedan utilizar las creencias religiosas como armas contra las revoluciones. ¿Por qué van a utilizar la creencia religiosa de un obrero, de un campesino, de un hombre humilde del pueblo contra la Revolución? Podríamos decir que políticamente no es correcto eso. Pero nosotros no solo lo vemos como un punto de vista político, sino lo vemos como un principio. No se trata de una táctica política; consideramos que se debe respetar el derecho de los ciudadanos a su creencia, como hay que respetar su salud, su vida, su libertad y todos los demás derechos. Es decir, considero que ese es un derecho inalienable, pudiéramos decir, del individuo, a su pensamiento filosófico, a su creencia religiosa, a tenerla o no tenerla. Lo creemos como un derecho inalienable del individuo, como muchos otros derechos del individuo; es decir, no es una simple cuestión de táctica política.

Ahora, tú me preguntabas si estaban dadas las condiciones. Yo creo que no, porque no hemos trabajado para eso; debiéramos haber trabajado más en esta dirección. Si tú me preguntas: ¿es vital para la Revolución eso?, yo te diría: no es vital para la Revolución eso, en el sentido de que nuestra Revolución tiene una enorme fuerza, enorme fuerza política y enorme fuerza ideológica; pero si no logramos ese clima, entonces no podemos decir que nuestra Revolución es una obra perfecta, porque en tanto existan circunstancias en las que haya individuos que por determinadas creencias religiosas no tengan las prerrogativas que tengan otros, cumpliendo sus deberes sociales exactamente igual que todos los demás individuos, no es completa nuestra obra revolucionaria.

FREI BETTO. Claro, mas eso supone eliminar el carácter confesional del Partido.

FIDEL CASTRO. Bueno, yo no puedo aceptar lo que tu dices del carácter confesional del Partido, aunque comprendo que tu fórmula de expresar la cuestión tenga cierta base, cierto fundamento; pero no es ciertamente una fórmula confesional –te estoy explicando cómo pienso yo sobre este problema–, no está en nuestra filosofía. Creo que esto surge, como te expliqué, de una necesidad, de una coyuntura histórica, y no pretendemos presentarlo como un paradigma; en realidad, prefiero también, unidos estrechamente en la Revolución y con todas las consideraciones iguales que todos los demás, a los individuos que tengan todas las virtudes para ser revolucionarios, independientemente de sus creencias religiosas.

Por eso te digo que no puede ser confesional. Lo que puede tender a parecer o a convertirse, como tú dices, en una especie de religión: tener que practicar la no creencia como filosofía, o el ateísmo como religión; no pensamos realmente así.

Y yo te digo cómo fue la historia, en la cual participé yo, y fueron criterios no de otros, sino míos, en aquellas condiciones. Yo tengo la principal responsabilidad en ese rigor y no lo niego, porque fui yo quien planteé: no, en tales y tales condiciones, lo correcto es esto, y tenemos que exigir una pureza total; tenemos que exigirla, porque Estados Unidos está contra nosotros y nos amenaza, porque necesitamos un partido muy unido, donde no haya la menor grieta, donde no haya la menor desavenencia, necesitamos un partido muy fuerte, porque tenemos un enemigo muy poderoso enfrente, que trata de dividirnos, porque tenemos un enemigo que ha estado usando la religión como ideología contra nuestra Revolución, y, por lo tanto, debe ser así. Fui yo quien lo planteé, hoy tengo esa responsabilidad; si alguno tiene esa responsabilidad histórica, soy yo, porque lo planteé y lo defendí con argumentos, como soy también el que estoy planteando ahora mis criterios y mis puntos de vista y las causas históricas de todo esto, y la necesidad, realmente, de que nosotros ayudemos a crear las condiciones para algunos avances en este terreno, porque, claro, han pasado 26 años desde el triunfo de la Revolución.

Te digo que podemos autocriticarnos tanto nosotros como las Iglesias en Cuba, fundamentalmente la Iglesia Católica, de no haber trabajado en la dirección de crear esas condiciones para que desaparezcan los vestigios, la sombra de lo que en el pasado nos obligó a este rigor en la selección de los militantes del Partido. Además, pienso que no puede ser modelo eso; pienso, como político, como revolucionario, que lo que hemos hecho no puede ser modelo, y que en América Latina tendrá que ser de otra forma. Así lo digo categóricamente, sin la menor duda.

FREI BETTO. En la cuestión interna de Cuba, ¿usted, desde su punto de vista, está de acuerdo con que un cristiano que quiera integrarse al proceso revolucionario sufra discriminación en la escuela, en la universidad, en su actividad profesional, y sea considerado un diversionista?

FIDEL CASTRO. Yo, por principio, no puedo estar de acuerdo con ningún tipo de discriminación. Así. Te lo digo francamente. Si me preguntan si existe cierta forma de discriminación sutil con los cristianos, te digo que sí, honestamente tengo que decirte que sí y que no es una cosa superada todavía por nosotros. No es intencionada, no es deliberada, no es programada. Existe, y creo que nosotros tenemos que superar esa fase: hay que crear las condiciones, y también hay que crear las condiciones de confianza en una circunstancia en que todavía el imperialismo nos amenaza y en que todavía muchos de los que están allá son los antiguos burgueses, los terratenientes y las clases privilegiadas que convirtieron la religión en una ideología contrarrevolucionaria. No les vamos a decir a los del lado de allá, imperialistas y sus clientes, que cooperen, no les vamos a pedir eso, pero sí es preciso decir que debemos crear las condiciones para que la actividad de ellos en el uso de la religión como instrumento contrarrevolucionario sea anulada por la confianza y la confraternidad que exista aquí entre todos los revolucionarios dentro de nuestro país.

Te digo cómo pienso: yo soy contrario a toda forma de discriminación. Me preguntas si esto podemos hacerlo en el próximo congreso. Te digo que todavía no; porque esto tiene que ser incluso explicado a toda la militancia, esto tiene que ser discutido con la misma militancia. Nosotros no adoptamos el método de decir desde arriba: esto es así, o en una reunión del Buró Político decir: esto es así, o en una reunión del Comité Central decir: esto debe ser así, porque en tanto no existan esas condiciones y esa conciencia, yo no puedo plantearlo siquiera o decirle a la gente: bueno, vamos a darle la militancia del Partido. ¿Y qué le explicamos? Porque hace falta que la militancia del Partido tenga la explicación y tenga la comprensión. Y creo que ustedes pueden ayudar mucho a esto. Tú puedes ayudar a esto con las conferencias que estás dando; muchos sacerdotes progresistas de nuestro hemisferio pueden ayudar a esto, la parte de la Iglesia que se ha unido a los pobres en América Latina, con el ejemplo que ha estado dando, luchando por los pobres en muchos países, lo que hicieron en tu país, lo que hicieron en Nicaragua, lo que hicieron en El Salvador y otros países. Creo que pueden ayudar a que las Iglesias cubanas trabajen también en ese sentido.

Porque para que estos problemas puedan resolverse, no basta que tú lo pienses o que incluso yo lo piense. Hace falta que tú lo pienses y yo lo piense, y hace falta que lo piense y lo comprenda nuestra militancia, nuestros cuadros y nuestro Comité Central, que lo piense nuestro pueblo y lo piensen también las Iglesias cubanas. Entonces, creo que debemos trabajar en esa dirección. Estos contactos, estos cambios de impresiones que hemos tenido tú y yo, me parecen un esfuerzo muy importante en este aspecto.

Frei Betto. No, ya puedo saber que aquí las cosas no vienen de arriba para abajo. Antes de la pregunta, subrayé que se la hacía a un militante del Partido, no al Primer Secretario.

Fidel Castro. Correcto, yo te contesté como militante del Partido, como revolucionario, y también como dirigente del Partido, como Primer Secretario del Partido.

Faltan pocos minutos para las 10:00 de la noche cuando desconecto la grabadora. El Comandante debe asistir a una cena en la casa del Embajador de Argentina. Antes de retirarse me ofrece un precioso regalo: una reproducción del primer afiche del Movimiento 26 de Julio, con un dibujo del rostro de Fidel y, en primer plano, el cañón de un fusil. El original está fechado en 1959. Sobre el afiche, escribe esta dedicatoria: "Aún no lo ha logrado, pero si alguien puede hacer de mí un creyente es Frei Betto. A él dedico este afiche de los primeros años de la Revolución. Fraternalmente, Fidel Castro."

# 3

En la tarde del sábado, 25 de mayo de 1985, asisto a la reunión de un grupo de jóvenes cristianos, unos cuarenta militantes de la Federación Universitaria del Movimiento Estudiantil Cristiano, que tiene lugar en nuestro convento en La Habana. Se trata de una meditación sobre el texto de San Lucas que narra la lectura que hace Jesús, en la sinagoga de Nazaret, de un pasaje del profeta Isaías (Lucas 4, 16-19):

"Habiendo ido a Nazaret, donde se había criado, entró, según su costumbre, el día de sábado en la sinagoga, y se levantó para encargarse de la lectura. Fuele dado el libro del profeta Isaías. Y en abriéndole, halló el lugar donde estaba escrito: El Espíritu del Señor reposó sobre mí: por lo cual me ha consagrado con su unción divina, y me ha enviado a evangelizar a los pobres, a curar a los que tienen el corazón contrito, a anunciar libertad a los cautivos y a los ciegos vista, a soltar a los que están oprimidos, a promulgar el año de las misericordias del Señor."

El "año de la misericordia" era, cada cincuenta años, el año en el cual todos los judíos debían pagar o perdonar sus deudas y liberar sus esclavos. Era un símbolo de la justicia y misericordia de Dios.

El coordinador sugiere que los jóvenes se dividan en grupos para analizar el significado del texto para nuestra vida de hoy, en la realidad cubana. Acompaño a uno de los grupos. Apunto lo que se dice.

—En Cuba, hay cristianos que cuestionan la liberación social, desde un punto de vista egoísta. No se dan cuenta de lo que ocurre en el mundo y en América Latina. No ven con seriedad la liberación. Piensan que la liberación anunciada por Cristo es solamente la del alma, y se olvidan que tenemos el deber de liberar no solamente al alma, sino al hombre completo. El compromiso del cristiano es con su fe y con la sociedad. Dios vino para todos, pobres y ricos. Pero exigió que los ricos repartiesen sus bienes. Y anunció a los pobres la liberación integral, su desarrollo como seres humanos.

Finaliza el comentario del dirigente del grupo y sobreviene un largo silencio. Los seis jóvenes que me rodean parecen bloqueados. Observo que eso no ocurre en los grupos que están próximos.

—Si lo prefieren, me voy del grupo y ustedes hablan —digo bromeando.

Un muchacho rompe el silencio:

—Cristo vino a anunciar la liberación. ¿Pero por qué motivo el profeta no es escuchado en su propia tierra?

Nadie contesta, pero todos parecen comprender que, detrás de la pregunta, hay cierto malestar que sienten muchos jóvenes cristianos en Cuba por el hecho de ser considerados "diversionistas" por sus compañeros de escuela o de trabajo. Como si la fe fuera, en sí, una desviación ideológica.

Doy mi modesta contribución:

—Sí, Jesús vino a traernos la liberación integral. Y, para él, no hay división entre cuerpo y alma, y tampoco se podría pensar en el individuo aislado de la sociedad. Al curar a los enfermos, él dejaba claro que el partido de Dios es el de la Vida. Dios no quiere la enfermedad y no se regocija por la pobreza. Nuestra fe es, por sí misma, subversiva. Si creemos que hay solo un Dios que es el Padre, entonces somos todos hermanos y ninguna diferencia, social o racial, se justifica entre nosotros. Luchar por la igualdad es luchar para que la fraternidad deseada por Dios sea real, pues cuando dejamos de luchar contra los obstáculos que dividen a los hombres, negamos la paternidad de Dios.

Otro joven toma la palabra:

—Hay hoy, en Cuba, una sociedad socialista, en la que, indiscutiblemente, tuvimos un primer momento de confrontación, que no fue positivo. Pero muchos cristianos supieron superar rencores y divisiones y establecer el diálogo con los no creyentes. Ese diálogo está basado en el hecho de que, en este país, nadie se muere de hambre. Alguno que otro se queja de la libreta, pero aun a pesar del férreo bloqueo aquí nadie nunca pasó hambre. No tenemos que hacer colas para resolver problemas de salud, tenemos policlínicos y hospitales, aquí no es como en otros países, donde tienen preferencia los que disponen de dinero para pagar al médico. A pesar de la democracia que se dice existe en esos países, hay desigualdad y mucha gente en la miseria. Y aquí en nuestra sociedad no tenemos esos problemas. Pero muchos cristianos se olvidan de eso. Hoy, América Latina enfrenta el gran problema de la deuda externa. En el texto que leímos, Cristo habla del jubileo que los judíos celebraban cada cincuenta años, cuando todas las deudas eran canceladas y se hacía justicia. Fidel, en la entrevista al periódico *Excélsior*, repitió lo que dijo Cristo al afirmar que la deuda externa es impagable. En eso él está llamando a un nuevo jubileo. Y es un marxista quien hace esa convocatoria a la justicia. A veces nosotros, los cubanos, nos pasamos la vida quejándonos, ignorando que nuestras preocupaciones, comparadas con los problemas de otras naciones, son cosas banales.

Asisto al plenario, que retoma las mismas ideas, y oigo una breve charla de un joven protestante sobre "La renovación cultural de la Iglesia". Me piden hablar un poco sobre la situación brasileña. Repito algunos datos que Joelmir Beting dio al Comandante, y amplío otras informaciones. Poco después, me llaman por teléfono. Es la oficina del Palacio de la Revolución. Me avisan para iniciar la tercera parte de la entrevista.

Son casi las 8:00 de la noche cuando entro en el despacho del dirigente cubano.

–Esta entrevista es peor que los ejercicios espirituales –dice Fidel con buen humor.

–La diferencia, Comandante, es que en los retiros de los jesuitas usted solamente escuchaba, y ahora soy yo quien oigo –replico.

Tomamos asiento a la mesa.

Frei Betto. Comandante, hoy empezamos la tercera parte de esta conversación, y creo que vamos a empezar también a salir un poquito de la historia de su lucha por la Revolución Cubana, y entrar en la situación interna de las relaciones entre Iglesia, Gobierno y Estado en Cuba. Hay dos preguntas: la primera, cómo fue su encuentro con los obispos norteamericanos, acá en Cuba, en enero de este año. La segunda pregunta, cómo son las actuales relaciones con la Conferencia Episcopal cubana.

Fidel Castro. Yo considero que la reunión con los obispos norteamericanos fue buena. Ellos tenían programada una visita a nuestro país, y se les brindaron todas las facilidades para que hicieran su recorrido a distintos lugares de la isla: estuvieron en Santiago de Cuba, y realizaron diversas actividades en un programa organizado por los obispos cubanos. Dentro de ese programa, se acordó disponer de un día para atenciones por parte del Gobierno cubano a los obispos; es decir, quedaba un día disponible para un programa organizado por el Gobierno. Ese día se comenzó temprano, visitaron una serie de puntos; por ejemplo, el casco histórico de la Ciudad de La Habana, donde se está llevando a cabo la restauración, y que es considerado patrimonio de la humanidad por acuerdo de la UNESCO.

Después visitaron un hospital moderno, construido recientemente en la ciudad de La Habana. Más tarde fueron a una escuela vocacional, en las afueras de la ciudad de La Habana, donde tenemos 4 500 estudiantes. Luego se trasladaron a ver una nueva institución escolar, una de las más importantes también, creada por la Revolución hace algunos años, que es la escuela en el campo; es decir, nosotros tenemos varios cientos de escuelas en el campo, son alrededor de 600, y ellos visitaron una escuela de las primeras que se construyeron. De modo que tuvieron amplios contactos con nuestros estudiantes.

Por la tarde tuvimos una reunión de varias horas. Como no habíamos terminado todavía y teníamos que ir a una pequeña recepción que les ofrecimos, a la que estaban invitados ellos, todos los obispos cubanos y también algunas monjas de las que trabajan en actividades sociales, interrumpimos la conversación, fuimos a la recepción, y después de la recepción continuamos la conversación.

FREI BETTO. ¿Cuánto tiempo hacía que usted no se encontraba con los obispos cubanos?

FIDEL CASTRO. Bueno, la última vez que había saludado a algunos de ellos fue a raíz de la visita de Jesse Jackson a Cuba, cuando tuvo lugar un homenaje a Martin Luther King, organizado por las Iglesias evangélicas, en el cual participó también la Iglesia Católica. Jackson me invitó a oír un discurso que tenía que pronunciar allí; por cierto, a mí también me hicieron pronunciar unas breves palabras, a lo cual accedí gustosamente, y en aquella ocasión saludé a distintos dirigentes eclesiásticos, entre ellos a algunos dirigentes de la Iglesia Católica que estaban presentes.

Yo tenía antecedentes de la posición de la Iglesia Católica norteamericana, porque existe allí un episcopado prestigioso, y ellos a nuestro juicio, han adoptado posiciones correctas y valientes sobre una serie de importantes cuestiones de nuestro tiempo. Puedo citarte, por ejemplo, su preocupación por la paz y su oposición a la carrera armamentista. Ellos también han elaborado determinadas tesis de carácter moral en relación con el empleo del arma atómica, esencialmente en lo que se refiere al empleo del arma atómica contra ciudades y contra la población civil; tienen preocupaciones serias y actitudes justas con relación a la pobreza que todavía azota a millones de norteamericanos. Al mismo tiempo, tienen preocupaciones y son opuestos a la política intervencionista en América Latina; a esto se suma, adicionalmente, su preocupación con relación a la pobreza y a todos los problemas del mundo subdesarrollado. Es decir, ellos están conscientes de la enorme pobreza que se abate sobre miles de millones de personas del Tercer Mundo. A mi juicio, esas son cuestiones de fundamental importancia.

Yo estaba interesado en sostener con ellos una conversación amplia y franca sobre estos temas, y sobre todos los temas que quisieran. Desde luego, con relación a Cuba, ellos estaban interesados en conocer las relaciones entre la Iglesia y el Gobierno, nuestras opiniones y nuestras posiciones al respecto, y estaban, además, deseosos de lograr un mayor acercamiento y un mejor entendimiento entre la Iglesia y la Revolución. Yo les hice una exposición acerca de los orígenes de los conflictos que surgieron, muy similar a la que te hice a ti en el día de ayer cuando hablamos de estos problemas, y también les expuse, con mucha franqueza, determinados análisis históricos acerca de la evolución de los acontecimientos político-revolucionarios; les hice igualmente algunas comparaciones con la evolución de la historia de la Iglesia Católica. Yo les dije que, a mi juicio, había muchas cosas comunes entre las doctrinas de la Iglesia y la Revolución.

FREI BETTO. ¿Por ejemplo?

FIDEL CASTRO. Hay un momento –y primero voy a señalar, si se quiere, las cosas críticas– en que yo dije: nosotros a veces hemos sido dogmáticos, pero ustedes también son dogmáticos y a veces han sido más dogmáticos que nosotros; ninguna institución fue tan dogmática, a lo largo de la historia, como la Iglesia Católica. Les dije también que a veces las revoluciones habían sido inflexibles, pero que ninguna institución había sido más rígida e inflexible, a lo largo de la historia, que la Iglesia Católica; que esa rigidez, esa inflexibilidad y esa intolerancia habían llevado, en una ocasión, a la creación de instituciones con ideas tales como la de llevar a la hoguera a muchas personas, a lo largo de siglos, por tener posiciones disidentes de las de la Iglesia. Les recordé, incluso, las hazañas de Torquemada, el caso de científicos, de pensadores que habían sido quemados vivos por disentir de la Iglesia.

Frei Betto. Torquemada era dominico, como yo. Mi consuelo es que yo soy hermano también de Giordano Bruno, de Tomás de Campanella, de Savonarola y de otros dominicos que, como Bartolomé de las Casas, lucharon por la liberación.

Fidel Castro. Yo no pienso que porque Campanella haya sido dominico, tú vayas a ser un comunista utópico.

Frei Betto. No, espero que no sea utópico. De todas maneras, yo creo que el comunismo tiene mucho de utopía, y nosotros, a lo que tiene de utopía, teológicamente le llamamos Reino de Dios, porque en el momento en que no haya ninguna contradicción, e incluso no exista más el Estado, entonces creo que vamos a llegar a otra esfera de cualidades espirituales en la vida humana.

Fidel Castro. Estoy de acuerdo contigo, porque es verdad que toda revolución tiene sueños y esperanzas de grandes realizaciones. Es posible que no llegue a realizarlas todas, por ese porcentaje de utopía que pueda tener una idea revolucionaria, como creo también que el cristianismo tiene, igualmente, elementos de utopía, del mismo modo que los tiene el socialismo y los tiene el comunismo. Pero, por mi propia experiencia de lo que ha ocurrido en nuestro país en estos 26 años, yo podría decirte que, en el caso de Cuba, nuestras realidades han superado nuestros sueños, y he de decirte que nosotros pasamos no por una fase utópica, sino subutópica, es decir, nos quedamos por debajo de la utopía en nuestros sueños, y quedamos por encima de la utopía en nuestras realidades.

No sabía, ciertamente, que Torquemada era de la misma Orden que tú, pero realmente me has señalado algunos nombres ilustres y prestigiosos, lo cual me alegra mucho.

Esa conversación con los obispos yo no la tuve en ánimo polémico, ni en ánimo crítico, sino como una meditación sobre la experiencia histórica y sobre los acontecimientos. Después les dije que había cosas comunes, que nosotros podíamos suscribir perfectamente casi todos los mandamientos de la ley de Dios, tienen mucho parecido con los nuestros. Si la Iglesia decía: "no robar", nosotros aplicábamos con rigor también ese principio: "no robar". Una de las características de nuestra Revolución es que suprime el robo, la malversación y la corrupción. Si la Iglesia decía: "amar al prójimo como a ti mismo", eso es, precisamente, lo que nosotros predicábamos a través de los sentimientos de solidaridad humana que están en la esencia del socialismo y el comunismo, el espíritu de fraternidad entre los hombres, que es también uno de nuestros más apreciados objetivos. Si la Iglesia decía: "no mentir", entre las cosas que nosotros más censuramos, que más duramente criticamos y más repudiamos, está la mentira, el engaño. Si la Iglesia decía, por ejemplo: "no desear a la mujer de tu prójimo", nosotros consideramos que uno de los elementos éticos de las relaciones entre los revolucionarios es, precisamente, el principio del respeto a la familia y el respeto a la mujer del compañero, a la mujer del prójimo, como dirían ustedes. Cuando, por ejemplo, la Iglesia desarrolla el espíritu de sacrificio y el espíritu de austeridad, y cuando la Iglesia plantea la humildad, nosotros también planteamos exactamente lo mismo cuando decimos que el deber de un revolucionario es la disposición al sacrificio, la vida austera y modesta.

FREI BETTO. A mí me gusta mucho la definición de Santa Teresita del Niño Jesús, que decía que la humildad es el compromiso con la verdad.

Ahora, yo quería añadir, me parece que también ustedes cumplen un mandamiento importante: "no tomar Su santo nombre en vano". Porque el nombre de Dios es invocado en vano por Reagan y por muchos gobiernos capitalistas. Yo prefiero una política justa que se hace en nombre de los principios humanos, que se hace en nombre de razones ideológicas; porque la política colonialista, imperialista, fascista, muchas veces se hace en nombre de Dios.

Lo que me tranquiliza es la conciencia bíblica de que en el fenómeno religioso existe la idolatría; o sea, mucha gente que cree en dioses y que en general no es el Dios Jesucristo. Yo estoy convencido, por ejemplo, y muchas veces me pregunto qué identidad hay entre el Dios en el cual yo creo, en el que creen los campesinos y obreros latinoamericanos, y el dios de Reagan, el dios de los generales asesinos de Chile, como Pinochet; no parece el mismo, son diferentes concepciones. Y una de esas concepciones es pura idolatría. El criterio evangélico para definir la concepción que no es idolatría es precisamente el compromiso de amor al prójimo y, sobre todo, a los pobres.

FIDEL CASTRO. Creo que tú has citado algunos ejemplos muy claros. Se pudiera decir que no solo hay cierta forma de idolatría, sino también enorme hipocresía en todo eso. Porque yo te planteaba que una de las cosas que nosotros detestamos es la mentira. Nunca hemos usado la mentira, ni ante el pueblo, ni ante nadie, porque el hombre que miente se degrada a sí mismo, se rebaja a sí mismo, se prostituye a sí mismo, se desmoraliza. Sin embargo, yo observo que en la política de Estados Unidos, no solo Reagan, casi todos los funcionarios acuden sistemáticamente a la mentira todos los días, no un día, sino todos los días, mentiras deliberadas y conscientes.

Tú mencionaste el caso de algunos señores como Pinochet. Pinochet es un hombre supuestamente devoto, y lleva sobre su conciencia la muerte de miles de personas, miles de personas asesinadas, torturadas o desaparecidas; el pueblo sufre terribles represiones y se le imponen enormes sacrificios. Chile es, hoy mismo, el país de América Latina con el más alto porcentaje de desempleados, que es a la vez el más alto que ha tenido jamás el país.

Tal vez no seamos capaces de imaginarnos el sufrimiento que han padecido millones de personas por una política que ha estado al servicio de la riqueza y al servicio de los intereses del imperialismo. La guerra de Viet Nam, donde se lanzaron más bombas juntas que en toda la Segunda Guerra Mundial, costó la vida de millones de personas. Sin duda que no es un ejemplo de cristianismo. Aquella guerra se engendró también en la mentira, todo aquello del incidente del golfo de Tonkín fue un invento fabuloso; todos los pretextos que se utilizaron para iniciar aquella guerra, fueron prefabricados.

Y así lo observamos constantemente en cada declaración del Gobierno de Estados Unidos sobre Suramérica, sobre El Salvador, sobre Nicaragua. Ya no te voy a decir sobre Cuba; sobre Cuba vienen mintiendo hace 26 años. La realidad es que hay una enorme hipocresía en toda esa gente, que muchas veces, incluso, invocan el nombre de Dios para cometer esos crímenes.

FREI BETTO. Permiso, Comandante. Digo que el dios que ustedes, marxista-leninistas, niegan, yo también lo niego: el dios del capital, el dios de la explotación, el dios en nombre del cual se hizo la evangelización misionera de España y Portugal en América Latina, con el genocidio de los indígenas; el dios que justificó y sacralizó las vinculaciones de la Iglesia con el Estado burgués; el dios que hoy legitima dictaduras militares como la de Pinochet. Ese dios que ustedes niegan, ese dios que Marx denunció en su época, nosotros también negamos a ese dios; ese no es el Dios de la Biblia, ese no es el Dios de Jesús.

Los criterios bíblicos para saber quién cumple realmente la voluntad de Dios, están en el Capítulo 25 de Mateo: Yo tuve hambre, y tú me has dado de comer; yo tuve sed, y tú me has dado de beber. Y hoy podríamos añadir: Yo no tenía enseñanza, y tú me has dado escuelas; yo estaba enfermo, y tú me has dado salud; yo no tenía vivienda, y tú me has dado un hogar. Entonces, concluye Jesús: Cada vez que se hace eso a uno de los más pequeños, a mí se me hace.

Ahora, acabo de venir de una reunión con un grupo de estudiantes cristianos cubanos; entonces, al momento, ellos me pidieron decir algunas palabras, y uno me preguntó qué pensaba yo de ser cristiano en una sociedad en que mucha gente es atea, y yo le dije: mira, para mí el problema del ateísmo no es un problema del marxismo, es un problema entre nosotros los cristianos; el ateísmo existe porque nosotros, los cristianos, históricamente no fuimos capaces de dar un testimonio coherente de nuestra fe. Entonces, por ahí empieza la cosa. Cuando se analiza la inversión que hizo la religión al justificar la explotación en la Tierra en nombre de una recompensa en el Cielo, ahí empiezan las bases que crean las condiciones para el ateísmo.

Yo quería decir que desde el punto de vista evangélico, la sociedad socialista, que crea las condiciones de vida para el pueblo, está realizando ella misma, inconscientemente, aquello que nosotros, hombres de fe, llamamos los proyectos de Dios en la historia.

FIDEL CASTRO. Algunas cosas que tú me estás diciendo son de mucho interés, y yo, en mis conversaciones con los obispos norteamericanos —que es lo que ha originado este intercambio de conceptos entre nosotros—, partía, precisamente, de esas cosas que son comunes en la enseñanza del cristianismo, y que a nosotros mismos nos enseñaban cuando éramos niños y adolescentes. Por ejemplo, la Iglesia criticaba la gula; el socialismo, el marxismo-leninismo, critica también la gula, casi podríamos decir que con la misma fuerza. El egoísmo es una de las cosas que más criticamos nosotros, y es una cosa criticada por la Iglesia; la avaricia es otra de las críticas sobre las cuales tenemos criterios comunes.

Yo, incluso, les añadía a los obispos que ustedes tienen misioneros que van al Amazonas, por ejemplo, a vivir con comunidades indias, o que van a trabajar con los leprosos, que ustedes van a trabajar con los enfermos en muchas partes del mundo, y que nosotros tenemos a los internacionalistas, porque decenas de miles de cubanos cumplen misiones internacionalistas. Les citaba el ejemplo de nuestros maestros que fueron a Nicaragua, 2 mil maestros viviendo en condiciones durísimas junto a las familias campesinas. Maestros y maestras, que es lo más interesante, porque casi el 50 por ciento de esos maestros que estaban en Nicaragua eran mujeres, muchas de ellas con familia, con hijos; se separaban de la familia dos años para ir a los lugares más recónditos de las montañas y de los campos de Nicaragua, a vivir donde vivían ellos, en un humilde bohío, a alimentarse de lo que se alimentaban ellos. Y a veces yo sé que en una misma casa, como regla, vivía la familia, el matrimonio, los hijos, el maestro o la maestra, y los animales.

En cierto momento estuvimos preocupados por la salud de esos maestros. Nosotros tratamos de enviarles algunos alimentos, estábamos preocupados por las condiciones de salud de ellos, por la forma en que se estaban alimentando; pero no era posible resolver el problema, tratamos de hacerlo pero fue inútil. Ningún maestro, si recibía una tableta de chocolate, o un poco de leche condensada o leche en polvo, lo iba a consumir él allí, donde los niños no tenían, y lo que recibían lo repartían inmediatamente.

Realmente, cuando en Cuba pedimos voluntarios para ir a enseñar allá, se ofrecieron 29 mil maestros; y cuando algunos de estos maestros fueron asesinados, se ofrecieron 100 mil. Yo podría preguntarme: ¿qué sociedad latinoamericana actual puede movilizar 100 mil maestros para realizar ese trabajo en esas condiciones? Y me pregunto si pueden movilizar 500, movilizar 100, en las condiciones en que iban a hacer ese trabajo aquellos maestros de manera espontánea, voluntaria. Nosotros, que somos un pequeño país de 10 millones de habitantes, disponíamos de 100 mil hombres y mujeres, maestros, dispuestos a ir a enseñar allí. Y tenemos profesores y maestros en países de África, como Angola, Mozambique, Etiopía; o de Asia, como Yemen del

Sur. Nosotros tenemos alrededor de 1 500 médicos prestando servicios en los lugares más apartados del mundo, en Asia, en África, decenas de miles de compatriotas en diversas tareas internacionalistas.

Yo les recordaba a los obispos que si la Iglesia tiene misioneros, nosotros tenemos a los internacionalistas. Si ustedes aprecian ese espíritu de sacrificio y otros valores morales, esos son los valores que nosotros exaltamos, dignificamos, y tratamos de llevar a la conciencia de nuestros compatriotas.

Yo les dije algo más: si la Iglesia fuera a crear un Estado de acuerdo con esos principios, organizaría un Estado como el nuestro.

FREI BETTO. Sí, pero espero que la Iglesia no tenga de nuevo esa pretensión; que la cristiandad de derecha vaya a ser la cristiandad de la izquierda.

FIDEL CASTRO. Bueno, yo no le estaba sugiriendo precisamente a los obispos la idea de organizar un Estado, pero les dije que si lo hubieran organizado de acuerdo con los preceptos cristianos, organizarían un Estado similar al nuestro. Porque les decía: por ejemplo, seguramente ustedes no permitirían, y evitarían por todos los medios, el juego de azar en un Estado regido por los principios cristianos; nosotros hemos erradicado el juego. Ustedes no permitirían la existencia de limosneros y pordioseros en las calles; este es el único Estado de América Latina donde no existen limosneros ni pordioseros. Ustedes no admitirían un niño abandonado; en este país no hay un solo niño abandonado. Ustedes no permitirían un niño hambriento; en este país no hay un niño hambriento. Ustedes no permitirían un anciano sin ayuda, sin asistencia; en este país no hay ancianos sin ayuda, sin asistencia. Ustedes no admitirían la idea de un país lleno de desempleados; en este país no hay desempleados. Ustedes no admitirían las drogas; en nuestro país las drogas han sido erradicadas. Ustedes no admitirían la prostitución, institución terrible que obliga a las mujeres a tener que vivir vendiendo su cuerpo; en nuestro país la prostitución fue erradicada, suprimiendo la discriminación, creando posibilidades de trabajo para la mujer, condiciones humanas, y promoviéndola socialmente. Se ha combatido la corrupción, el robo, la malversación. Entonces, todas aquellas cosas contra las que nosotros hemos luchado, todos aquellos problemas que nosotros hemos resuelto, serían los mismos que trataría de resolver la Iglesia si fuera a organizar un Estado civil, conforme a los preceptos del cristianismo.

Frei Betto. El único problema es que seguiríamos teniendo bancos, y no me gusta la idea de que la Iglesia tenga bancos.

Fidel Castro. Bueno, el banco ya no sería de la Iglesia, sería del Estado organizado por la Iglesia. Ya pertenecería al Estado, no a la Iglesia precisamente.

En esos términos, en general, fueron las conversaciones, porque tocamos cuestiones de fondo en estos asuntos.

Naturalmente, ellos se interesaron también, en el terreno práctico, por cuestiones y preocupaciones de la Iglesia; se interesaron por saber cómo podían ayudarla, cómo podían suministrar algunos recursos de tipo material. Yo les expliqué que en general nosotros ayudamos a la reparación y mantenimiento de varias iglesias católicas, a una serie de iglesias, las que considerábamos patrimonio cultural, que hacemos ese tipo de colaboración, y que no teníamos objeción a que facilitaran ese tipo de recursos a otras edificaciones religiosas. Se interesaban especialmente por mejores relaciones entre la Iglesia y el Estado. Les dije algunas cosas parecidas a las que te expliqué ayer a ti: que en realidad habían surgido problemas inicialmente, que habían sido superados, pero que nos habíamos detenido ahí, nos habíamos limitado simplemente a coexistir, y que era responsabilidad de ambas partes avanzar.

Yo les hablé del propósito que tenía de llevar a cabo un encuentro con el episcopado cubano. Ese mismo día, en la recepción, hablamos de estos temas con ellos, les dije que en un futuro próximo me reuniría. Esa reunión está pendiente porque, precisamente, en estos últimos meses yo he tenido un enorme trabajo y quería dedicar tiempo al asunto; tal vez con una sola reunión no se avanzara mucho. En adición a esto, consideraba que, al reunirme con el episcopado, era conveniente reunirme también con las demás Iglesias; les había ofrecido al resto de las Iglesias cristianas una reunión. También les había hablado a las monjas que estuvieron presentes allí de la idea de una reunión, porque, desde luego, nosotros tenemos un contacto muy frecuente con las religiosas que atienden determinados servicios sociales.

Por ejemplo, aquí hay Órdenes religiosas que trabajan en hospitales, que trabajan en asilos de ancianos. También tenemos el leprosorio, aunque la lepra es ya una enfermedad que está siendo erradicada en nuestro país, afortunadamente; hubo históricamente un leprosorio donde las monjas prestaban servicios. Otras los prestaban en otros tipos de instituciones de salud. Hay, por ejemplo, una institución en La Habana, donde se lleva a cabo un trabajo muy duro, dedicada a niños anormales, con problemas congénitos. Allí, hombro con hombro, trabajan en el mismo hospital las monjas y los comunistas.

Yo realmente admiro mucho ese trabajo de las hermanas religiosas, y no es que te lo esté diciendo a ti, lo he dicho públicamente. A veces he hecho análisis comparativos: hay asilos de ancianos donde veo que la administración de las monjas es más ahorrativa y más eficiente que nuestra propia administración. ¿Acaso porque nos falten a nosotros gente dispuesta a trabajar todas las horas que sean necesarias? No. Yo sería injusto si no dijera que hay miles de enfermeras, médicos, técnicos de la salud y empleados de los hospitales, que hacen trabajos duros, difíciles, con un gran amor, exactamente como lo puede hacer una Hermana de la Caridad; pero las Hermanas de la Caridad y de otras Órdenes, además del amor con que hacen el trabajo, son muy estrictas en el uso de los recursos, son muy ahorrativas, las instituciones administradas por ellas son muy económicas. Te lo digo porque nosotros ayudamos con mucho agrado a esas instituciones.

Desde luego, en las instituciones de Salud Pública, los gastos corren por cuenta del Estado. En las instituciones de ancianos regidas por religiosas, una parte importante de los gastos corren también por cuenta del Estado. Algunas de sus fuentes de ingreso provienen de cierta contribución que pueda dar el anciano, ya que es jubilado, y parte de su pensión, o su pensión, la asigna al asilo; pero, desde el triunfo de la Revolución, todas estas instituciones de ancianos que eran atendidas por religiosas, recibieron todo el apoyo del Estado; no carecen de nada, no están necesitados de nada. Yo, personalmente, al equipo de compañeros que trabajan directamente conmigo, les pido que recorran hospitales y asilos, visiten, conozcan todos los problemas, ayuden a resolver dificultades. Tengo una compañera que sistemáticamente visita los asilos atendidos por las monjas y cualquier solicitud de ellas, sean materiales para construcción, sean medios de transporte, cualquier tipo de recurso que hayan pedido a lo largo de estos años, se ha resuelto inmediatamente.

Si se trata de un seglar o un compañero que administra una institución del Estado, aunque sea militante del Partido, que solicite recursos para algo, yo siempre lo someto a análisis, lo discuto, lo analizo; ahora, nunca he sometido a análisis una solicitud que haya hecho una monja directora de una de esas instituciones que ellas administran. ¿Por qué? ¡Ah!, porque nunca piden más de lo que necesitan, y muchas veces, por el contrario, piden por debajo de lo que necesitan, son muy ahorrativas. Y yo, públicamente, en una sesión de la Asamblea Nacional, hablando precisamente de esas instituciones de ancianos y haciendo estudios comparativos sobre los costos, dije que aquellas monjitas eran modelos de comunistas, lo cual salió trasmitido por televisión a todo el país. Siempre he mencionado, precisamente, la actitud de aquellas monjas como modelo de comunistas, porque creo que realmente reúnen aquellas condiciones que nosotros deseamos para todo militante comunista.

Ellas, además, también han aplicado su experiencia, y ese es uno de los factores que inciden en un menor costo de un asilo de ancianos atendido por las religiosas. Y no quiere decir esto que todas las que allí trabajan sean religiosas; ellas tienen muchos trabajadores seglares, empleados que ayudan en la cocina, que ayudan en la construcción, que ayudan en distintas áreas.

Al principio de la Revolución, una de las medidas que se estableció, casi de forma espontánea, fue la supresión del multiempleo. Quiere decir esto que en un centro de trabajo determinado, antes había gente que hacía una tarea, pero también se ocupaba de otra, o de otras; a lo mejor su tarea era limpiar las paredes, pero en el almacén ayudaba a cargar, en otro momento ayudaba a hacer otra cosa. Y esa costumbre fue suprimida, y lo fue, repito, casi de manera espontánea. Puede haber influido el hecho de que había desempleo y posiblemente presionaron también las organizaciones obreras, en el sentido de suprimir una forma de organización del trabajo que podía reducir el número de empleados.

Las monjitas mantuvieron el multioficio, y ellas mismas son modelos de multioficio. Por ejemplo, yo conozco a una de las directoras, que se llama Sor Fara: ella es directora del asilo, ejerce funciones de enfermera, para lo que posee preparación técnica adecuada, además de directora, y atiende directamente una de las salas; cuando hay que hacer algún arreglo, una mejora en la instalación, ella contribuye a diseñar lo que hay que hacer, bien sea un equipo, o un baño adecuado a la edad de los ancianos; ella, por añadidura, maneja el automóvil que tiene la institución.

Yo supe de esto precisamente cuando la compañera del equipo visitó la institución, porque me habían solicitado un camión de volteo. Fundamentaban la petición en la necesidad de recoger la basura, y explicaban el gasto que tenían que hacer cuando se veían obligadas a alquilar un camión para esta tarea.

Le dije a la compañera: "Vete a ver este asunto, por el número de ancianos que hay en el asilo un camión quizás esté subutilizado y pueda serles más costoso disponer de un camión propio que alquilarlo cuando lo necesiten." Tal vez

267

fue la única ocasión en que sometimos a análisis una petición. Se necesitaba saber, además, cuál era el volumen del camión que pedían. La compañera fue, analizó. No se trataba solo de la basura, sino también para transporte de materiales de construcción y otros usos; y no sería destinado a un solo asilo, eran dos asilos. Entonces nosotros decidimos asignarles el camión de transporte para esos fines. Inmediatamente la hermana dijo: "Voy a sacar mi cartera de primera". ¿Qué quería decir con eso? Que ella iba a solicitar la licencia pertinente para manejar el camión. ¿Te das cuenta? Entonces, ese método de trabajar ellas en el asilo, lo aplican a los demás trabajadores, y emplean menos personal, es más ahorrativo.

Yo me interesé mucho por eso en las conversaciones que tuve ese día, y en la reunión amplia que me propongo tener con ellas, porque también ellas me ofrecieron algunos datos de interés sobre la situación en esa área. Explicaban que en algunas de las instituciones, como tienen pabellones comunes, si ingresaba un matrimonio tenían que separarlo, uno vivía en un pabellón y otro en otro, y me decían: "¿Cómo después de haber estado juntos tantos años, tenemos que separarlos?" Proponían la ampliación de uno de los asilos, y sugerían la existencia de cuartos individuales para tener a los matrimonios juntos.

En los asilos que ha ido construyendo la Revolución en los últimos años, basado en un proyecto moderno, típico –bueno, en parte, más que un asilo es un hotel de turismo–, allí sí tienen todas esas posibilidades. Algunos asilos son más antiguos, no tienen esas facilidades.

Pero ellas me explicaban también que hay una demanda creciente, lo cual se explica, desde luego, porque el promedio de vida se ha elevado, las personas viven muchos más años de los que vivían hace 20 ó 30 años en nuestro país, y, como consecuencia, el número de personas ancianas aumenta.

Nosotros, que hemos construido muchas escuelas, muchos hospitales, círculos infantiles, lo que te he explicado, en cambio, no hemos construido asilos suficientes para todas las necesidades que tenemos. Conscientes de esto, estamos, incluso, pensando en diversas instituciones, porque hay algunos casos en que no tiene necesariamente que dormir la persona en el asilo, porque hay algunos que viven en una casa con la familia, sus hijos o sus hijas trabajan, y el problema es que están solos durante el día, no tienen quien les resuelva la alimentación y otras atenciones; entonces hay algunos ancianos que solo necesitan ir durante el día a un lugar donde se les garantice la atención. Estamos pensando también en soluciones de ese tipo, porque, desde luego, un asilo tradicional es costoso, quiero que sepas que es costosa la atención a los ancianos; nosotros estamos ideando distintas formas.

En mis conversaciones con ellas, el interés que tengo, fundamentalmente, es conocer en detalles sus experiencias en este terreno, en el cual ellas han desarrollado formas, métodos, hábitos de trabajo, que para nosotros son muy útiles e instructivos.

FREI BETTO. Usted ha dicho cómo fue la conversación con los obispos norteamericanos. ¿Qué hay de esa reunión que se va a hacer entre usted y los obispos cubanos?

FIDEL CASTRO. Me voy a reunir no solo con los obispos, quiero reunirme también con los representantes de las Iglesias evangélicas para que no parezca que se les ignora, y con las religiosas de los asilos. Son tres reuniones. No he podido hacerlo en estas últimas semanas, pero les he avisado, ellos saben que vamos a tener esos encuentros y están realmente muy animados con esta perspectiva. Queremos tener discusiones serias, profundas, sobre cuestiones de interés común.

Me faltaba añadirte que los obispos norteamericanos se interesaron también por algunos casos de presos contrarrevolucionarios, algunos que, según decían, les habían informado que tenían ciertos problemas de edad o de salud. Trajeron unas listas, y yo les prometí que se estudiarían todos aquellos casos en que hubiera cualquier problema real de salud. Les expliqué por qué había algunos tipos de presos contrarrevolucionarios cumpliendo su sanción, a los que ponerlos en libertad y enviarlos a Estados Unidos serviría solo para nutrir las filas de elementos que hacen acciones contra Cuba, sabotajes contra Cuba, crímenes contra Cuba, o podrían ir a hacer lo mismo en Nicaragua u otro país, porque a veces han utilizado a algunos de estos contrarrevolucionarios en Nicaragua, en El Salvador, y han ido a cometer fechorías allí también; que, desde luego, nosotros no teníamos en prisión por espíritu de venganza a alguien que hubiera cometido delitos contrarrevolucionarios, sino que era una necesidad de la defensa de la Revolución, y que, por lo tanto, no podíamos, sencillamente, poner en libertad a aquellos individuos que después iban a ser de nuevo instrumentos de Estados Unidos contra Cuba; que teníamos una responsabilidad en eso, pero que íbamos a analizar los casos de aquellos que realmente tuvieran dificultades serias de salud, que a nuestro juicio no pudieran ser gente utilizable en actividades de violencia contra la Revolución Cubana o contra otros países.

Les hablamos también de algunos presos batistianos, pues había algunos antiguos militares que habían cometido torturas y crímenes, que fueron sancionados, que han cumplido largos años de cárcel, y yo les dije: "Fíjense, casi nadie se preocupa por esa gente; más bien se preocupan por los contrarrevolucionarios que reclutó Estados Unidos, con los que se sienten moralmente comprometidos". Les dije que íbamos a analizar por nuestra cuenta el caso de estos presos exmilitares y les íbamos a hacer una proposición sobre los más ancianos y de peor salud, si ellos estaban dispuestos a recibirlos en Estados Unidos, en caso de que nosotros los pusiéramos en libertad. Pude comprobar luego que entre los hombres por los cuales se preocupó la representación de la Iglesia norteamericana, había un número de esos batistianos.

Nosotros tomamos las listas, las analizamos, las estudiamos de acuerdo con ese criterio, revisamos las de los antiguos batistianos que quedan en prisión, y ya recientemente les enviamos una comunicación de todos los casos que estábamos en disposición de resolver, entre presos contrarrevolucionarios y un grupo de los antiguos presos de la tiranía, que constituyen el número mayor. Eran alrededor de 72 ó 73 personas en total. Les explicamos que estábamos dispuestos a ponerlos en libertad, si ellos gestionaban la visa en Estados Unidos, incluyendo los familiares, porque el problema de alguna de esta gente es que fueron soldados o militares de Batista, asesinaron o torturaron personas, y aun después de más de 26 años transcurridos, el pueblo no olvida los hechos y resulta un problema que puedan aparecer allí donde vivan hijos, padres, hermanos u otros familiares de las víctimas. Sus sanciones son elevadas, algunos son ya ancianos y han cumplido largos años de prisión. La venganza no ha sido nunca el móvil de las sanciones revolucionarias, sino evitar la impunidad de estos hechos que tanto luto y dolor costaron a nuestro pueblo y defender la Revolución de sus enemigos. Muchos, desgraciadamente, escaparon sin sanción y fueron recibidos con los brazos abiertos por Estados Unidos.

Les propusimos a los obispos: "Sería mejor que les gestionaran visa a los casos que nosotros propongamos. Aquí sería difícil una solución para ellos." Recientemente, nuestro Jefe de la Oficina de Intereses de Cuba en Estados Unidos se comunicó con los obispos que nos visitaron y les informó la decisión que habíamos tomado, lo que, por cierto, les satisfizo mucho, porque sobre las bases que habíamos discutido, se pudo encontrar una solución para todos esos casos. Ahora queda por parte de la Iglesia norteamericana resolver las visas.

FREI BETTO. Vamos a pasar a otros puntos.

Comandante, la primera vez que nosotros nos encontramos fue exactamente la noche en que se conmemoraba el primer aniversario de la Revolución Sandinista, la noche del

19 de julio de 1980, en la casa de Sergio Ramírez, que actualmente es Vicepresidente de Nicaragua, por mediación de un amigo común de nosotros, que es el padre Miguel D'Escoto. Esa noche, me acuerdo que tuvimos la oportunidad de hablar como dos horas sobre religión e Iglesia en América Latina, y usted me dio una panorámica muy interesante sobre la religión y la Revolución en Cuba.

Entonces, mi pregunta era: ¿qué actitud pensaba asumir el Gobierno cubano en relación con la Iglesia? Desde mi punto de vista, pensaba que habría tres posibilidades: la primera, acabar con la Iglesia, acabar con la religión, y la historia había demostrado que con hacer esto no solamente no se consigue nada, sino que se ayuda a reforzar, incluso, la campaña que el imperialismo hace de la incompatibilidad ontológica entre cristianismo y socialismo.

La segunda sería mantener a la Iglesia, a los cristianos, marginados. Entonces, yo también reflexioné que de alguna manera no solamente favorecía a la política imperialista de denuncia de qué es lo que pasa, qué es lo que ocurre en los países socialistas; sino, también, que de alguna manera ayudaba a favorecer las condiciones para que la gente que tiene fe, la gente que es cristiana en los países socialistas, acabase potencialmente como una gente contrarrevolucionaria.

Y un tercer punto, que de alguna manera sería una apertura para la inserción de los cristianos en el proceso de construcción de esa sociedad de justicia y de fraternidad.

Durante estos años tuvimos la oportunidad de nuevos encuentros, y ustedes me han invitado, incluso –una actitud inusitada, una actitud loable–, para empezar una serie de conversaciones sobre el tema de religión e Iglesia, porque hay intereses del Gobierno cubano en profundizar en este tema. Yo en aquel momento le hice una contrapropuesta: estaría dispuesto en la medida que pudiese también acercarme más a la Iglesia de Cuba.

Entonces tuve oportunidad de participar en la reunión de la Conferencia Episcopal cubana, en febrero de 1983, en que yo les decía a los obispos: "No tengo, y continúo sin tener, delegación alguna de la Iglesia, mas estoy dispuesto, en la medida de lo posible, a ayudar a ese proceso de acercamiento entre la Iglesia y el Estado en la realidad cubana".

Ahora, usted conoce mi amor a la Iglesia, mi consagración a la Iglesia. Yo le puedo decir que tengo en la política una tentación, mas tengo interés pastoral, una vocación, y por ese interés pastoral aquí me encuentro, y por ese interés pastoral vamos a hacer este trabajo.

Yo le preguntaría: ¿qué interés tienen ustedes, el Gobierno cubano y también el socialismo, en tener una Iglesia activa, en tener una comunidad cristiana participante? Porque muchas veces la propaganda que el imperialismo hace es que el socialismo está radicalmente contra toda y cualquier manifestación religiosa. Entonces le preguntaría: ¿cómo usted ve esto?

FIDEL CASTRO. Bueno, hiciste una referencia a la vez que tuvimos el contacto en Nicaragua, que fue la ocasión en que nos conocimos en la casa de Sergio Ramírez. Fue en la conmemoración del primer aniversario del triunfo de la Revolución Sandinista; me invitaron, yo asistí y, en medio de un programa muy intenso, me llevaron aquella madrugada, o ya casi de madrugada, porque era tarde en la noche, a la casa de Sergio Ramírez, donde estuvimos conversando y abordando estos temas.

Desde luego, ya en aquella ocasión tú conocías perfectamente mis encuentros con los Cristianos por el Socialismo, de Chile, en el año 1971, cuando visité ese país durante el gobierno de Allende, y tuve realmente una agradable e interesantísima reunión con todo aquel grupo de sacerdotes y de cristianos. Eran numerosos, alrededor de 200. Por cierto, estaban también de visita allí, aquella vez, algunos procedentes de otros países. Ya con anterioridad yo había tenido contacto con el padre Cardenal, sandinista, escritor, poeta.

FREI BETTO. Escribió un libro muy hermoso sobre Cuba.

Fidel Castro. Precisamente, el día antes de salir para Chile yo tenía que verlo, y por la noche lo fui a recoger; estuvimos como dos horas dando vueltas en un automóvil, conversando sobre la situación de Nicaragua, algunos de estos temas y otros más. Me quedé asombrado realmente al comprobar cómo aquel hombre, al cabo de semanas, fue capaz de recoger con gran precisión lo que habíamos conversado y, además, exponerlo con tanta belleza. Estaba supuesto que nos veríamos también allá en Chile, pero no coincidimos exactamente. En aquel país tuvimos una larga conversación con los Cristianos por el Socialismo, y abordamos estos temas en esa temprana fecha, es decir, hace alrededor de trece años.

Posteriormente, con motivo de una visita a Jamaica, también tuve un encuentro con los religiosos, representantes de las distintas comunidades cristianas en Jamaica. Eso fue en octubre de 1977. Tuvimos también una larga y seria conversación, en que yo explico algunas de mis tesis, en que hablo de la idea de una alianza entre cristianos y marxistas. Me preguntaron: "¿Una alianza táctica?" Digo: "No, una alianza estratégica, para llevar a cabo los cambios sociales necesarios de nuestros pueblos." En Chile ya planteé eso.

También yo había tenido relación con algunos dirigentes importantes del Consejo Mundial de Iglesias, que a su vez se habían interesado mucho por los problemas del Tercer Mundo, por los problemas de la lucha contra la discriminación, contra el apartheid, una serie de problemas de esta índole en que teníamos una plena coincidencia.

En el desarrollo de estas ideas, tiene una gran influencia el surgimiento de todo un movimiento dentro de la Iglesia en América Latina, que se preocupó por los problemas del obrero, del campesino, de los pobres, que empezó a luchar, a predicar la necesidad de justicia en nuestros países. Así se generó ese movimiento, que se llamaba de distintas formas: en Chile, Cristianos por el Socialismo. Ese movimiento surgió en distintos lugares de América Latina con posterioridad al triunfo de la Revolución Cubana, es decir, en el período de los últimos 25 años se fue gestando. Nosotros nos dimos cuenta de que se estaba produciendo una toma de conciencia en el seno de la Iglesia Católica latinoamericana y de otras Iglesias, acerca de la gravedad de los problemas sociales, de las terribles condiciones de vida en que estaban viviendo estos pueblos, y un número creciente de cristianos optó por luchar por los pobres.

Ya esto se demuestra también en la actitud de los cristianos en Nicaragua, en su relevante papel en la lucha contra Somoza, y en la lucha por las reformas sociales y la justicia social en ese país.

Te contaba que muchos años antes del triunfo de la Revolución Sandinista, ya conocía al padre Ernesto Cardenal, conocía su pensamiento y lo admiraba; lo admiraba como escritor, como poeta, pero lo admiraba más todavía como revolucionario. Posteriormente conocí a hombres como Fernando Cardenal, el hermano; después conocí a D'Escoto, y así fui conociendo a una serie de figuras y sacerdotes prestigiosos que se identificaron con el pueblo, lucharon por el pueblo, y que, frente a todas las presiones del imperialismo, han mantenido una línea firme, de apoyo a la Revolución, como su causa y como una cuestión de conciencia, de una conciencia realmente profunda. Por eso, en ocasión de mi visita, tengo una reunión con un grupo de dirigentes religiosos en Nicaragua.

FREI BETTO. Yo estaba presente allí.

FIDEL CASTRO. Como te he dicho en otra ocasión, aquella reunión no tuvo el carácter de la reunión de Chile, ni de la reunión de Jamaica, porque fue muy breve y no hubo tiempo de entrar en el fondo de los problemas. Principalmente se trató de un encuentro, más bien de un saludo que yo les hice y, por cierto, en aquella ocasión conocí a un grupito de monjas de la Orden Maryknoll, que estaban trabajando en Nicaragua, gente extraordinariamente bondadosa, entusiasta, noble, me impresionaron considerablemente. Eran monjas norteamericanas. Estuvieron en la reunión, y conversamos con ellas sobre estos problemas. Fueron muy atentas y afectuosas con nosotros.

Yo diría que ya en Nicaragua el movimiento dentro de la Iglesia en favor del pueblo, en favor de los pobres y en favor de la justicia social, adquirió un nivel muy alto.

Por aquellos días, también los revolucionarios salvadoreños venían ya luchando duramente con el apoyo de muchos cristianos, para poner fin a los crímenes, para poner fin a la tiranía que ha sufrido durante décadas ese país. Se destacaba particularmente la conducta de monseñor Romero, el Arzobispo de El Salvador, una conducta digna, valiente, de denuncia de todos los crímenes que se venían cometiendo. Eso, incluso, le costó la vida.

Un tiempo después recibo la impactante noticia de que cuatro monjas de la Orden Maryknoll, entre las cuales estaban varias de las que conversaron con nosotros aquel día, habían sido asesinadas brutalmente en El Salvador. Claro, después se ha sabido cómo ocurrieron los hechos, quiénes fueron los culpables: agentes del régimen represivo, apoyados por Estados Unidos, que ultrajaron y asesinaron a aquellas cuatro monjas. Como fueron igualmente agentes vinculados con la CIA y el imperialismo los que dieron atroz y traicionera muerte al arzobispo monseñor Romero, de El Salvador.

Pero, bien, ya mis encuentros con los grupos de dirigentes cristianos en América Latina y el Caribe comenzaban a ser familiares. Ellos sabían cómo pensaba, y yo apreciaba mucho el trabajo que ellos hacían. En aquellas condiciones, precisamente, se produce el primer encuentro entre nosotros, cuando me explicaste el trabajo que hacía la Iglesia en Brasil, y es cuando tiene lugar esa conversación que tú mencionas. Ya tú conocías, desde luego, cómo yo pensaba, y sabías que nosotros nunca habíamos tenido en la mente la idea de acabar con la religión en nuestro país. Sobre eso te hablé largamente. No se trataba solo de un aspecto político, y nosotros somos revolucionarios, y revolucionarios quiere decir políticos en la más alta y la más pura expresión de la palabra; quienes no conozcan las realidades políticas, no tienen derecho ni siquiera a iniciar un programa revolucionario, porque no conducirán a su pueblo a la victoria, y no conducirán su programa a la realización. Pero antes que el elemento político, en lo que tiene que ver con la religión, tengo presente el elemento moral y tengo presente los principios, porque en ningún sentido está planteado, ni está concebido el cambio social profundo, el socialismo y el comunismo, como algo que proponga inmiscuirse en el fuero interno de una persona y negar el derecho de cualquier ser humano a su pensamiento y a sus creencias. Nos parece que eso pertenece a lo más íntimo de la persona humana y, por tanto, vemos los derechos reconocidos en nuestra Constitución Socialista de 1975, no como una cuestión simplemente política, sino como algo que tiene más alcance, como una cuestión de principios, de respeto al derecho de la persona a profesar la creencia que estime pertinente. Eso está en la esencia del socialismo, está en la esencia del comunismo y está en la esencia de las ideas revolucionarias respecto a las creencias religiosas, como ya te decía, igual que el respeto a la vida, el respeto a la dignidad personal, el respeto al derecho de la persona humana, al trabajo, al bienestar, a la salud, a la educación, a la cultura, que forman parte esencial de los principios de la Revolución y del socialismo.

En nuestro país, desde luego, la Iglesia no tenía la influencia y el predicamento que tiene en otros países latinoamericanos, por las razones que te expliqué. Era la Iglesia de la minoría rica, y la minoría rica emigró, realmente, en esencia emigró. Ello no se tradujo jamás, sin embargo, en el cierre de una sola iglesia en nuestro país, o en una medida contra la institución, no obstante que aquella gente –como te expliqué– adoptó una posición militante en contra de la Revolución, y muchos fueron para Estados Unidos; algunos sacerdotes adoptaron también una actitud militante, se marcharon para Estados Unidos e hicieron campañas y hasta santificaron la criminal invasión mercenaria de Girón, para citarte un ejemplo, el bloqueo a Cuba y todos los crímenes que el imperialismo ha cometido contra nuestro país, lo cual –a mi juicio– está en absoluta contradicción con los principios del cristianismo. Pero bien, eso no se tradujo nunca en medidas de ninguna índole contra la Iglesia. Y aunque quedaron pocos practicantes –porque la mayoría, el grupo más numeroso, se fueron atraídos por la riqueza y la ideología imperialistas, y no quedaron muchos en nuestro país, no constituían una gran fuerza numérica, ni pudiéramos decir una fuerza política en nuestro país–, por razones estrictas de principios, más que políticas, nosotros fuimos consecuentes con las normas revolucionarias de respeto a las creencias e instituciones religiosas.

Ahora –como te expliqué también–, las dificultades iniciales fueron subsanadas en relativamente breve tiempo, sin traumatismos de ningún tipo, y en parte por la actitud asumida por el Nuncio Apostólico en Cuba, que ya mencioné ayer. Pero bien, se creó entonces una situación no pudiéramos decir de marginación, sino una situación de simple coexistencia entre la Revolución y la Iglesia, respeto mutuo, total, absoluto, pero realmente no pasó de ahí. Esa es la reflexión que yo hacía ayer.

Desde luego, las relaciones con las demás Iglesias, con las Iglesias evangélicas, marcharon excelentemente bien durante todos estos años, sin ningún tipo de conflicto. Si te he mencionado algunos casos de sectas que tienen conflictos en todas partes, no solo con el socialismo o con la Revolución Cubana, solo que en el caso de la situación entre Estados Unidos y Cuba, naturalmente, a Estados Unidos le convenía la actitud de algunas de esas sectas. Porque a Estados Unidos, siendo un país muy poderoso, que amenaza a nuestra patria, si una secta en nuestro pequeño país, frente a Estados Unidos, aconseja: "no empuñar las armas para defender la patria, no saludar la bandera, no saludar el himno", objetivamente en contra de la integridad, la seguridad y los intereses de la Revolución, en ese caso, les convenía a los intereses del imperialismo. Pero admito que algunas de esas sectas han tenido problemas en muchos lugares. En un país poderoso como Estados Unidos, no ocasionan ningún daño. Es mejor que radiquen allí y se opongan, incluso, a la guerra de las galaxias. Si lo consiguieran le harían un favor al mundo.

Precisamente la idea de la apertura de que hablábamos está implícita en los planteamientos que yo hago en Chile y en Jamaica, está implícita como idea, pero por ese camino no se avanzó. Es decir que todas las condiciones están creadas cuando nuestro encuentro, para la receptividad mutua acerca de nuestros respectivos puntos de vista en lo que se refiere a las relaciones entre cristianismo y revolución, vamos a llamarlo así, no lo vamos a llamar Iglesia, lo vamos a llamar cristianismo y socialismo.

Entonces, por eso se desarrolla aquel encuentro en un plano amistoso y armonioso. Después tú realizaste las actividades aquí; yo no tuve muchas noticias de todo eso, porque después de nuestro encuentro siguió su curso la vida diaria, la lucha, las batallas; supe después que tú habías estado por aquí y lo que habías hecho. No nos habíamos vuelto a encontrar hasta fecha más reciente, pero, naturalmente, te confieso que me agradó y me estimuló la persistencia y constancia con que tú fuiste consecuente con la conversación que habíamos tenido, y habías seguido meditando y elaborando ideas en este sentido, hasta que se produjo el último encuentro entre nosotros, en fecha relativamente reciente, en que ya profundizamos más en estos temas, cuando precisamente acordamos tener este intercambio de impresiones y hacer esta entrevista, que considerabas conveniente para profundizar en el tema.

También con ese espíritu nosotros hemos avanzado, fue con ese espíritu realmente, porque los encuentros que voy a tener con los obispos cubanos no están directamente relacionados con el encuentro que tuve con los obispos norteamericanos. En el encuentro con los obispos norteamericanos, lo que hice fue explicarles y expresarles qué pensábamos sobre todo esto, y el propósito de reunirnos con el episcopado cubano. Lo que hice fue informarles de algo que ya venía avanzando, en virtud de todos estos contactos que habíamos tenido nosotros; primero vinieron las ideas, las ideas surgieron de hechos en los que nosotros observamos a la Iglesia en una actitud justa, o si no a la Iglesia, a muchos cristianos, a muchos y muy valiosos sacerdotes, obispos, distintas personalidades de la Iglesia en una posición, a nuestro juicio, justa, de lucha contra la explotación, de lucha contra la injusticia, de lucha contra la dependencia, de lucha por la liberación. Eso fue lo primero, creo que fue lo que inspiró realmente nuestro pensamiento, expresado en la entrevista de que hablamos. Eso ayudó a estos contactos, porque esto viene gestándose, digamos, desde hace casi quince años, para ser más preciso trece años, solo que creo que vamos llegando a un momento en que hay que concretar, dar pasos concretos que, de hecho, se empiezan a dar ya.

Entonces, los hechos, las ideas, y después de las ideas nuevos hechos; así ha ido evolucionando todo esto hasta este momento, que realmente es decisivo si queremos avanzar.

Te decía ayer que esto es ya no solo una cuestión de principios, vaya, no es solo una cuestión ética, es, incluso, desde cierto punto de vista, una cuestión estética. ¿Estética en qué sentido? Yo pienso que la revolución es una obra que debe ser perfeccionada; algo más, una obra de arte.

FREI BETTO. ¡Bonita definición!

FIDEL CASTRO. Ahora, si en una revolución nos encontramos que hay un grupo de ciudadanos —no importa cuántos sean, no tienen que ser 2 millones, ni un millón, ni 500 mil: 100 mil en 10 millones—, que hay un 1 por ciento de ciudadanos que por motivos de índole religiosa se sienta que no es comprendido o, incluso se sienta que puede ser objeto de cierta forma de discriminación política, como la que se abordaba ayer en relación con la cuestión de la militancia del Partido, la cual puede ir acompañada de otras sutiles formas de discriminación —porque basta no ser comprendido en un medio social, basta que no exista una comprensión y se origina ya un sufrimiento, basta ese simple hecho, que se puede traducir en sutiles formas, incluso, de desconfianza–, para que no podamos sentirnos satisfechos. Yo te expliqué que esto tenía una causa exclusivamente histórica, porque la Revolución estaba decidida a sobrevivir en su lucha contra un enemigo muy poderoso que quiso aniquilarla aunque fuese al costo de la vida de millones de cubanos. Aquella identificación que se produjo en los primeros tiempos entre jerarquía eclesiástica, contrarrevolución e imperialismo, es lo que está en los orígenes de esta desconfianza, desconfianza que origina una sutil forma de discriminación como es, por ejemplo, lo relacionado con la militancia, o tal vez para otras actividades políticamente sensibles, que lleve a considerar que pueda existir una contradicción entre determinada creencia y los deberes elementales del patriota y del militante revolucionario.

Bueno, si a mí me dicen: hay 100 mil –no sé, el número exacto de cristianos en Cuba– que tienen este problema, gente que puede llegar a reunir las cualidades del patriota y del revolucionario, gente bondadosa, trabajadora, cumplidora, tiene que ser motivo de insatisfacción. Si me dicen que son 50 mil, que son 10 mil, incluso si me dicen que hay uno solo, todavía la obra de arte de la Revolución no estaría completa. Como si me dicen que hay un ciudadano que es discriminado porque es mujer, ¿y qué país de América Latina ha luchado y avanzado más que Cuba contra la discriminación de la mujer? Antes teníamos también la discriminación racial. Si a uno le dicen que hay una sola persona que por motivo del color de la piel es discriminada, una sola, tiene que ser motivo de profunda preocupación; no estaría completa la obra de arte que es la Revolución. A eso nos referíamos antes.

A estas concepciones, a estos criterios, a estos principios, se unen, además, consideraciones de tipo político. Si en una revolución que entraña tanta justicia como la revolución socialista en Cuba, existiera alguna forma de discriminación con relación a una persona por un motivo religioso, esto solo sería útil a los enemigos del socialismo, a los enemigos de la Revolución, solo sería útil a los que explotan, a los que saquean, a los que someten, a los que agreden, a los que intervienen, a los que amenazan, a los que preferirían exterminar a los pueblos de América Latina y el Caribe antes que perder sus privilegios; es decir que a estas concepciones se añaden también consideraciones de índole política que son dignas de tenerse en cuenta.

Creo que con estos razonamientos se expone realmente la base de nuestro pensamiento, y se explica nuestro interés por razones de principios y, además, por razones políticas, en el mejor sentido de la palabra: en el de que la obra de la Revolución, todavía inconclusa en algunos terrenos, sea liberada de estas limitaciones.

Frei Betto. Muy bien, Comandante.

Quería hacer una pregunta sobre lo siguiente. Usted tiene conocimiento –y se ha referido muchas veces– que después del Concilio Vaticano II, convocado por el Papa Juan XXIII, y después de la versión latinoamericana del Concilio, que fue la reunión de la Conferencia Episcopal Latinoamericana, en Medellín, en 1968, empezaron muchos cambios en la Iglesia en nuestro continente; la Iglesia se acercó más a los pobres, sobre todo en países como Brasil, que fueron gobernados muchos años por dictaduras militares, y yo acostumbro a decir que más que lo que la Iglesia hizo en opción por los pobres, por fuerza de la represión al movimiento popular y al movimiento sindical los pobres hicieron opción por la Iglesia, o sea, buscaron en la Iglesia un espacio para mantenerse organizados, articulados, conscientes y actuantes. Y en ese sentido –yo no estoy haciendo un chiste, estoy repitiendo palabras que escuché de al menos dos obispos de Brasil–, en ese sentido, en la medida en que los pobres invadieron la Iglesia, curas y obispos católicos empezaron así a convertirse al cristianismo. Entonces, hoy hay un número infinito de Comunidades Eclesiales de Base en toda América Latina; en Brasil hay cerca de 100 mil

Comunidades Eclesiales de Base que son grupos de cristianos, obreros, campesinos, marginados, en los que se congregan alrededor de 3 millones de personas.

¿Por qué eso de las Comunidades Eclesiales de Base en el continente?

Fidel Castro. ¿Cuántos millones de personas dijiste?

Frei Betto. Tres millones en Brasil. Son 100 mil grupos con cerca de 3 millones.

¿Por qué es esto? Hoy hay comunidades en Chile, en Bolivia hay muchas comunidades, en Perú, en Ecuador, en Guatemala, en Nicaragua, que desempeñan, como usted mismo ha subrayado, un papel relevante en el proceso de liberación; en México, en El Salvador, incluso en las zonas liberadas por la guerrilla. Entonces, ¿por qué es esto, por qué?

Si nosotros preguntamos a un campesino, a un obrero, a una empleada doméstica latinoamericana: ¿que visión tiene usted del mundo?, con seguridad la respuesta será una respuesta expresada en categoría religiosa. La visión más elemental que nuestra gente oprimida de América Latina tiene, es una visión religiosa.

Y, desde mi punto de vista, uno de los más graves errores de la izquierda en América Latina, sobre todo la izquierda de tradición marxista-leninista, fue predicar el ateísmo en su trabajo con las masas. No es que no deberían decir lo que piensan, no es eso; más que mantener la sensibilidad para la visión religiosa de la gente, ellos impedían la posibilidad de vinculación entre su propuesta política y las masas.

No es fácil, por ejemplo, convencer a un obrero, a un campesino, de que hay que luchar por el socialismo, pero es muy fácil decir lo siguiente: "Mira, hombre, nosotros creemos en un solo Dios, que es el Padre. Si eso es verdad, nosotros todos tenemos que vivir como hermanos. Ahora, en la sociedad que vivimos, esta fraternidad que Dios quiere no es cierta, es negada por la discriminación racial, por la desigualdad de las clases, por las contradicciones económicas, por el hecho de haber hombres muy ricos y una mayoría muy pobre. Entonces, desde lo nuestro, desde la raíz misma de nuestra fe, luchar por la fraternidad es luchar contra todas esas situaciones que impiden, concreta e históricamente, la igualdad social, la justicia, la libertad, la dignidad plena para todas las personas, independientemente de su trabajo, de su color, de sus concepciones." Entonces, por ahí se explica cómo en estos años se desarrolló mucho ese trabajo.

Ahora, la reflexión que surgió a partir de esas comunidades, la reflexión de la fe que sirve de luz para animar a la gente a luchar por la liberación en Guatemala, en Perú, en Brasil, en El Salvador, en todos los países, sistematizada por los teólogos, es justamente lo que llamamos hoy la Teología de la Liberación.

A mí me gustaría preguntar cómo ve usted esas comunidades. Ahora hay toda una polémica sobre la Teología de la Liberación, incluso es considerada por Reagan y el documento de Santa Fe como un elemento de fuerte subversión. ¿Cómo considera usted también la Teología de la Liberación, qué piensa de eso?

Fidel Castro. Tú haces una exposición relativamente larga, muy interesante, y al final una pregunta. Yo digo que para contestar tu pregunta, en cierta forma, tengo que referirme a algunos de los puntos de la exposición.

Tú has mencionado como un error del movimiento político, del movimiento de izquierda marxista-leninista, la forma de enfocar el problema religioso y la prédica del ateísmo en América Latina. Yo, realmente, no estoy en condiciones de conocer cómo cada uno de los movimientos de izquierda y los partidos comunistas de América Latina u otros partidos de izquierda, abordan la cuestión religiosa, puesto que, en general, los temas de conversación y análisis con estas organizaciones siempre giran en torno a otros problemas: situación económica, estado de pobreza, situación de las masas; en fin, se refieren fundamentalmente a problemas políticos, y no recuerdo así, realmente, en conversaciones, de las muchas que hemos tenido durante estos 26 años con representantes y visitantes de esos partidos, que hayamos analizado estos problemas. Por lo tanto, no te puedo decir cómo piensan; pero tú estás en un país latinoamericano, visitas otros y debes poseer más información que yo sobre eso.

Creo, desde luego, que el movimiento político, revolucionario debe hacer sus análisis a partir de las condiciones dadas, existentes en un momento dado, y elaborar su estrategia, su táctica y sus enfoques no solo a partir de doctrinas, aunque, desde luego, hay que partir de doctrinas, y la doctrina es algo que hay que aplicar y llevar a la práctica en la realidad. Si no hay una estrategia y una táctica correctas en la aplicación del pensamiento político, entonces, por justo que sea el pensamiento político, se convierte en utopía, pero ya no por irrealizable objetivamente, sino por irrealizable subjetivamente.

Yo me explico perfectamente las contradicciones surgidas en el pensamiento político-revolucionario con la Iglesia, me lo explico perfectamente. Bueno, si yo fuera uno de los antiguos aborígenes de Cuba, un siboney, y llegan unos extranjeros con arcabuces, ballestas, espadas, una enseña real y una cruz, me atacan la aldea, matan a los que les parece que deben matar, capturan a los que quieren capturar –y todo el mundo capturó, porque una de las primeras cosas que hicieron los españoles cuando regresaron a España, entre ellos Colón, fue llevar un muestrario de indios, lo cual contituye una flagrante violación de los derechos más elementales de los indios que habitaban aquí; porque no le pidieron permiso a nadie para llevárselos como trofeo a Europa, y los capturaron de la misma forma en que se captura un lobo, un león, un elefante o un mono, exactamente igual–, ¿qué pensaría de todo eso? Hasta ahora, más o menos, se ha aceptado la violación de los derechos animales, de los monos, los leones y los elefantes, pero creo que hace mucho tiempo que la conciencia humana ha valorado los derechos humanos del hombre, sea blanco, indio, amarillo, negro, mestizo, lo que sea.

Si le preguntamos a un indio mexicano, en las mismas condiciones, qué opinión podía tener de todo aquello, no sería muy reverente la respuesta sobre los conquistadores y sus creencias religiosas. Venían con la espada y con la cruz a someter, esclavizar y explotar a "los infieles", que al fin y al cabo debían ser considerados también criaturas de Dios. Así conquistaron este continente; fe mesiánica era aquella que pretendía imponer con sangre la fe y la civilización occidental y cristiana. Quien piense que posee una verdad, no puede propagarla a base de matar o esclavizar a los pueblos.

La verdad más objetiva que encontraron los países conquistados por las naciones más avanzadas, fue la pérdida de su libertad, fue el abuso, la explotación, las cadenas, y a veces, incluso, el exterminio.

Hay que decir que en aquel temprano período hubo ya algunos sacerdotes que reaccionaron contra esos inauditos crímenes, como fue, por ejemplo, el padre Bartolomé de Las Casas.

FREI BETTO. Vivió aquí, él también era dominico.

FIDEL CASTRO. La Orden se puede sentir orgullosa de él, porque fue uno de los casos más honrosos. Él denunció y se opuso a los horrores que siguieron a la conquista.

Durante siglos existió el colonialismo, el mundo fue repartido entre las potencias europeas, continentes enteros: Asia, África y América fueron repartidos, ocupados y explotados durante siglos. Ellos también trajeron su religión; en cierta forma fue la religión de los conquistadores, de los esclavizadores y de los explotadores. Cierto es que esa religión, por su contenido intrínseco, y yo diría por su contenido humano, por su esencia noble y solidaria, aunque en contradicción con los hechos y las realidades de los portadores de esa religión como conquistadores –no hablo de los sacerdotes–, terminó siendo como en la antigua Roma la religión de los esclavos. En este hemisferio, donde estuvieron tres siglos los españoles –en Cuba fueron casi cuatro, porque fuimos de los primeros en ser conquistados y los últimos en liberarnos–, se propagó ampliamente la religión de los consquistadores.

No ocurrió así en Asia, porque ya existían otras religiones muy arraigadas y viejas culturas más resistentes. Por ejemplo, allá la religión indígena eran la hindú, el budismo y otras con una gran riqueza también de contenido. El cristianismo chocó con otras religiones, otra filosofía; el dominio fue menos pleno, menos universal; incluso no llegó a dominar. Y, en consecuencia, tú te encuentras que en el mundo árabe y en el Oriente Medio prevaleció la religión musulmana, a pesar de las Cruzadas, de la conquista ulterior y el dominio de los europeos occidentales; en los países del sudeste asiático o en la India, prevalecieron la religión hindú y la budista, a pesar de la colonización de esos países por Europa; en las Indias Orientales, otras partes de Asia, China y otros países, también prevaleció la religión autóctona, no obstante el dominio europeo.

En la propia Europa del feudalismo, en que los nobles y los feudales eran propietarios de las tierras y de la gente, la Iglesia fue, sin discusión, aliada de aquel sistema de explotación, aunque llevaba consuelo a las almas; se mantenía una contradicción entre sistema social y doctrina de la Iglesia.

En el imperio de los zares, había una estrecha alianza entre imperio, nobles, señores feudales, terratenientes e Iglesia. Esa es una realidad histórica incuestionable, y eso duró muchos siglos.

África fue conquistada por la fuerza de las armas, toda África excepto un país, Etiopía. Estuvieron en algunos lugares más tiempo, en otros menos tiempo. Hubo menos asimilación cultural; en África no triunfó realmente el cristianismo. En el norte de África existía la religión musulmana; el resto de las religiones eran animistas. Pero en África, durante siglos, a lo que se dedicaron los occidentales no fue, fundamentalmente, a predicar el cristianismo, sino a producir esclavos. No sé si alguien sepa con exactitud las decenas de millones de hombres libres que los europeos capturaron en África, esclavizaron y trajeron a América Latina, el Caribe y Norteamérica para venderlos como mercancía, 100 millones tal vez. Creo que algunos han hecho investigaciones sobre eso. Cuando menos, se calcula en 50 millones los que llegaron vivos, pero un gran número de ellos, tal vez mayor, murieron en el proceso de captura y durante la travesía por el Atlántico.

Frei Betto. A Brasil llegaron vivos 4 millones.

Fidel Castro. Se puede calcular cuántos murieron separados del lugar en que nacieron, separados de la familia, separados de todo. Ese espantoso sistema duró casi cuatro siglos. Sencillamente prevaleció durante siglos el dominio técnico, económico y militar de Europa Occidental, sobre los pueblos que hoy constituyen el Tercer Mundo.

Los indios fueron exterminados en muchos lugares; en Cuba prácticamente casi todos, pero en otros no pudieron porque eran demasiados o porque los preservaron mejor como fuerza de trabajo.

Los africanos fueron esclavizados, sin distinción alguna, durante siglos. Incluso después de la independencia en Estados Unidos siguió la esclavitud, a pesar de la solemne declaración de los derechos inalienables del hombre "concedidos por el Creador" y considerados como "verdades evidentes". Durante casi un siglo, millones de negros africanos y sus descendientes continuaron esclavizados. Esa fue para ellos la única verdad evidente y el único derecho que les concedieron los creadores de la esclavitud y el capitalismo.

En ese propio país, después de la independencia, los indios fueron sencillamente exterminados, y fueron exterminados por los cristianos europeos y sus descendientes: porque toda aquella gente, por otra parte, eran muy religiosas; se llamaban cristianos. Y los que cazaron indios y les arrancaron el cuero cabelludo durante siglos para apoderarse de sus riquezas y sus tierras, eran cristianos. Esa es una realidad histórica innegable.

Incluso en Argentina, los cristianos, siguiendo el ejemplo de Estados Unidos, en la época de Rosas, invadieron las tierras indígenas y exterminaron a los indios; en muchos lugares el exterminio de las poblaciones aborígenes fue el procedimiento aplicado.

Así, teníamos que en Europa existían los señores feudales, los nobles y los jerarcas eclesiásticos, en estrecha unidad durante siglos, y mantuvieron en explotación a los siervos y a los campesinos. En el imperio de los zares, ocurría lo mismo casi hasta fines del siglo pasado.

No se puede negar históricamente que la Iglesia –digamos, las Iglesias de los conquistadores, de los opresores y de los explotadores– estaba al lado de los conquistadores, de los opresores y de los explotadores. Nunca hubo realmente la condena tajante, categórica, a la esclavitud, algo tan horrendo hoy a nuestras conciencias, nunca la hubo: nunca hubo la condena a la esclavitud del negro, ni a la esclavitud del indio; nunca hubo la condena al exterminio de las poblaciones aborígenes, todas aquellas cosas atroces que se hicieron contra ellas, el despojo de sus tierras, de sus riquezas, de su cultura y hasta de sus vidas; no la hubo, ninguna de las Iglesias lo hizo. Realmente este sistema duró siglos.

Nada tiene de extraño que el pensamiento revolucionario, que se inició con un esfuerzo de lucha contra aquellas injusticias seculares, albergara un espíritu antirreligioso. Sí, tiene explicación real, histórica, el origen de ese pensamiento del movimiento revolucionario, que se manifestó en Francia en la revolución burguesa, en la lucha contra eso, y se manifestó en la revolución bolchevique también; se manifestó en el liberalismo primero; ya en la filosofía de Juan Jacobo Rousseau y de los enciclopedistas franceses se manifestaba ese espíritu antirreligioso, no ocurrió solo en el socialismo; se manifestó después en el marxismo-leninismo, por estas razones históricas. No hubo jamás una condena del capitalismo; quizás, en un futuro, dentro de 100, 200 años, cuando ya este sistema capitalista no exista en absoluto, haya quienes amargamente digan: durante siglos las Iglesias de los capitalistas no condenaron el sistema capitalista, ni condenaron el sistema imperialista, lo mismo que hoy decimos que durante siglos no condenaron la esclavitud, el exterminio de los indios y el sistema colonialista.

Hoy los revolucionarios luchan contra este sistema de explotación reinante, también despiadado. Luego tiene explicación eso que tú llamas errores, y que pueden ser, efectivamente errores. Porque la cuestión está en cómo una idea, cómo un programa social, revolucionario, se instrumenta en la práctica. Y si tú me dices que en las actuales condiciones de América Latina es un error poner el acento en las diferencias filosóficas con los cristianos, que como parte mayoritaria del pueblo son las víctimas masivas del sistema, poner el énfasis en ese aspecto en vez de concentrar el esfuerzo en persuadir para unir en una misma lucha a todos los que sustentan una misma aspiración de justicia, entonces yo diría que tú tienes razón; pero mucho más te diría que tienes razón, cuando se observa la toma de conciencia de los cristianos, o de una parte importante de los cristianos en América Latina. Si partimos de ese hecho y condiciones concretas, es absolutamente cierto y justo plantear que el movimiento revolucionario debe tener un enfoque correcto sobre la cuestión y evitar, a toda costa, una retórica doctrinal que choque con los sentimientos religiosos de la población, incluso de trabajadores, campesinos y capas medias, que solo serviría para ayudar al propio sistema de explotación.

Yo diría que ante la realidad nueva, tendría que haber un cambio en el tratamiento del problema y en los enfoques de la izquierda. En eso coincido plenamente contigo. Para mí es incuestionable. Pero durante un largo período histórico, si la fe era utilizada como instrumento de dominación y de opresión, tiene lógica que los hombres que anhelaran cambiar ese sistema injusto entraran en contradicción con las creencias religiosas, con aquellos instrumentos, con aquella fe.

Creo que la enorme importancia histórica de lo que tú señalas como la Teología de la Liberación, o la Iglesia de la Liberación –como lo quieras llamar–, es precisamente su profunda repercusión en las concepciones políticas de los creyentes. Y diría algo más: el reencuentro que significa de los creyentes de hoy con los creyentes de ayer, de aquel ayer lejano, de los primeros siglos, después que surge el cristianismo, después de Cristo. Yo podría definir la Iglesia de la Liberación o la Teología de la Liberación, como un reencuentro del cristianismo con sus raíces, con su historia más hermosa, más atractiva, más heroica y más gloriosa –eso lo puedo decir–, de tal magnitud que ello obliga a toda la izquierda en América Latina a tener eso en cuenta como uno de los acontecimientos más fundamentales de los que han ocurrido en nuestra época. Lo podemos decir así, porque tiende precisamente a privar a los explotadores, a los conquistadores, a los opresores, a los interventores, a los saqueadores de nuestros pueblos, a los que nos mantienen en la ignorancia, en las enfermedades, en la miseria, del instrumento tal vez más precioso con que puedan contar para confundir a las masas, engañarlas, enajenarlas y mantenerlas en la explotación.

Durante todo este largo período histórico que yo he mencionado, en el Occidente mercantilista y cristiano hasta se llegó a discutir si el indio tenía alma, si el negro tenía alma, si el hindú tenía alma –indio de la India, ya no el indio de América Latina–, si el amarillo tenía alma. Virtualmente lo único que llegó a concedérseles a lo largo de siglos de horror, de explotación, de crímenes de todo tipo, es que efectivamente tenían alma, pero no por eso se les reconoció derecho alguno, como no fuera el derecho a la esclavitud, a la explotación, al saqueo y a la muerte.

Incluso la revolución burguesa, que habló de los derechos inalienables del hombre en Francia, en Estados Unidos, en todas partes, no reconoció esos derechos para el indio, para el negro, para el amarillo, para el mestizo; eran derechos inalienables solo para blancos. Esos derechos a la libertad, a la integridad, a la vida, a los que podíamos añadir el derecho a la salud, a la educación, a la cultura, al empleo decoroso y libre, la gran revolución burguesa los reconoció solo para blancos europeos. Ahí está la historia mostrando su testimonio amargo e inapelable de que ninguno de esos derechos era para los pueblos del Tercer Mundo. Entonces, claro, nuestra América Latina está en ese Tercer Mundo. Y hasta ahora –digamos la verdad–, para decenas de millones, cientos de millones de campesinos pobres, de obreros que viven con un salario miserable, de pobladores que están allá en los barrios marginales de todas las capitales de América Latina, realmente lo único que a duras penas les fue concedido es el reconocimiento de que tenían alma.

Pero si partimos de que tienen alma, si se admite realmente que tienen alma, entonces creo que las posiciones adoptadas por los cristianos como tú, al proclamar y exigir los mismos derechos para todos, constituyen, a mi juicio, un acontecimiento histórico de la mayor trascendencia.

FREI BETTO. Alma y cuerpo, Comandante, una unidad: el hombre.

FIDEL CASTRO. Pero si se empieza a admitir que son iguales espiritualmente los pobres y los ricos, los negros y los blancos, los campesinos sin tierra y los terratenientes, entonces habrá que empezar a reconocerles a todos esos hombres, seres humanos, que tienen alma y tienen cuerpo igual que los blancos, igual que los ricos, los mismos derechos que tienen los otros.

Así es, en esencia, como yo interpreto la lucha que ustedes están librando, y no tiene nada de extraño que el imperio, su gobierno, sus teóricos y sus voceros, empiecen por enfrentarse o por recomendar la lucha más decidida contra la Teología de la Liberación como algo subversivo, porque hay que mantener en la práctica el principio de que no tenemos siquiera alma. Porque si tenemos alma y, además, tenemos cuerpo, habría que admitir que tenemos también derecho a vivir, a alimentarnos, a preservar la salud, a recibir una educación, a tener una vivienda, a disponer de un empleo y llevar la vida con dignidad; derecho a que las mujeres y las hijas del trabajador no se prostituyan, o no tenga la familia que vivir del juego, de la droga, del robo o de la limosna en una villa miseria.

Es lógico que una teoría o una posición religiosa que vaya al reencuentro con lo mejor de la historia del cristianismo, esté en absoluta contradicción con los intereses del imperialismo. Porque yo todavía creo que aunque teóricamente se admite que tenemos un alma, los teóricos del imperialismo, los señores que redactaron el documento de Santa Fe, estoy convencido de que creen que negros, indios, mestizos, o simplemente ciudadanos del Tercer Mundo, no tienen alma, aunque se llama el Grupo de Santa Fe. En el fondo está eso, y por ello entiendo perfectamente su rabiosa oposición, como creo que puedo valorar la importancia histórica de esa opción que ha hecho una importante parte de la Iglesia latinoamericana por los pobres.

Tú expresas realmente con mucha belleza que los pobres invadieron la Iglesia. Yo creo que el dolor de los pobres invadió la Iglesia, la tragedia inenarrable de esas masas invadió la Iglesia. Creo que el grito de dolor llegó a la Iglesia, llegó, sobre todo, a los pastores que estaban más cerca del rebaño, que podían oír más de cerca sus gritos, sus dolores, sus sufrimientos.

El eco llegó un poco más lejos, a obispos, cardenales, incluso a un Papa: Juan XXIII. El Tercer Mundo y los revolucionarios del Tercer Mundo, recibieron el impacto de los profundos planteamientos de Juan XXIII, que es realmente recordado en nuestros países con respeto y simpatías por todos, incluidos los marxista-leninistas. Yo creo que en las prédicas de Juan XXIII está, sin discusión, la base del impulso de esa opción y esa actitud de muchos sacerdotes y obispos hacia los pobres en el Tercer Mundo y, especialmente, en América Latina.

FREI BETTO. Juan XXIII fue un campesino que llegó a Papa.

Fidel Castro. Posiblemente ese factor haya tenido una gran influencia en su pensamiento; no podemos hablar de movimiento de la Iglesia en América Latina, de este acercamiento al pueblo, sin mencionar a Juan XXIII. Ni nosotros mismos nos habíamos percatado de estos cambios, porque tú estás hablando a partir de 1968. Nosotros en los hechos hemos ido viendo la influencia que tuvo el pensamiento de Juan XXIII en la evolución de la Iglesia Católica y en el surgimiento de ese movimiento. Pienso que la influencia fue mutua, fue recíproca: los pobres influyeron en la Iglesia, invadieron la Iglesia, y la Iglesia, a su vez, como reflejo o como eco de ese sufrimiento, penetró también en los pobres. Yo te puedo asegurar que nunca la Iglesia tuvo en éste hemisferio el prestigio y la autoridad que alcanzó desde el momento en que muchos sacerdotes y obispos comenzaron a identificarse con la causa de los pobres.

Frei Betto. Usted sabe que en este momento en Europa mucha gente –incluso gente de la Iglesia– piensa que la Teología de la Liberación es una mera manipulación marxista de la Iglesia.

Yo, que me identifico plenamente con la Teología de la Liberación, diría más, Comandante: gracias a la Teología de la Liberación, hoy considero que mi fe cristiana tiene más profundidad.

Ahora, la Iglesia europea, como la sociedad europea, durante muchos siglos fueron centro del mundo, y la Iglesia se acostumbró a exportar no solamente su modelo de Iglesia a las demás partes del mundo, sino incluso su teología. Yo creo en la teología, la teología es la reflexión que nace de la fe de la comunidad cristiana; en ese sentido, todo cristiano, cuando reflexiona desde su fe, hace teología, mas no todo cristiano es teólogo; teólogos son aquellos que tienen la base científica, el conocimiento científico necesario a la teología y, al mismo tiempo, contacto con la comunidad, y son capaces de practicar y sistematizar la reflexión que hace el pueblo cristiano.

Tenemos conciencia de que se ha producido en Europa

una teología, que la llamamos Teología Liberal, que tiene su valor; mas como toda la teología, refleja la problemática propia de la realidad europea. ¿Y qué hechos más importantes ocurrieron en este siglo en la realidad europea? Las dos grandes guerras. Entonces, este hecho ha suscitado en toda la cultura europea una angustiante pregunta sobre el valor de la persona humana, el sentido de la vida, etcétera. Si nosotros tomamos la filosofía de Heidegger, Sartre, las películas de Fellini, de Buñuel, las pinturas de Picasso, la literatura de Camus, de Thomas Mann, de James Joyce, toda esa gente hace un esfuerzo por contestar esta inquietante pregunta: ¿qué valor tiene la persona humana? Y justamente en esta línea, en la filosofía personalista, fue donde la teología europea encontró el medio necesario para su relación con la realidad.

Ahora, ¿qué hecho más importante ocurrió en la historia de América Latina en este siglo? ¿Una guerra? No. Tuvimos guerras locales, mas ninguna guerra de expresión continental. El problema más importante o el hecho más importante de la historia de América Latina, es la existencia masiva de miserables; entonces, nuestro problema no es un problema filosófico de la persona. La angustiante pregunta que tenemos que hacer es: ¿por qué en América Latina, cuando el mundo llega a un avance tecnológico imprevisible, existe colectivamente, de una manera mayoritaria, la no-persona? La mayoría de los latinoamericanos están en una situación de no-persona, en el sentido de que viven en peores situaciones, muchas veces, que los animales; el ganado brasileño tiene mejores condiciones de vida que la mayoría de la población brasileña. Y para analizar esto no es suficiente para la teología la ayuda de la filosofía, es necesario conocer las causas de este hecho, y ahí, necesariamente, tiene que haber ayuda de las ciencias sociales, y en las ciencias sociales no se puede desconocer la contribución del marxismo.

En el momento en que, por un deber de justicia para con este pueblo y por un deber de verdad para con el análisis científico, la Teología de la Liberación se articula de esta manera, provoca en una parte de la Iglesia una reacción muy fuerte, y esa reacción lleva a algunos de nuestros compañeros, como Leonardo Boff, teólogo brasileño, a sufrir sanciones por haber ejercido su más elemental derecho como teólogo de la Iglesia, que es reflexionar la fe a partir de la realidad y la historia de su pueblo.

A mí me gustaría que usted manifestase alguna opinión, usted, que sigue diariamente los acontecimientos del mundo, las cosas que pasan. ¿Qué impacto, qué repercusión tiene en usted toda esta polémica en torno de la Teología de la Liberación? ¿Cómo usted reacciona, le ha causado esto algún interés, le ha provocado alguna reacción más personal como hombre y como político frente a esto? Me gustaría escuchar un poco sobre esto.

FIDEL CASTRO. Tú me haces una pregunta y un planteamiento de los más difíciles, incluso pudiera decir más delicados. De nuevo me veo obligado a remitirme a algunos de los puntos de tu exposición, en primer término a la idea de la manipulación.

Ya hablamos de esto, hicimos un comentario el otro día, todavía no estábamos haciendo la entrevista. Yo dije lo siguiente: los manipuladores nunca han merecido el respeto de nadie en ninguna parte, los manipuladores nunca han tenido éxito tampoco en ninguna parte, los manipuladores son como barquichuelos que se mueven con el viento, con las olas. Manipulación es sinónimo de oportunismo, la manipulación no tiene sostén, no tiene raíces. Pienso que tú no tendrías ningún respeto por mí, si tú percibes que yo soy un manipulador, y, del mismo modo, ningún revolucionario tendría respeto por ti ni por otros que piensan como tú, si tuviéramos la percepción de que se trata de personas que puedan ser manipuladas. Creo que el respeto, la relación, el análisis serio, la comprensión, todo es posible entre gente auténtica; si tú no fueras un creyente profundo, tus ideas no habrían hecho ni tendrían ningún impacto en nosotros.

Yo te digo que personalmente lo que me inspiró más respeto hacia ti, fue la percepción de tu profunda convicción y creencia religiosa, y estoy seguro de que igual que tú son los hombres de la Iglesia que se han preocupado por estos problemas. Si partiéramos nosotros, los revolucionarios, de que ustedes no fueran gente auténtica, ninguna de las cosas que hemos hablado tuvieran sentido, ni las ideas que hemos discutido, ni la idea de alianza e incluso de unidad, como dije ya en Nicaragua, entre cristianos y marxistas; porque un verdadero marxista desconfiaría de un falso cristiano, y un verdadero cristiano desconfiaría de un falso marxista. Solo esa convicción puede ser la base de una relación sólida y duradera.

Pero, bien, no le demos mayor importancia, porque hay un refrán popular que dice: "Más fácil se descubre a un mentiroso que a un cojo". La fe de un cristiano y la fe de un revolucionario no se pueden simular, y la mentira no se puede disimular.

Yo comprendo que acudan a argumentos simplistas quienes están realmente preocupados por la existencia de tanta fe, lo mismo en unos que en otros. Puedo apreciar que tú realmente has meditado mucho sobre este problema, cuando te escucho hablar sobre Europa, sobre la Teología Liberal, los factores históricos y los grandes acontecimientos que han influido en las ideas de sobresalientes pensadores europeos, y realmente me admira, me impresiona tu afirmación de la diferencia con la realidad europea cuando hablas de la masividad de la miseria como hecho fundamental y determinante en este hemisferio. Y eso no es solo cierto, o viene siendo cierto en los últimos 40 ó 50 años, sino que viene siendo cada año y cada día más cierto. Porque si incluso la crisis económica de 1930 fue una de las más graves tragedias económicas y sociales en América Latina, la crisis actual es mucho más grave, porque entonces la población de América Latina era de alrededor de 100 millones de habitantes y la población de América Latina alcanza hoy alrededor de 400 millones de habitantes, y los recursos de subsistencia han disminuido, incluso los recursos naturales han disminuido.

No sé cómo vivía el hombre primitivo, aunque se han elaborado teorías acerca de eso. Se dice que el hombre primitivo vivía de la caza, de la pesca, de la recolección de frutos, cuando había abundantes animales silvestres, muchos peces en los lagos, en los ríos. No existía la contaminación de hoy, disponían de madera abundante para buscar el calor en el fuego, y existían raíces, frutos naturales, en los cuales el hombre buscaba su alimentación. Esos medios naturales han ido escaseando cada vez más, han ido desapareciendo o se han ido contaminando, o tienen celosos propietarios, y el número de seres humanos se ha multiplicado infinitas veces.

Hoy el hombre no puede vivir de la recolección y de la caza; tiene que vivir de la agricultura intensiva, de la piscicultura, de la pesca de altura con los medios técnicos adecuados y de la industria. Hoy el hombre no puede vivir sin la educación. Hoy el hombre no puede vivir sin la asistencia médica; en aquella época, sobrevivían por ley de selección natural los que tenían mejores condiciones físicas, mayor capacidad de resistencia. Hoy el hombre necesita extraer de la tierra el máximo, necesita medios elementales de vida que no se pueden recolectar simplemente en la naturaleza circundante. Y la masividad de la miseria proviene precisamente de la escasez de los medios de vida para cientos de millones de personas en este hemisferio. Estoy plenamente de acuerdo contigo, cuando se habla de la no-persona.

Conversando precisamente con Joelmir Beting, él nos explicaba que en Brasil, de una población de 135 millones de habitantes, aproximadamente, hay 32 millones de habitantes que constituyen un mercado de consumo como el de Bélgica, otros 30 millones que están por debajo, 40 millones en los niveles mínimos de subsistencia y 30 millones por debajo de los niveles mínimos de subsistencia. ¿Cuál es la categoría en que podemos situar a toda la gente que vive en las villas miseria, que no tiene trabajo, que no puede ir a la escuela, que no tiene medios de vida de ninguna clase. Indiscutiblemente que en la de no-persona. Y ya tú te encuentras que en la mayoría de los países de América Latina más de la mitad de la población está en la categoría de no-persona, mientras, quizás, un 15 por ciento, y puede ser que tal vez un 20 por ciento, entre un 10 y un 20 por ciento, viven a nivel de Bélgica, en sus posibilidades y medios de consumo. Con lo que podemos decir que entre 250 ó 300 millones de personas en este hemisferio, es decir, las tres cuartas partes aproximadamente de sus habitantes, podrían entrar en un grado mayor o menor en la categoría de no-persona.

Tengo una coincidencia completa con lo que tú has planteado; pero también escuché con mucho interés tu planteamiento acerca del porqué. Sería largo de explicar ese porqué, pero la historia guarda en sus entrañas la explicación de todo esto, que está asociado con el colonialismo y la esclavitud. Las riquezas extraídas de este hemisferio sirvieron para financiar el desarrollo de las grandes potencias industriales de Europa, de los propios Estados Unidos. Como te decía anteriormente, la esclavitud solo desapareció en Estados Unidos un siglo después de la independencia.

En la base de esto está el subdesarrollo, el neocolonialismo, formas de saqueos muy variadas a través del intercambio desigual, políticas proteccionistas, dumping, explotación despiadada de los recursos naturales y humanos de este hemisferio, tasas de interés leoninas, políticas monetarias y un largo conjunto de métodos de explotación que han mantenido en la dependencia, en el subdesarrollo y en la pobreza a los países del Tercer Mundo, lo cual se hace más sensible en América Latina por poseer mayores niveles de desarrollo social, político, educacional y cultural, más información sobre las sociedades de consumo occidentales, tan propagandizadas en nuestro hemisferio, y, por tanto, también más conciencia de su desigualdad y su pobreza, que en otras regiones del Tercer Mundo, como África y Asia, todo lo cual le da un carácter potencialmente más peligroso y más explosivo a esta situación desde el punto de vista político y social.

Me interesa mucho y comparto tu criterio de que el marxismo es una importante contribución al desarrollo de las ciencias sociales. Me explico perfectamente por qué los que desde una posición religiosa se preocuparon por estas cuestiones, se preocuparon por encontrar una explicación, por realizar investigaciones, hayan utilizado en cierta forma el marxismo como un instrumento de análisis, puesto que una investigación tiene que tener una base científica y tiene que disponer de un método científico de análisis. No han utilizado el marxismo para explicar problemas teológicos, o para explicar problemas metafísicos, o problemas filosóficos, sino que lo han utilizado para explicar fenómenos y problemas económicos, sociales y políticos. Es como el que va a hacer el diagnóstico de una enfermedad, que utiliza un medio, un equipo científico, no toma en cuenta si lo produjeron en Estados Unidos, en Francia, en la Unión Soviética, en Japón o en cualquier otro país. La ciencia propiamente no tiene ideología, como ciencia; es decir, un instrumento científico, como un medicamento, un equipo médico, un equipo industrial, una máquina, no tienen ideología en sí mismos. Una interpretación científica puede dar lugar a una ideología política, no estoy hablando de una creencia religiosa.

Entonces, comprendo perfectamente bien. Pero, ¿quiénes utilizan hoy el marxismo como instrumento, los teólogos de la liberación o algunos teólogos de la liberación? No estoy en condiciones de afirmar hasta qué grado se ha utilizado el método de análisis o el instrumento del marxismo como una ciencia para las investigaciones sociales por parte de los teólogos de la liberación, pero sí sé que hoy lo utilizan prácticamente todos los científicos.

Por ejemplo, yo leo muchos libros científicos, obras científicas, investigaciones científicas, no tanto precisamente sobre problemas sociales; observo infinidad de científicos que estudian la biología, o estudian los astros, o estudian los planetas, o estudian la vida, la botánica, los minerales, y tú puedes percatarte de que toda esa gente hace un análisis científico, independientemente de su convicción religiosa. Durante un tiempo se negaba la teoría de la evolución, algunos científicos fueron muy censurados por considerarla válida; en un tiempo se negó, incluso, la teoría de que la Tierra era redonda; en otra ocasión se negó que la Tierra giraba sobre sí misma, o que la Tierra giraba alrededor del Sol. Hablando del avance científico del hombre, hay muchos casos en que determinadas verdades científicas se rechazaban de manera absoluta.

Hoy cualquier científico, sea católico, sea evangelista, sea musulmán, sea hindú, sea budista, sea norteamericano, sea japonés, sea chino, de cualquier país, independientemente de su creencia religiosa, cuando va a analizar un problema determinado, acude a la ciencia, sin discusión; y, precisamente, por eso han llegado tan lejos, como descubrir las leyes de la genética y en la actualidad realizar la fabulosa proeza de modificar la estructura de las células, es decir, crear nuevas especies de seres vivos. Fue un monje precisamente, no sé si sería benedictino, Mendel, el que descubrió las leyes de la genética. Otros penetraron más profundamente y descubrieron las mutaciones y sus causas; otros llegaron mucho más lejos, penetraron dentro de las células, de su núcleo, de sus cromosomas, analizaron el ADN y descubrieron lo que se ha dado en llamar la programación genética de una célula; han llegado a más, han llegado a manipular algunos de esos genes transfiriéndolos de un tipo de célula a otra.

Lo mismo ha ocurrido con los que descubrieron la fabulosa energía de los átomos a base de cálculos matemáticos e investigaciones físicas, los que exploraron el espacio e hicieron posible su conquista, los que han desarrollado la farmacopea moderna, llegando a ser capaces ya, incluso, de diseñar moléculas que no existen siquiera en la naturaleza y producirlas en laboratorios, de modo tal que incluso un antibiótico determinado, si hace 30 años se producía de un cultivo de hongos, hoy te lo producen por síntesis químicas, o idean un medicamento más perfecto o eficiente que los que existen de modo natural.

Toda esta larga explicación la expongo porque en el análisis de cualquier problema social hay que acudir a la ciencia, y muchos de estos científicos han usado métodos que no se apartan en nada de la concepción marxista, también para interpretar los fenómenos de la naturaleza, los fenómenos físicos, los fenómenos químicos, aunque no, desde luego, para interpretar fenómenos filosóficos o fenómenos teológicos. Esos científicos hoy utilizan las teorías de la evolución natural, todas las leyes descubiertas por los astrónomos y todas las leyes físicas, desde la de la gravedad hasta las que rigen la existencia de las galaxias. De los que trabajan en estas esferas o en las de la biología y la ingeniería genética, gran número de ellos mundialmente famosos, muchos son protestantes, católicos, musulmanes, judíos, hindúes, budistas o de otras religiones, o pueden ser incluso ateos, o no creyentes, o que se declaren agnósticos. Así que el uso de la ciencia en la investigación, es algo que no es exclusivo de los teólogos de la liberación, sino de todos los investigadores en todos los campos del saber humano. Se puede apreciar perfectamente que el uso de esos métodos científicos no ha estado en contradicción con su fe religiosa.

Ya te dije que habría preferido disponer de un período mayor de tiempo para que realizáramos esta entrevista, precisamente porque tenía interés en reunir más información y más conocimientos sobre el pensamiento de los teólogos de la liberación, o de la Teología de la Liberación, más conocimientos sobre Leonardo Boff, sobre Gutiérrez, conocerlos a fondo; he reunido literatura sobre ellos, he logrado reunir un número importante de las principales obras de Boff, también de Gutiérrez y de otros, y tengo interés, a pesar de mi enorme trabajo, de informarme, conocer a fondo su pensamiento.

Quedamos en que ni tú disponías de las posibilidades de volver por Cuba en otro momento próximo, ni yo de inmediato disponía de mucho tiempo para esto. Es más, albergo el propósito de profundizar en mis conocimientos sobre este tema, pero tengo ideas generales y alguna información, porque todos los días por la mañana lo primero que hago es leer un grueso volumen de cables internacionales, y a través del índice selecciono todos aquellos que contienen informaciones políticas de importancia, o informaciones económicas, o informaciones científicas y médicas, y también, por supuesto, los que contienen informaciones relacionadas con la Teología de la Liberación, los problemas que se han suscitado y las polémicas que también se han originado con motivo de esto. Pero, realmente, para mí no resulta fácil emitir un juicio sobre estas cuestiones. Puedo emitir un juicio más fácilmente sobre cuestiones relacionadas con el movimiento revolucionario, el movimiento comunista, la situación económica internacional o temas políticos en general, porque es el campo en que desenvuelvo mis actividades, es mi campo, digamos, en el que me siento con más derecho o con más libertad a opinar.

Ahora, tratándose de un problema de esta índole, de cuestiones que tienen que ver con la Iglesia y la política interna de la Iglesia, o discusiones dentro de la Iglesia, me siento en el deber de ser muy cuidadoso y evitar emitir opiniones que puedan contribuir a polémicas y divisiones dentro de una corriente religiosa, o tomar partido en esos puntos que se están discutiendo; a ustedes les resulta más fácil, a ti y a muchos cristianos y católicos. Efectivamente, entre esos cables leo mucha información de distintas declaraciones que se producen en Europa, que se producen en América Latina y se producen en todas partes; por la índole de la cuestión, nosotros hemos rehuido hacer análisis, consideraciones, inmiscuirnos en ese problema. Esto, desde luego, no tiene nada que ver con nuestra valoración de cada una de las cosas que se hacen y de cada uno de los pronunciamientos que se han hecho.

Pero pienso lo siguiente: la Iglesia es una institución muy antigua, tiene casi 2 mil años.

FREI BETTO. Lo más antiguo que existe.

FIDEL CASTRO. Bueno, creo que los budistas y los hindúes son más antiguos.

FREI BETTO. Sí, pero no son institución.

**Fidel Castro.** Correcto, como institución es posible. La Iglesia puede ser la más antigua, y ha pasado por muchas pruebas muy difíciles, de todo tipo; pasó por cismas, pasó por divisiones de muy diversa índole; de esos cismas surgieron otras Iglesias en su momento dado, como la Iglesia Ortodoxa. Después vino la Reforma, como consecuencia de la Reforma surgieron muchas Iglesias.

Es cierto que la piedra de San Pedro, sobre la cual se edificó la Iglesia Católica, es una piedra sólida, una piedra dura, y esa institución ha demostrado a lo largo de la historia experiencia y sabiduría, ha demostrado también su capacidad de adaptación a las realidades del mundo. Tiene que haber pasado por pruebas difíciles, desde el momento en que condenaron a Galileo hasta la era nuclear y los viajes espaciales, las teorías de las galaxias, las leyes de la evolución y los descubrimientos de la biología moderna, algunas de cuyas proezas te mencioné; pero surgieron siempre las explicaciones de los teólogos, nuevos criterios religiosos, y surgieron pasos inteligentes para adaptar la institución a todos los grandes cambios políticos, económicos y sociales, y los grandes descubrimientos científicos que han tenido lugar en el mundo.

Desde mi punto de vista, la Iglesia también en estos tiempos está pasando por algunas pruebas difíciles y requiere de adaptaciones importantes. Yo no podría decir que estoy al ciento por ciento de acuerdo ni mucho menos con las posiciones de la Iglesia, como institución, acerca de una serie de problemas. Te cito un ejemplo: yo diría que es necesario profundizar más en un problema muy serio, que es el crecimiento descontrolado de la población. Tengo entendido que la Iglesia se está preocupando ahora más de ese problema. Las ideas que hoy se manejan sobre eso no son las mismas que cuando yo era estudiante de quinto, sexto grado. De entonces acá, ha habido importantes cambios en algunas de estas concepciones.

No estoy ni mucho menos promoviendo ideas o normas que se aparten de los principios de la Iglesia o de las concepciones teológicas de la Iglesia, pero sí considero una necesidad abordar de modo realista problemas importantísimos de nuestro tiempo, y uno de ellos es cómo se maneja la necesidad del control de la población, que en algunos países ha dado lugar a conflictos políticos serios y a divergencias. Una vez estuve hablando sobre este tema con un cardenal africano, el cardenal de Benin, que está en Roma, y le dije: "Mire, menos mal que la Iglesia Católica no tiene gran influencia en China, menos mal que la Iglesia Católica no tiene gran influencia en la India", porque en esos dos países, uno de los cuales tiene más de mil millones de habitantes y otro tiene alrededor de 700 millones, con recursos relativamente limitados, tienen que preocuparse seriamente por los problemas de control de la población. Esas son cuestiones tan vitales que no deben entrar en contradicción con las creencias religiosas. Porque la Iglesia debe resolver problemas complejos, y entre los problemas que debe resolver, está el evitar contradicciones traumáticas entre la creencia de los católicos y sus realidades.

FREI BETTO. Una pequeña aclaración, Comandante.

Por principio, la Iglesia limita hoy el control de la natalidad dentro del concepto de paternidad responsable, o sea, a los padres cabe la decisión del número de hijos que quieren tener y sobre los que tienen la obligación de promover la revelación plena de su vida. La discusión en la Iglesia está en cuanto a los métodos del control de la natalidad. Ahora, hay una preocupación política que me parece muy importante y muy justa, que es no favorecer mucho la cosa del control de la natalidad sin una discusión profunda, porque quien va a tener la hegemonía, como ya ocurre en nuestros países capitalistas, es el Banco Mundial, la política norteamericana de esterilización de las mujeres pobres en los centros de salud; una mujer va ahí con un dolor de cabeza, por un problema de embarazo, e inmediatamente la esterilizan. Entonces, esa es una cosa que por tener dimensión hay que tener mucho cuidado ahí.

Fidel Castro. Por supuesto que nunca estaré junto a las prácticas del imperialismo y sus métodos para mantener la dominación sobre nuestros países. Pienso, además, que la esterilización forzosa es una de las más brutales violaciones que se pueda realizar contra la persona humana. Estoy en total desacuerdo con eso. No estoy sugiriendo soluciones; señalo un problema real de nuestro tiempo.

Desde luego, no estoy informado del momento en que se produce ese análisis, ese criterio, ese concepto de la paternidad responsable. ¿Tú pudieras decirme de qué fecha data este hecho?

Frei Betto. Eso viene después del Concilio Vaticano II en 1965, ahí empezó más profundamente esa discusión.

Fidel Castro. ¿Y cuándo se arribó ya a una decisión sobre este concepto?

Frei Betto. En el pontificado del papa Pablo VI, con la encíclica *Humanae Vitae*.

Fidel Castro. ¿En qué año?

Frei Betto. No me acuerdo exactamente, porque él tuvo unos quince años de pontificado; no me acuerdo exactamente en qué año.

Fidel Castro. ¿Hará entonces más de diez años?

Frei Betto. Sí, más o menos.

Fidel Castro. Entonces, cuando yo conversé con el cardenal de Benin, precisamente esta conversación de la que te estoy hablando, ya existía ese concepto.

Frei Betto. Sí. ¿Y cuándo fue esa conversación?

Fidel Castro. Fue hace algo más de diez años. Él no me planteó ese concepto de la paternidad responsable, aunque yo le expliqué mis preocupaciones en torno a este asunto.

Cité un ejemplo de problemas reales que observo en el Tercer Mundo y posibles conflictos de conciencia entre la necesidad de programar el crecimiento de la población, que de no hacerse traerá más tarde o más temprano en esos países consecuencias desastrosas, y la posición tradicional de la Iglesia sobre el uso de medios anticonceptivos. Ningún país en desarrollo puede soportar ritmos de crecimiento poblacional del 2 al 3 por ciento al año. Jamás saldría del abismo de pobreza y sufrimiento acumulados durante siglos. Yo pienso que la Iglesia debe tener una posición realista, racional y razonable sobre problemas de tantas implicaciones políticas, económicas, sociales, e incluso morales.

Hay que tener en cuenta las realidades de los índices de niños que mueren cada año en el Tercer Mundo por falta de alimentos. Son decenas de millones los que mueren en el primer año de vida, entre 1 y 5, entre 5 y 15, y cientos de millones de los que sobreviven a estas edades crecen con problemas físicos o mentales por problemas de nutrición; algo verdaderamente inhumano, cruel y trágico. No hace falta imaginarse peor infierno, ni hay que esperar durante siglos que inmensas masas humanas que no tienen acceso a una escuela o un modesto preceptor, adquieran nociones morales sofisticadas como para practicar la abstinencia sexual en el seno de la pareja humana, con la misma rigidez y disciplina de un convento. No es realista. Yo creo que una teología, una religión, una Iglesia, no puede ignorar esta tragedia. Y si la Iglesia no tiene una teoría política sobre cómo se debe resolver técnicamente, científicamente, socialmente, el problema de dar alimentación, dar educación, dar salud y garantizar la vida de todas estas personas, si no tiene esa teoría, debe tener, por lo menos, una teoría moral racional sobre la forma en que una familia cristiana, en esas condiciones, debe manejar el problema.

Es decir, hay puntos de franca discrepancia en estos temas, a no ser que los criterios tradicionales que yo conocía hayan sido modificados en un sentido más racional y viable, lo cual, por supuesto, sería de gran valor e importancia para nuestros pueblos. No estoy hablando sobre cuestiones propiamente religiosas, ni teológicas, sino de problemas reales, de gran trascendencia en el terreno político y social para todos los países del Tercer Mundo y, de modo especial, para los de América Latina, donde tanta influencia posee la Iglesia Católica.

Quiero decir que me gustaría que la Iglesia reflexionara sobre todos estos problemas. Más aun me gustarían reflexiones serenas y profundas sobre los problemas económicos y sociales de los países de América Latina y del Tercer Mundo, la inmensa tragedia que significa lo que está ocurriendo en la realidad, la profunda crisis económica y la deuda del Tercer Mundo, la explotación y el saqueo a que son sometidos nuestros pueblos mediante un sistema de relaciones económicas internacionales despiadadamente egoísta e injusto. Me gustaría una posición constructiva y solidaria de la Iglesia en torno a estos problemas que sufren nuestros pueblos. Sería una contribución de extraordinario valor a la paz y al bienestar del mundo. Los recursos económicos que se arrebatan a nuestros pueblos, se emplean en gastos militares.

Nosotros no deseamos, ni podemos desear, divisiones en el seno de la Iglesia. Nos gustaría una Iglesia unida, apoyando las justas reivindicaciones de los pueblos del Tercer Mundo y de toda la humanidad, y, de modo especial, las de América Latina, donde están o estarán en breve tiempo, al ritmo de crecimiento que llevamos, la mayoría de los católicos del mundo y también los más pobres. No me parece correcto que desde fuera de la Iglesia tratemos de reformar o mejorar la Iglesia; no me parece correcto desde fuera promover la división. Sí nos parece, en cambio, políticamente más conveniente, tanto para ella como para nosotros, la solidaridad de una Iglesia unida con las aspiraciones más sentidas de la humanidad. Y lo más que te puedo expresar es la esperanza de que esos problemas sean resueltos de una forma racional.

FREI BETTO. Yo añadiría, como cristiano, y democrática.

FIDEL CASTRO. Creo que ese concepto está implícito en lo racional, porque si la forma no es democrática, no sería ya enteramente racional.

Me parecería un poco extraño que el Papa, por ejemplo, hablara de cómo debemos organizarnos los partidos, cómo debemos o no debemos aplicar el centralismo democrático, cómo debemos interpretar el marxismo-leninismo. Tú lo puedes hacer si lo deseas y yo puedo hablar sobre esos temas todo lo que quieras.

Entonces, la esperanza es que se resuelvan de una manera racional los problemas propios de la Iglesia; la esperanza es que la Iglesia comprenda los serios y dramáticos problemas actuales de nuestros países y les preste su apoyo. No hace falta ser muy perspicaz para comprender que nosotros simpatizamos plenamente, y es absolutamente consecuente con todo lo que hemos hablado y hemos planteado, con que la Iglesia tenga una opción al lado de los pobres. Es consecuente con el análisis histórico que hice anteriormente, cuando decía que a través de siglos de feudalismo, siglos de colonialismo, siglos de esclavización de los hombres, siglos de exterminio de los hombres, siglos de explotación de los hombres, la Iglesia no haya tomado una posición contra estas grandes injusticias históricas. Nadie puede ser más fervientemente partidario de que la Iglesia tenga una posición justa sobre los problemas sociales más graves de nuestros tiempos, y que no se repita otra vez aquello de que durante siglos la Iglesia no abordó el problema. Ya te dije con cuánta admiración y con cuánta satisfacción he observado que muchos sacerdotes y obispos se han acercado a los pobres en América Latina e hicieron suyos sus problemas. Y, desde luego, los teólogos de la liberación han sido abanderados de ese acercamiento de la Iglesia a los pobres, del acercamiento de la Iglesia al pueblo. En ese sentido, es casi innecesario decir que veo con profunda simpatía el esfuerzo que han hecho estos hombres, que podríamos llamar iluminados, en esa dirección.

Por eso lo que me propongo no es hacer críticas sobre medidas tomadas en relación con algunos de ellos, ni mezclarme en el problema. Lo que me propongo es profundizar, estudiar a fondo sus obras.

En estos días he tratado de reunir material. No solo dispongo ya de casi todas las obras de Boff y de Gutiérrez, sino que con mucho interés solicité y obtuve también las copias textuales de los discursos del Papa en su último recorrido por América Latina, especialmente sus discursos en Guyana, ante las comunidades indígenas de Ecuador, ante los pobladores de las villas miseria de Perú. Porque realmente también como político que soy, como revolucionario que soy, leí con mucho interés las noticias de sus pronunciamientos, sobre todo cuando dijo que hacían falta tierras para los campesinos, alimentos tres veces al día para todos los seres humanos, trabajo para todos los padres de familia, salud para todos los niños. Leí, por cierto, un cable, relatando que un poblador de Lima se acercó al Papa y expresando el sentir de todos le dijo que no tenían trabajo, que sus hijos padecían hambre, que estaban enfermos, que no tenían medicina, que sus mujeres concebían estando tuberculosas, y de una manera dramática, con mucha fe, apeló al Papa pidiendo su apoyo.

Estoy convencido de que en esas visitas por América Latina, el Papa ha de haber comprendido las diferencias que existen entre la abundancia de bienes materiales y el derroche que puede observarse en las sociedades de consumo de la Europa rica y desarrollada, visibles en sus espléndidas ciudades como Roma, París, Londres, Amsterdam, Madrid, y la espantosa pobreza, la masividad de la miseria de que tú hablas, que encontró por las ciudades y campos latinoamericanos, donde cientos de millones de personas carecen de los más elementales recursos de vida. Me interesé por esos pronunciamientos y mandé a pedir sus discursos completos, porque me interesa conocer el pensamiento de la cúspide de la Iglesia sobre estos problemas, lo cual, a mi juicio, también tiene una enorme importancia. Y te confieso, además, que me agradaron las preocupaciones expresadas por el Papa en ese terreno.

Yo me propongo estudiar todos estos materiales, y en un futuro podré hablarte en un plano político, más ampliamente, sobre todos estos temas. No quisiera hacer un juicio superficial sobre los mismos. De todas formas, cuando aborde estos problemas, lo voy a hacer desde un punto de vista político. Por supuesto, no voy a pretender hacerlo desde un punto de vista teológico.

Finalizamos el trabajo casi a las 11:00 de la noche. El Comandante acepta la invitación para comer, en la casa donde estamos hospedados, *canjiquinha* de maíz, con lomo y costillas de puerco, hecha por mi madre, y el *bobó* de camarón preparado por mí. Otros amigos están presentes. Unas quince personas, entre cubanos, brasileños, argentinos y chilenos. Durante la conversación, relajada, sobre todo acerca de las semejanzas de la cocina cubana y la mineira, Fidel Castro prefiere, entre otras bebidas, mantener su pequeña copa llena de aguardiente Velho Barreiro, traído por mí de Brasil. A la hora del postre, el "espera-marido", que algunos llaman de ambrosía, hecho por doña Stella, es muy elogiado. El Comandante pide la receta y, al día siguiente, ella le envía un plato con el dulce.

# 4

La cuarta y última parte de la entrevista se realiza el domingo, 26 de mayo de 1985. Llego al despacho poco antes de las 7:00 de la tarde, cuando aún el sol cae fuerte sobre La Habana. El dirigente cubano me ofrece un pequeño recuerdo, una fotocopia de su álbum de graduación del Bachillerato, en el Colegio de Belén, de los jesuitas. Junto a su fotografía, a los 18 años, sin barba, un recuadro:

> **FIDEL CASTRO RUZ**
> *(1942-1945)*
>
> *Se distinguió siempre en todas las asignaturas relacionadas con las letras. Excelencia y congregante, fue un verdadero atleta, defendiendo siempre con valor y orgullo la bandera del Colegio. Ha sabido ganarse la admiración y cariño de todos. Cursará la carrera de Derecho y no dudamos que llenará con páginas brillantes el libro de su vida. Fidel tiene madera y no faltará el artista.*

Hago la primera pregunta de nuestro último período de trabajo.

Frei Betto. Comandante, hoy domingo, en una tarde de mucho sol en La Habana, una tarde alegre, empezamos la cuarta parte de nuestras conversaciones sobre el tema de la religión.

Ayer, al final del diálogo que sostuvimos, usted hablaba de su interés en conocer profundamente, en detalle, los discursos que el papa Juan Pablo II ha hecho en su último viaje a América del Sur.

En estos últimos meses, la prensa internacional especula sobre la posibilidad de una cita entre Juan Pablo II y usted; incluso una revista, que es la vocera oficiosa de la nueva derecha en la Iglesia de Italia, la revista *Trenta Giorni,* trae ya en su cubierta una foto suya y otra del Papa, y especula un poquito sobre esa posibilidad.

Yo le pregunto, primero, si hay alguna cosa concreta en el sentido de invitación para que el Papa venga a Cuba; segundo, si surge la posibilidad de esta cita, ¿qué cosas le gustaría decirle usted a Juan Pablo II?

Fidel Castro. Se viene hablando, efectivamente, desde hace cierto tiempo de la posibilidad de una visita del Papa a Cuba. Es conocido que el papa Juan Pablo II es hombre muy activo, que se ha movido extraordinariamente, y ha visitado un gran número de países. Pienso que esto viene a ser también otra cosa nueva, inusitada, esa movilidad del Papa por distintos países y sus contactos con las muchedumbres.

El Papa ostenta una doble condición: jefe de la Iglesia y, además, jefe del Estado del Vaticano. En cierta forma su actividad también es política, no es solo de tipo pastoral. Yo diría que, como político, observo con especial interés su capacidad de acción política, es decir, su capacidad de moverse por el mundo y entrar en contacto con los pueblos; me parece, desde el punto de vista político, una cualidad de este Papa. Pienso también que desde el punto de vista religioso y desde el punto de vista de la Iglesia, como doctrina, como fe religiosa, indiscutiblemente que han de ser de un gran valor para ella las actividades y los contactos del Papa con los pueblos. Pero sobre este terreno –ya te dije– no quiero emitir juicio.

Limitándome a una consideración estrictamente política, es necesario reconocer que este Papa es un destacado político, por sus actividades, por su movilidad y por su contacto con las masas; porque lo que hacemos nosotros los revolucionarios es reunirnos con las masas, hablarles y llevarles un mensaje. Es un estilo nuevo del jefe de la Iglesia Católica.

En este contexto, se ha hablado de la posibilidad de una visita del Papa a Cuba, pero, en concreto, no hay todavía absolutamente nada. Recuerdo que en una ocasión el Papa visitó a México...

Frei Betto. En ocasión de la Conferencia Episcopal en Puebla, inicios del año 1979.

Fidel Castro. Pienso que, aproximadamente, fue por aquella fecha. Él tenía que regresar a Roma, y debía hacer una escala. Entonces, nosotros le pedimos que hiciera una escala en Cuba; pero a su vez, los ciudadanos de origen cubano emigrados en Miami le pidieron al Papa que hiciera una escala en Miami. Y ante aquella situación, al parecer, el Papa decidió no hacer una escala ni en La Habana ni en Miami; hizo una escala en Bahamas, donde realmente debe haber muy pocos católicos, porque como antigua colonia inglesa, posiblemente su religión sea la protestante.

Esa vez existió una posibilidad de contacto con nosotros. Digamos que francamente no nos satisfizo del todo el hecho de aquella decisión, puesto que entendemos que nosotros somos la nación cubana, aquí está la nación cubana, y en Miami están los que renunciaron a la nación cubana para hacerse ciudadanos norteamericanos, en su inmensa mayoría. Nosotros pensábamos –me parece que con toda lógica– que una visita a Miami no sería una visita a Cuba, sería una visita a Estados Unidos y a los que sienten y piensan como norteamericanos, donde está toda aquella gente: los que cometieron horrendos crímenes y torturas en la época de Batista y pudieron escapar, todos los malversadores y los que robaron en este país, la inmensa mayoría de los que explotaron a este país o renunciaron a su país. No voy a decir que toda la masa que está en Miami sea de terratenientes, o de esbirros de la época de Batista, o de ladrones y malversadores; no todos los que están allí son esbirros, ni malversadores, ni ladrones, pero todos los esbirros, malversadores y ladrones que pudieron escapar, están allí.

Hay una masa también de capas medias, médicos, maestros, administradores, ingenieros e, incluso, algunos obreros calificados, que prefirieron los beneficios materiales, reales o ilusorios, que podían recibir allí en Estados Unidos. No puede desconocerse el hecho de que se trata del país más rico del mundo, más desarrollado, y que, lógicamente, cuenta con mucha más riqueza que nosotros; mal distribuida, pero con más riqueza. Nosotros tenemos la riqueza mucho mejor distribuida, pero menos riqueza.

Hay algunos aspectos sociales de gran importancia: un ciudadano en este país está seguro en su hogar, no existe el peligro de que lo echen a la calle; está seguro de la ayuda que recibe de la sociedad, de su pensión, de todo eso; está seguro de la educación de sus hijos, de la salud de sus hijos, de su familia, de la suya propia. Es totalmente seguro que esas cosas no las tiene allá, pero hay mucha gente que piensa cuánto va a ganar, o si puede comprar un automóvil de uso a bajo precio, o puede tener algunas ventajas de tipo material.

Hubo gente que efectivamente decidieron viajar a Estados Unidos por motivaciones de ese tipo. Ya te conté que, incluso, hubo madres a las que engañaron, les dijeron que se iba a suspender la patria potestad, etcétera, que por engaño se fueron para allá o mandaron a los hijos, y después fueron a reunirse con ellos en Estados Unidos. Desgraciadamente, no pocas veces, ¿en qué terminaron aquellos hijos o hijas? En delincuentes, en prostitutas, en el juego, en la droga o en la cárcel.

También cuando nosotros tomamos aquí medidas contra el juego, muchos de los que vivían de esa actividad se trasladaron a Estados Unidos, y Estados Unidos los recibió con los brazos abiertos; otros que se dedicaban a la explotación de las mujeres, a los prostíbulos, decidieron irse igualmente para allá y Estados Unidos los recibió también con los brazos abiertos; gente que se dedicaba al comercio de drogas y esas actividades que fueron erradicadas por la Revolución, se trasladó a Estados Unidos.

A Estados Unidos, debo decirlo también con la misma franqueza, se marchó un número considerable de lumpens, de gente que no trabajaban ni querían trabajar, que estaban reñidas con el trabajo, y que a título de disidentes –no es que fueran precisamente disidentes, sino que se acogieron a ese remunerativo y bien pagado título, aunque lógicamente, tenían que ser disidentes con respecto a una revolución que enaltece el trabajo, pero donde a la vez el trabajo se convierte en una condición esencial de vida– se trasladaron a Estados Unidos para vivir parasitariamente. A algunos los pusieron a trabajar con la CIA, a otros los reclutaron para distintas actividades. Aunque no tenemos, por supuesto, en el mismo concepto absolutamente a todos los que están allí, en esencia aquella gente no representaba a la nación cubana: la nación cubana estaba representada por los que aquí permanecieron, lucharon, combatieron, defendieron su país, trabajaron por su desarrollo y para resolver problemas materiales y sociales que se acumularon durante siglos.

Francamente te digo que no nos agradó que el Papa, en aquella ocasión, no hiciera una modesta escala en nuestro país. Eso, desde luego, no predispuso nuestro ánimo para insistir o reiterar invitaciones al Papa para visitar a Cuba.

No obstante, aquellos tiempos fueron quedando atrás, las circunstancias son nuevas. En algunas preguntas recientes que se le han hecho al Papa y sus respuestas, se podría deducir cierto interés en tener un contacto con nuestro pueblo.

¿Qué pensamos nosotros sobre esto? Por lo que representa el Papa y por lo que representa Cuba, una visita de ese tipo no se debe improvisar, no me parece que debe ser una visita común y corriente como a cualquier otro país, por cuanto Cuba simboliza un Estado que lucha por la justicia social, un Estado que lucha contra el imperialismo, es un país revolucionario, socialista, y en la actualidad está rodeado de circunstancias muy diferentes a las del resto de los países de América Latina.

Desde luego, debo empezar por decirte que realmente a nosotros nos honra cualquier interés del Papa en visitar a nuestro país, eso queda fuera de toda duda, y lo consideraría además, un acto valiente, porque no creas que cualquier jefe de Estado se atreve a visitar a Cuba, no creas que cualquier político se atreve a visitar a Cuba, puesto que jefes de Estado y políticos tienen que tomar muy en consideración lo que piensa Estados Unidos, y muchos de ellos tienen en cuenta eso, temen represalias económicas, políticas, temen disgustar a Estados Unidos, o porque necesitan alguna ayuda de ellos, o algún crédito en el Banco Mundial, en el Banco Interamericano, o deben negociar con el Fondo Monetario, etcétera, etcétera. De modo que conocemos mucha gente que incluso mira con simpatía las actividades de Cuba, pero debe tener en cuenta todos estos intereses antes de tomar la decisión casi heroica de venir a Cuba. Visitar a Cuba se convierte, realmente, en una manifestación de independencia. Y, desde luego, sin duda de ninguna clase, nosotros tenemos al Vaticano como una institución o como un Estado con un alto concepto de la independencia, mas no por ello dejamos de apreciar la valentía que implica la visita a nuestro país.

Pero hemos pensado que tal visita debe producirse en las condiciones más propicias, de modo que pueda ser útil, tanto para la Iglesia y lo que ella representa como para nuestro país y lo que nosotros representamos. Yo estoy absolutamente convencido de que la visita del Papa sería útil y positiva para la Iglesia, para Cuba y a la vez creo que sería útil para el Tercer Mundo en general, sería útil en muchos terrenos para todos los países. Pero requiere que las condiciones sean propicias y adecuadas para ese encuentro.

Nosotros mantenemos contactos con el Vaticano, relaciones diplomáticas, que realmente son buenas. Ya te conté cómo un Nuncio papal ayudó, en los primeros años de la Revolución, a resolver dificultades que habían surgido con la Iglesia Católica. Muchos de los documentos importantes, desde el punto de vista económico y social, que se refieren a los problemas del Tercer Mundo, como norma los transfiero a los gobiernos, a los jefes de Estado del Tercer Mundo y a los jefes de los países industrializados, salvo algunas excepciones, tanto en estos como en el Tercer Mundo, puesto que no suelo, por ejemplo, enviar documentos al gobierno del apartheid en Sudáfrica, ni suelo enviar documentos al gobierno de Pinochet en América Latina, y unos pocos gobiernos por el estilo. A los demás gobiernos se los envío, como fueron los documentos relacionados con la comparecencia ante Naciones Unidas, después de la Sexta Cumbre de los No Alineados; el informe sobre la crisis económica internacional y su incidencia en el Tercer Mundo, presentado en Nueva Delhi en 1983, y algunos de estos documentos en que analizo la deuda externa y la tragedia económica y social de los países de América Latina y del Tercer Mundo. Por supuesto, siempre los envío también a la Santa Sede, con mayor interés todavía después de haber analizado los pronunciamientos del Papa que te comenté.

Luego, en mi opinión –y pienso que en esto habrá una coincidencia de criterios entre el Vaticano y nosotros–, una visita del Papa a Cuba debe producirse cuando estén garantizadas las condiciones mínimas, para que sea un encuentro útil y fructífero tanto para la Iglesia como para nuestro país, pues estamos viviendo un momento excepcional.

Una visita del Papa no sería meramente protocolar. Es incuestionable que, sin duda, discutiríamos todas aquellas cuestiones que al Papa le interesen sobre la Iglesia en Cuba, los católicos en Cuba; estoy seguro de que será un tema de su interés, como será de su interés también contactar y conocer a nuestro pueblo revolucionario. Por nuestra parte, yo diría que el interés fundamental de nuestro país estaría relacionado con el análisis de aquellas cuestiones que tienen suma importancia para los países subdesarrollados de América Latina, de Asia y de África, todas aquellas cuestiones que afectan a nuestro mundo pobre, explotado y saqueado por países capitalistas industrializados, que afectan a miles de millones de personas, y, por supuesto, un encuentro con el Papa en nuestro país tendría que ver también con problemas que son de enorme interés para toda la humanidad, como son los relacionados con la carrera armamentista y la paz.

Nosotros reunimos la condición de país del Tercer Mundo, de país en desarrollo, de país revolucionario, y, además, país socialista.

Frei Betto. Y de país bloqueado.

Fidel Castro. Puse estas cuatro categorías, dos de ellas muy similares, puesto que país revolucionario y país socialista tienen una connotación común; pero aparte de eso, no quería enfrascarme en otros aspectos, introducir lo de un país que lucha resueltamente por su independencia, por su liberación, por la supervivencia frente al bloqueo y algunas cosas más.

Entonces, pensando en todas estas cuestiones, sobre todo en la paz, creo que podría haber un diálogo muy útil, fructífero, interesante, serio, entre el Papa y nosotros; partiendo, además, de nuestro respeto al Vaticano, nuestro respeto a la Santa Sede, nuestro respeto a la Iglesia Católica, pues en ningún sentido la subestimamos, creo, sin duda, que en estas circunstancias una visita del Papa a nuestro país tendría un máximo de connotación, y es algo que considero como posible. Desde luego, estoy haciendo análisis y consideraciones sobre lo que considero puede ser también el criterio del Vaticano; pienso que ellos habrán meditado sobre eso en algún momento, y que analicen también y expongan, a su debido tiempo, sus puntos de vista sobre la cuestión.

Hasta ahora, ciertamente, no hay nada en concreto, aunque puedo reiterarte mi convicción de que ese intercambio en tales circunstancias sería útil. Yo pienso, por ejemplo, que el tema de la paz es importante, no porque nosotros seamos importantes con relación a la paz, sino porque tenemos ideas muy claras de que buscar la paz es importante para el mundo; creo que también es muy importante para la Iglesia, porque si se produce de nuevo la catástrofe de una guerra mundial, lo más probable es que la Iglesia pierda los rebaños y el rebaño pierda a sus pastores, y esto no solo es válido para una Iglesia, sino para todas las Iglesias que existen en el mundo, ya que lo que se discute hoy, realmente, es si la humanidad puede sobrevivir a una guerra termonuclear.

Yo creo que todos podemos contribuir de una forma o de otra para evitar esa catástrofe. Pienso que la Iglesia puede influir mucho en evitarla y pienso que nosotros con nuestros conocimientos, con nuestra información, con nuestra experiencia, con nuestras concepciones, con nuestros puntos de vista, podemos contribuir modestamente al mismo propósito.

De modo que creo que con esto respondo los dos puntos de tu pregunta sobre si hay algo en concreto y sobre qué temas podríamos discutir. Habría que preguntarle también al Papa sobre qué temas le interesaría discutir, aunque me imagino que le interesen todos estos temas y le interese también, de modo particular, la cuestión de las relaciones entre el Estado y la Iglesia en un país donde ha tenido lugar una revolución profunda, lo cual puede ocurrir también en otros muchos países del Tercer Mundo.

FREI BETTO. Me gustaría escuchar su opinión sobre otra persona, una persona mucho más importante y mucho más universal que el Papa, una persona también mucho más discutida y mucho más amada que el Papa. ¿Cómo ve usted la persona de Jesucristo?

Fidel Castro. Bueno, ya te conté la historia de mi educación, mis contactos con la religión, con la Iglesia. El nombre de Jesucristo fue uno de los nombres más familiares, prácticamente desde que tuve uso de razón, en la casa, en la escuela, a lo largo de mi niñez y de mi adolescencia. A lo largo de mi vida revolucionaria y aun cuando, como te conté, realmente no llegué a adquirir una fe religiosa, más bien todo mi esfuerzo, mi atención, mi vida se consagró al desarrollo de una fe política, a la que llegué por mis propias convicciones –no pude, realmente, por mi propia cuenta llegar a desarrollar una concepción religiosa, pero por mi propia cuenta llegué a desarrollar una convicción política y revolucionaria–, nunca percibí una contradicción en este terreno político y revolucionario, entre las ideas que yo sustentaba y la idea de aquel símbolo, de aquella figura extraordinaria que tan familiar había sido para mí desde que tuve uso de razón, y más bien proyecté mi atención hacia los aspectos revolucionarios de la doctrina cristiana y del pensamiento de Cristo; más de una vez, a lo largo de estos años, he tenido la oportunidad de expresar la coherencia que existe entre el pensamiento cristiano y el pensamiento revolucionario.

Muchas veces he citado ejemplos de distinta índole; a veces he utilizado aquella frase de Cristo que decía: "Es más fácil para un camello pasar por el ojo de una aguja, que para un rico entrar en el reino de los cielos." He tenido oportunidad de escuchar a algunas personas, entre ellas algún religioso, interpretando esa frase para demostrar que cuando Cristo dijo aquello no se refería precisamente a la pequeña aguja que conocemos, porque es imposible que un camello pase por el ojo de esa aguja, sino que significaba otra cosa, que había que interpretarlo de otra forma.

Frei Betto. Algunos estudiosos de la Biblia dicen que significa las esquinas apretadas que había en Jerusalén, en Palestina, en el centro de Beirut, y que los camellos tenían mucha dificultad al doblar esas esquinas. Ahora, ¿por qué nadie contesta la dificultad que tiene un rico para entrar en el reino de los cielos? Eso es incontestable. No significa, Comandante, desde el punto de vista teológico, que Jesús hizo una discriminación con los ricos, significa que Jesús hizo una opción por los pobres. O sea, Dios decidió encarnarse en Jesús, en una sociedad marcada por la desigualdad social; él podría haber nacido en Roma, en una familia de emperadores, podría haber nacido en una familia terrateniente judía, podría haber nacido en las capas medias de los feligreses, mas escogió nacer entre los pobres, como hijo de un obrero de construcción civil, o sea, que ciertamente trabajó en la construcción de la Brasilia de su tiempo, que fue la ciudad de Tiberías, en homenaje al emperador Tiberio César, bajo el cual nació Jesús. Y es curioso que Tiberías está a orillas de la laguna de Genesaret, en la que Jesús pasó la mayor parte de su vida y de su actividad. No hay una sola vez en todo el Evangelio en que él tenga que visitar esa ciudad.

Bien, ¿qué decimos? Decimos que en Jesús hay una opción incondicional por los pobres. Ahora, él le habla a toda la gente, ricos y pobres, mas desde un lugar social específico: desde el lugar social de los intereses de los pobres; o sea, no es un discurso neutro, universalista, abstracto, es un discurso que refleja los intereses de las capas oprimidas de su tiempo. Entonces, para que un rico tenga un lugar junto a Jesús, él, necesariamente, tiene que hacer primero la opción por los pobres. No hay un solo ejemplo, en todo el Evangelio, en que Jesús haya recibido junto a sí a un rico sin imponerle la condición de compromiso con los pobres.

Yo podría citar tres ejemplos: primer ejemplo, el de un joven rico, que era un santo porque cumplía todos los mandamientos, mas Jesús, al final, le dijo: Mira, hombre, te hace falta una cosa: ve y vende tus bienes, después ve, dáselo a los pobres, y después ven y sígueme. Pienso que muchos curas de hoy dirían: Mire, si usted cumple todos los mandamientos, venga con nosotros, esté ahí junto a nosotros, y con el tiempo se irá mejorando; mas, como Jesús era un poquito más radical que nosotros, él primero le dijo a ese hombre: Tú ve a tu compromiso con los pobres, y después vienes.

El segundo ejemplo es el de aquel hombre rico que invitó a Jesús a su casa. Jesús no tenía prejuicios, mas tenía coherencia, y llegó a casa de Zaqueo no para elogiar la posible cerámica de Persia o las muñecas de Egipto que tenía, sino le dijo: Zaqueo, usted es ladrón, usted ha robado a los pobres. Y Zaqueo, que quería tener paz con él, dijo: Hoy mismo voy a darles la mitad de mis bienes a los pobres y cuatro veces a quien robé. O sea, la práctica de la justicia es la condición primera del seguimiento de Jesús.

Y el tercer ejemplo es la predicación de Juan Bautista, que prepara la venida de Jesús. Su predicación empieza por la práctica de la justicia. La gente que quiere convertirse no pregunta en qué debe creer, pregunta qué debe hacer, y Juan contesta: Aquel que tiene dos mantos, dé uno a quien no tiene ninguno; aquel que tenga un plato de comida, dé la mitad a quien no tiene nada para comer. Entonces, hay que explicar que la universalidad de la predicación de Jesús es una universalidad desde una opción y un lugar social y político muy específico, que es la causa de los pobres.

Fidel Castro. Escuché con mucho interés lo que tú dijiste, porque realmente tiene un gran contenido. Podría hacer, sin embargo, una objeción matemática: que un rico nunca podría dar cuatro veces lo que robó, porque como todo lo que un rico tiene suele ser robado, y si no lo robó él lo robaron los padres o los abuelos, entonces es imposible que tú puedas –si todo lo que tienes lo has robado– multiplicar por cuatro la devolución de lo robado, ya que, posiblemente, tendrías que volver a robar cuatro veces más para poder cumplir esa promesa.

Frei Betto. Usted está repitiendo una frase de San Ambrosio de los primeros siglos.

Fidel Castro. Me alegro de coincidir con él. Pero, bien, ¿qué pienso? Tal vez haya una mala traducción de la Biblia, tal vez sea culpa de los traductores, que no tuvieron en cuenta lo que en español significa el ojo de una aguja. Comprendo que muchas de las frases de la Biblia están asociadas con el medio circundante, con la sociedad en que se vivía, las costumbres, pero no sé cómo se habrá podido demostrar eso en este caso. De todas formas, alguien versado en religión, alguien versado en idioma, debe haber interpretado con no poco fundamento que se trataba del ojo de esa aguja que todo el mundo conoce en nuestro idioma, porque no conocen otra, ya que, en realidad, en los países de habla hispana no conocemos ni siquiera los camellos, aunque tenemos una idea de lo que son los camellos.

De todas formas, a mí me gustó esa interpretación que le dieron los traductores a la frase, tal como la comprendí yo. Pero, pienso, además, que tal interpretación está absolutamente a tono y es coherente con todas las demás cosas que predicó Cristo: en primer lugar, Cristo —como tú decías— no escogió a los ricos para predicar la doctrina, escogió a doce trabajadores pobres e ignorantes; es decir, escogió a proletarios de aquella época o, en el mejor de los casos, a modestos trabajadores por su cuenta, pescadores algunos de ellos. Realmente fueron gente humilde, muy humilde sin excepción, como tú expresabas.

A veces he hecho alusión a los propios milagros de Cristo, y he dicho: bueno, Cristo multiplicó los peces y los panes para dar alimento al pueblo. Y, precisamente, lo que nosotros queremos hacer con la Revolución y con el socialismo, es multiplicar los peces y los panes para dar alimento al pueblo; multiplicar las escuelas, los maestros, los hospitales, los médicos; multiplicar las fábricas, los campos cultivados, los puestos de trabajo; multiplicar la productividad de la industria, de la agricultura; multiplicar los centros de investigación y las investigaciones científicas, precisamente, para hacer la misma cosa.

A veces me he referido a la parábola de aquel rico que empleó a varios trabajadores, y a unos les pagó un denario porque trabajaron todo el día, a otros les pagó un denario porque trabajaron medio día, y a otros les pagó un denario porque trabajaron media tarde. La parábola encierra una crítica para los que no estuvieron de acuerdo con aquella distribución. Pienso que eso es, precisamente, una fórmula comunista; está más allá de lo que nosotros planteamos en el socialismo, porque en el socialismo se establece retribuir a cada cual de acuerdo con su capacidad y con su trabajo, y la fórmula comunista es entregar a cada cual según sus necesidades. Pagar un denario a cada uno de los que trabajó ese día, significa más bien un reparto de acuerdo con las necesidades, una fórmula típicamente comunista.

También muchos de los pasajes de la prédica de Cristo, como el Sermón de la Montaña, creo que no pueden interpretarse de otra forma que lo que tú llamas una opción por los pobres. Cuando Cristo dijo: Bienaventurados los que tienen hambre y sed de justicia, porque serán saciados; bienaventurados los que sufren, porque recibirán consuelo; bienaventurados los humillados, porque ellos recibirán la tierra; bienaventurados los pobres, porque de ellos será el reino de los cielos, está claro que Cristo no les ofreció el reino de los cielos a los ricos, realmente se lo ofreció a los pobres, y no creo que en aquella prédica de Cristo pueda haber también un error de traducción o de interpretación. Pienso que ese Sermón de la Montaña lo habría podido suscribir Carlos Marx.

FREI BETTO. En la versión de San Lucas, no solamente dice bienaventurados los pobres, sino malditos los ricos.

FIDEL CASTRO. No sé si en alguna versión de aquella prédica está esa frase. Tú dices que es la versión de San Lucas. La que yo recuerdo no dice malditos los ricos.

FREI BETTO. Usted conoce la de San Mateo, que es más conocida.

FIDEL CASTRO. Tal vez esa era la que más convenía en aquella época para educarnos a nosotros en un espíritu más conservador. Tú dijiste algo profundo, que lo difícil es comprender cómo puede un rico entrar en el reino de los cielos si se toman en cuenta muchas de las cosas que acompañan la mentalidad de un rico: falta de solidaridad, insensibilidad, egoísmo, e incluso los pecados de los ricos en todos los terrenos. Creo que, realmente, de una manera clara se indicó qué debía hacer un rico para ser un buen cristiano y para alcanzar el reino de los cielos. Eso se expresó reiteradas veces en la prédica de Cristo.

También hay que tener en cuenta que nosotros leímos numerosos libros de historia, de literatura –algunos escritos por laicos, otros por religiosos–, que reflejaban el martirio de que fueron víctimas los cristianos durante los primeros siglos. Todo el mundo ha tenido oportunidad de conocer sobre esos acontecimientos, y creo que una de las cosas –lo recuerdo muy bien–, a lo largo de mis años de estudiante, de las que más se enorgullecía la Iglesia, fue del martirologio de los primeros años; mas no solo de los primeros años, sino del martirologio a lo largo de la historia de la Iglesia.

Creo que no cabe ninguna duda, ni sea una cuestión de simple interpretación, el hecho de que el cristianismo fue la religión de los esclavos, de los oprimidos, de los pobres, que vivían en las catacumbas, que eran objeto de los más atroces castigos, que eran llevados al circo para ser devorados por leones y otras fieras, y que sufrieron todo tipo de persecución y represión durante siglos. Era una doctrina considerada por el Imperio Romano como una doctrina revolucionaria y objeto de las más atroces persecuciones, lo cual yo relacionaba siempre después con la historia de los comunistas, porque los comunistas fueron también, desde que el comunismo surgió como doctrina política y revolucionaria, objeto de atroces persecuciones, torturas y crímenes. La gran verdad histórica es que el movimiento comunista tiene también una legión de mártires en sus luchas por cambiar un sistema social injusto; en todas partes, como los primeros cristianos, fueron objeto de atroces calumnias y feroz represión.

Históricamente sabemos, fue bastante reciente, lo que pasó a raíz de la Comuna de París, que constituyó un intento de los trabajadores franceses a fines del siglo pasado de instaurar el socialismo en su patria. Se han escrito extensos volúmenes, con datos rigurosos, acerca del heroísmo de aquella gente y de los miles y miles de comunistas que fueron torturados y asesinados, precisamente, por la burguesía y por las clases opresoras con el apoyo del Imperio Alemán, que acababa de invadir a Francia.

La historia también recuerda cuántos comunistas, socialistas, combatientes y militantes de izquierda, fueron fusilados en España después de la guerra civil, y lo ocurrido en la Alemania nazi, y en todos los países de Europa bajo la ocupación del nazismo; no solo asesinaron a millones de judíos, partiendo de injustas e ignominiosas concepciones acerca de una supuesta raza superior y de acusaciones y de odios carentes en absoluto de toda racionalidad que, a mi juicio, nacieron de prejuicios bochornosos a lo largo de la historia, sino que a todo cuanto oliera a comunista los nazis lo encarcelaban, lo torturaban y lo fusilaban. Muy pocos comunistas de los que cayeron en manos de los nazis lograron salvar la vida, muy pocos, y supieron luchar y morir con gran heroísmo.

En la Unión Soviética, asesinaron los nazis millones de personas, sin excluir ancianos, mujeres y niños, solo por ser ciudadanos de un país socialista. Pero no solo los nazis mataron comunistas en Europa. La represión capitalista ha torturado y matado a comunistas, y hombres y mujeres de izquierda en todas partes, han sido asesinados en Sudáfrica, en Corea del Sur, en Viet Nam, en Chile, en Argentina, en Paraguay, en Guatemala, en El Salvador, en Sudán, en Indonesia, en la propia Cuba antes de la Revolución, en decenas de países, dondequiera que las clases dominantes y explotadoras, a lo largo de los últimos 150 años, temían perder sus privilegios, exactamente igual que hicieron con los cristianos en los primeros siglos de nuestra era.

Entonces, creo que pudiera hacerse una comparación entre la persecución de que fueron objeto las ideas religiosas, que, además, en el fondo eran ideas también políticas de los esclavos y los oprimidos en Roma, y la forma sistemática y brutal en que han sido perseguidos en los tiempos modernos los portadores de las ideas políticas de los obreros y los campesinos, personificados en los comunistas. Si hubo un nombre más odiado por los reaccionarios que el de comunista, fue en otra época el nombre de cristiano.

FREI BETTO. Yo mismo perdí un compañero dominico, fray Tito, que murió en el exilio a consecuencia de las atroces torturas que sufrió en Brasil, y hoy es considerado símbolo de las víctimas de la tortura, porque los torturadores se introdujeron en su mente, y él en Francia veía a sus torturadores en todas partes, hasta que se ahorcó después de pasar un tiempo muy atroz, sobre todo porque mantuvo un silencio completo bajo las torturas. Los torturadores le decían: "No vamos a matarlo; usted, durante toda su vida, va a experimentar el precio de su propio silencio."

Yo quería darle una información: ya hay martirologios publicados sobre los mártires de Centroamérica y América Latina bajo las dictaduras militares. Son nuestros santos populares. En Brasil, incluso, hay un obrero, que por coincidencia se llama Santo Díaz, que fue asesinado cuando organizaba una huelga, y su figura, su imagen, está presente en muchas iglesias.

FIDEL CASTRO. Tú me habías contado ya la historia del dominico que fue objeto de torturas y que resistió con enorme valor todos los sufrimientos.

En realidad, no solo en países de Europa, América Latina y el Tercer Mundo suceden estas cosas, sino también en los propios Estados Unidos; no podemos olvidar el maccarthismo, las persecuciones de que fueron objeto los comunistas, sin poder trabajar, excluidos de casi todos los empleos y de infinidad de actividades, encarcelados, reprimidos, perseguidos, calumniados, y en algunos casos llevados a la silla eléctrica por ser comunistas. Tampoco podemos olvidar que el Primero de Mayo surge como consecuencia, precisamente, del asesinato de los obreros de Chicago que fueron a la huelga por defender sus intereses como trabajadores. En años más recientes, la humanidad consciente recuerda conmovida el atroz asesinato de los esposos Rosenberg. Y en ese sentido, yo veía siempre tanta similitud entre la represión sufrida por los revolucionarios modernos y la de los cristianos primitivos, que no encontraba diferencia alguna entre la conducta de los opresores en aquella fase de la historia y esta, solo momentos distintos del desarrollo de la sociedad humana: una tuvo lugar en la sociedad esclavista y la otra con la sociedad capitalista. No podía encontrar, realmente, ninguna contradicción entre aquellas prédicas, que prendieron tan fuertemente en aquella época, y nuestras prédicas en esta época. De modo que siento gran simpatía por aquellas ideas, por aquella prédica, admiración por la conducta, por la historia de aquellos cristianos, en los que he visto una similitud con la conducta de los comunistas en nuestra época. La vi, la veo y la continuaré viendo. Observando el esfuerzo de ustedes, y observando tu propio trabajo, tus luchas, tus conferencias y las de muchos otros hombres religiosos como tú en América, me reafirmo aún más en esa convicción.

FREI BETTO. Usted dijo una vez que quien se distancia de los pobres se distancia de Cristo. No sé si usted, posiblemente, tenía conciencia de que esta frase no solamente es una frase muy famosa, yo diría que es el fundamento de toda la Teología de la Liberación. Mas, en esta frase, usted coincidió con una frase de Juan Pablo II en su encíclica *Laborem Exercens,* que trata del trabajo humano, en que reafirma que la fidelidad de la Iglesia a Cristo se verifica por su compromiso con los pobres.

FIDEL CASTRO. Aquello lo expresé yo hace aproximadamente 25 años, tal vez 26, porque recuerdo que en los primeros años de la Revolución, cuando se suscitaron esas dificultades que yo te mencioné porque las clases privilegiadas quisieron utilizar la Iglesia contra la Revolución, más de una vez me referí a estos problemas y a la prédica cristiana.

Por ahí están los discursos. En una ocasión, efectivamente, dije una frase que puedo reiterar y ratificar hoy, esa que tú mencionaste: quien traiciona al pobre, traiciona a Cristo.

FREI BETTO. Bien, Comandante, me gustaría pasar a otra pregunta. En el movimiento comunista ha habido alguna gente que utilizó históricamente una frase de Marx, que está en su *Contribución a la crítica de la Filosofía del Derecho de Hegel,* en el sentido de que la religión es el opio del pueblo, y se ha transformado esa frase en dogma definitivo, absoluto, metafísico, por encima de cualquier dialéctica.

En octubre de 1980, por primera vez en la historia un partido revolucionario en el poder, el Frente Sandinista de Liberación Nacional, sacó un documento sobre la religión en que se hace una crítica a esa afirmación tomada como un principio absoluto. Allí se dice textualmente: "Algunos autores han afirmado que la religión es un mecanismo de alienación de los hombres que sirve para justificar la explotación de una clase sobre otras. Esta afirmación, indudablemente, tiene un valor histórico en la medida en que en distintas épocas históricas la religión sirvió de soporte teórico a la dominación política. Baste recordar el papel que jugaron los misioneros en el proceso de dominación y colonización de los indígenas en nuestro país. Sin embargo, los sandinistas afirmamos que nuestra experiencia demuestra que cuando los cristianos, apoyándose en su fe, son capaces de responder a las necesidades del pueblo y de la historia, sus mismas creencias los impulsan a la militancia revolucionaria. Nuestra experiencia nos demuestra que se puede ser creyente y a la vez revolucionario consecuente, y que no hay contradicción insalvable entre ambas cosas."

Comandante, yo le pregunto, ¿usted cree que la religión es el opio de los pueblos?

FIDEL CASTRO. Yo te expliqué largamente ayer en qué circunstancias históricas surge el socialismo, el movimiento socialista y las ideas del socialismo científico, del marxismo-leninismo, y cómo en aquella sociedad de clases, de cruel e inhumana explotación, donde durante siglos la Iglesia y la religión se habían utilizado como instrumento de dominación, de explotación y de opresión, habían surgido tendencias y habían surgido críticas duras, justificadas, a la Iglesia, incluso a la propia religión. Sitúate en el lugar de un revolucionario que toma conciencia de aquel mundo y lo quiere cambiar. Figúrate por otra parte las instituciones civiles, los terratenientes, los nobles, los burgueses, los ricos, los grandes comerciantes, la Iglesia en sí misma, todas conjuradas prácticamente para impedir los cambios sociales. Lo más lógico, desde el momento en que, además, se utilizaba la religión como instrumento de dominación, era que los revolucionarios tuvieran una reacción anticlerical, e incluso antirreligiosa, y yo me explico perfectamente las circunstancias en que surgió esa frase.

Pero cuando Marx creó la Internacional de los trabajadores, tengo entendido que en aquella Internacional de los trabajadores había muchos cristianos; tengo entendido que cuando la Comuna de París, entre los que lucharon y murieron en la Comuna de París, había muchos cristianos, y no hay una sola frase de Marx excluyendo a aquellos cristianos, dentro de la línea o dentro de la misión histórica de llevar adelante la revolución social. Si vamos un poco más adelante y recordamos todas las discusiones que se observaron a raíz del programa del Partido Bolchevique fundado por Lenin, tú no encuentras una sola palabra donde realmente se excluya a los cristianos del Partido, y principalmente se plantea la cuestión de la aceptación del Programa del Partido como condición para ser militante del Partido.

Es decir que esta es una frase, o una consigna, o un planteamiento, que tiene un valor histórico y es absolutamente justa en un momento determinado. En la situación actual, puede haber circunstancias, incluso, en que sea expresión de una realidad. En cualquier país donde la jerarquía católica o de cualquier otra Iglesia, esté estrechamente asociada al imperialismo, al neocolonialismo, a la explotación de los pueblos y de los hombres, y a la represión, no habría que asombrarse de que en aquel país concreto, alguien repitiera la frase de que la religión es el opio del pueblo, como también se comprende perfectamente que los nicaragüenses, a partir de su experiencia y de la toma de posición de los religiosos nicaragüenses, hayan sacado esa conclusión, a mi juicio muy justa también, de que, partiendo de su fe, los creyentes podían asumir una posición revolucionaria, y no tenía que haber contradicción entre la condición de creyente y la condición de revolucionario.

Pero, desde luego, como yo entiendo, en ningún sentido esta frase tiene, ni puede tener, el carácter de un dogma o de una verdad absoluta; es una verdad ajustada a determinadas condiciones históricas concretas. Creo que es absolutamente dialéctico y absolutamente marxista sacar esta conclusión.

En mi opinión, la religión, desde el punto de vista político, por sí misma no es un opio o un remedio milagroso. Puede ser un opio o un maravilloso remedio en la medida en que se utilice o se aplique para defender a los opresores y explotadores, o a los oprimidos y explotados, en dependencia de la forma en que se aborden los problemas políticos, sociales o materiales del ser humano que, independientemente de teología o creencias religiosas, nace y tiene que vivir en este mundo.

Desde un punto de vista estrictamente político –y creo que conozco algo de política–, pienso incluso que se puede ser marxista sin dejar de ser cristiano y trabajar unido con el comunista marxista para transformar el mundo. Lo importante es que en ambos casos se trate de sinceros revolucionarios dispuestos a suprimir la explotación del hombre por el hombre y a luchar por la distribución justa de la riqueza social, la igualdad, la fraternidad y la dignidad de todos los seres humanos, es decir, ser portadores de la conciencia política, económica y social más avanzada, aunque se parta, en el caso de los cristianos, de una concepción religiosa.

FREI BETTO. Comandante, ¿el amor es una exigencia revolucionaria?

FIDEL CASTRO. Por supuesto, lo creo en el más amplio sentido de la palabra. En términos sociales, ¿qué es la solidaridad, qué es el espíritu de fraternidad? Si nos remontamos a la primera gran revolución social, no la primera revolución socialista, sino a la primera gran revolución social de los últimos siglos, que fue la Revolución Francesa, allí se levantaron tres consignas: libertad, igualdad y fraternidad. La libertad –como te dije– fue una consigna que se aplicó de forma muy relativa. Significó libertad para los burgueses, libertad para los blancos; no significó libertad para los esclavos negros. Incluso los revolucionarios franceses, después que expandieron sus ideas por el mundo, enviaron ejércitos a Haití para aplastar la rebelión de los esclavos que querían libertad, y después de la independencia de Estados Unidos, que incluso había ocurrido antes, continuó la esclavitud de los negros, el exterminio de los indios y todas aquellas atrocidades. De manera que la Revolución Francesa se limitó a libertad para burgueses y blancos; ninguna igualdad, por mucho que se trate de filosofar o por mucho que se argumente sobre la supuesta igualdad en una sociedad de clases. La pretendida igualdad entre un multimillonario y un pordiosero de Nueva York o de cualquier lugar de Estados Unidos, o entre un millonario y un hombre sin empleo en Estados Unidos, podríamos decir realmente que es una igualdad meramente metafísica, no la veo por ninguna otra parte; y no creo que exista ninguna fraternidad entre el multimillonario norteamericano y el pordiosero norteamericano, el negro discriminado, el trabajador sin empleo, el niño abandonado; es pura fantasía. Y pienso que realmente, por primera vez en la historia del hombre, los conceptos de libertad real, verdaderamente integral, de igualdad y de fraternidad, solo pueden existir en el socialismo. Ese precepto de amor al prójimo de que habla la Iglesia, creo que se aplica y se instrumenta de manera muy concreta en la igualdad, en la fraternidad y en la solidaridad humana que plantea el socialismo, y en el espíritu internacionalista. Los cubanos que van a trabajar a otras tierras, como maestros, como médicos, como ingenieros, como técnicos y obreros calificados, y que en número de decenas de miles, de cientos de miles están dispuestos a hacerlo, en las condiciones más difíciles y a veces al costo de su vida, demostrando por lealtad a sus principios un espíritu supremo de solidaridad, creo que expresan la aplicación práctica del respeto a los semejantes, de la consideración al semejante y el amor a los semejantes.

De manera que yo pienso que la revolución socialista ha llevado a su grado más alto este concepto, y la sociedad comunista tendrá que llevarlo a un grado más alto, porque todavía el socialismo no plantea la plena igualdad –ya hablamos de esto anteriormente– en lo que se refiere a la retribución. Brinda muchas más posibilidades realmente que el capitalismo, porque en nuestro medio, por ejemplo, antes estudiaban exclusivamente los hijos de las familias que tenían recursos, y hoy no hay un solo niño en los más apartados rincones del país, hijo de campesino, de obrero, que no tenga la oportunidad de ir a las mejores escuelas. No hay un niño que no tenga maestros, que no tenga oportunidad de ir a excelentes instituciones educacionales, de ir a las universidades, de avanzar tanto como su talento se lo permita, posibilidad real, objetiva, no teórica, no metafísica. Nosotros hemos llevado nuestra sociedad a esa verdadera igualdad de posibilidades.

Todavía en nuestra remuneración del trabajo no podemos decir que hay una igualdad plena, porque unos hombres tienen más fuerza física que otros, unos hombres tienen más talento que otros, más facultades mentales que otros. Todavía en el sistema socialista, la forma socialista, que retribuye a cada cual según su trabajo y según la calidad de su trabajo, no es una forma de distribución comunista; por eso Marx decía en la *Crítica al Programa de Gotha* que esta forma no rebasaba los estrechos límites del derecho burgués, y que la sociedad comunista sería todavía más igualitaria.

FREI BETTO. ¿En la sociedad socialista y en la sociedad comunista también se busca, incluso, el desarrollo de la vida espiritual del hombre?

FIDEL CASTRO. Sí, por supuesto, buscamos el más amplio desarrollo material y espiritual del hombre. En esos términos precisamente lo he planteado yo, cuando hablo de la educación, de la cultura. Tú pudieras añadir, además, su desarrollo espiritual en el sentido religioso. Nosotros planteamos como principio que el individuo ha de tener esa libertad y esa posibilidad.

Ahora, cuando hablamos de fraternidad, creo que nuestra sociedad es realmente una sociedad fraternal. Cuando liberamos al hombre de la opresión, de la explotación, de la esclavización en unas determinadas condiciones sociales, le garantizamos no solo su libertad, sino le garantizamos su honor, su dignidad, su moral, en dos palabras: su condición de hombre. No puede hablar de libertad una sociedad de clases donde existan atroces desigualdades y donde al hombre no se le garantice siquiera la condición de ser humano. Eso se le puede ir a preguntar a un poblador en cualquiera de las villas miseria de América Latina, a un negro en Estados Unidos, a un pobre en cualquier parte de las sociedades capitalistas en el mundo de hoy.

Estas son mis más profundas convicciones. Entiendo que amor al prójimo es solidaridad.

FREI BETTO. Comandante, hay dos conceptos que causan alguna dificultad a ciertos cristianos: primero, el concepto marxista de odio de clases; segundo, el concepto de lucha de clases. A mí me gustaría que usted hablase un poquito de eso.

FIDEL CASTRO. La existencia de las clases sociales es una realidad histórica, a partir del comunismo primitivo, cuando los hombres empiezan a acumular algunas riquezas, a acumular tierras y medios para explotar el trabajo de otros. Las clases sociales, que no existían en la época del comunismo primitivo, en que prácticamente todo era común, surgen como consecuencia del propio desarrollo de la sociedad humana. Después empiezan a producirse las diferenciaciones de clases y así tenemos, de las sociedades conocidas, de las que tenemos más constancia histórica, a Grecia y Roma, que han sido tomadas erróneamente como prototipo, incluso, de democracia.

Recuerdo que nos hablaban de la democracia ateniense, donde se reunía el pueblo, en el ágora pública, a discutir en magna asamblea los problemas políticos. Y realmente todos decíamos: ¡qué maravilla, qué cosa realmente bella, qué democracia directa ejemplar existía en Grecia! Después vino la historia, las investigaciones históricas, y cuando profundizaron sobre aquella sociedad se descubrió que los que se reunían en la plaza pública eran una insignificante minoría de los ciudadanos. Yo mismo me preguntaba cómo podrían reunir a todos los ciudadanos en la plaza pública si en aquella época no existían altoparlantes, ni bocinas, ¿cómo podían reunir a todo el pueblo para discutir?

Recuerdo que de muchacho había en mi casa un tenedor de libros, un hombre bastante culto; sabía, incluso, varios idiomas: español, francés, latín, algo de griego, alemán, inglés, era lo que podría llamarse un erudito. Conmigo era afable, le gustaba conversar cuando yo venía en las vacaciones de la escuela, y me hablaba de los grandes oradores de la época de Grecia, de Roma, Demóstenes, Cicerón, siempre tenía una anécdota.

No sé si fue él o alguien quien me contó una vez que Demóstenes tenía dificultades para hablar –es lo que nosotros llamamos medio gago–, y como una prueba de voluntad y disciplina se ponía una piedrecita debajo de la lengua para hablar y superar aquellas dificultades. Él me hacía cuentos de aquellos políticos de la antigüedad y, naturalmente, yo todavía era un estudiante de los primeros años de Bachillerato y ya me interesaba por la literatura, conseguí hasta colecciones de los discursos de Demóstenes. Parece que algunos de aquellos discursos sobrevivieron al incendio de la biblioteca de Alejandría, resistieron las invasiones de los llamados bárbaros, todas aquellas vicisitudes históricas y se conservaron, o tal vez alguien los reconstruyó. Yo tenía discursos de Demóstenes, de Cicerón y de otros oradores y escritores de la antigüedad; creo que, en cierto sentido, aquel trabajador, aquel español –era un español, asturiano, se llamaba Álvarez–, despertó mi interés por estas cuestiones. Recuerdo que muy temprano leí algunos libros de esos personajes históricos.

Hoy analizo bien la cosa y te digo, ciertamente, que no me gusta la oratoria aquella, porque era todavía demasiado retórica y grandilocuente, acudía mucho al recurso del juego de las palabras. Más adelante me encontré con muchas otras obras de oradores. Debe haber pocos grandes oradores en la historia de los cuales yo no haya tenido algún libro; era una materia que me interesaba. Como resultado de todas mis lecturas, después yo vine a hacer prácticamente todo lo contrario de lo que hacían aquellos grandes y famosos oradores. Recuerdo que más tarde me encontré con Castelar, ¡qué maravilla Castelar, y los discursos parlamentarios de Castelar!, y realmente creo que hoy Castelar sería un fracaso completo, en cualquier parlamento.

Pero pienso que Demóstenes y Cicerón tendrían grandes problemas en la actualidad si tuvieran que enfrentarse a las cosas concretas, a los problemas concretos de tener que explicar aquella sociedad. Pero, bien, en aquella época yo admiraba la democracia ateniense, incluso la de Roma, con su capitolio, sus senadores, todos aquellos personajes de las instituciones romanas, que parecían modelos. Y como te decía, después comprendí que en Grecia era un grupito chiquitico de aristócratas los que se reunían en la plaza pública a tomar decisiones, que por debajo de ellos había una gran masa de ciudadanos privados de derechos –creo que les llamaban metecos–, y más abajo todavía una masa mayor de esclavos. Esa era la democracia ateniense, que me recuerda bastante, por cierto, a la democracia capitalista de hoy. Había clases y estaban en lucha: aristócratas, metecos, esclavos.

Después pasamos a Roma, también modelo. A mí Roma realmente me recuerda hoy el imperio norteamericano, se parecen en todo, hasta en el capitolio. Tiene un capitolio que es parecido al que tenían allí en Roma, lo copiaron; tiene sus senadores también, señores poderosos que discuten; de vez en cuando asesinan a sus césares, incluso; tienen bases militares, escuadras y fuerzas de intervención en todas partes del mundo.

FREI BETTO. Tiene, incluso, su Nerón, que promueve una hoguera en la ciudad de Filadelfia.

FIDEL CASTRO. Bueno, si te refieres a lo que hizo allí la policía recientemente, podríamos decir unos micronerones, pero que cuentan con el apoyo de las autoridades.

Es decir, están los ejércitos, las bases militares, las escuadras, las legiones, desde luego mucho más tecnificadas, en todas partes del mundo; las intervenciones, las guerras agresivas, el armamentismo, todos estos problemas de nuestro mundo de hoy, y, además, multimillonarios y pordioseros, masas negras privadas de derechos, alianza con todos los gobiernos reaccionarios del mundo.

¿Qué había en Roma? Las clases igualmente: los patricios, los plebeyos y los esclavos, y las luchas de clases. En la Edad Media, después, también los nobles, los burgueses y los siervos. ¿Alguien puede negar eso? Había lucha porque había clases. Los burgueses no se resignaron toda su vida a ser ciudadanos que impulsaban el desarrollo de la producción y estaban privados de derechos.

Después de la Revolución Francesa, tuvimos burgueses y proletarios: gente que era poseedora de los medios de producción y gente que simplemente aportaba su trabajo. También han existido las capas medias.

Es que en un largo período histórico se mantuvo la esclavitud, la esclavitud se mantuvo en el mundo como institución oficial hasta hace muy poco. En Cuba, ¿cuándo se acabó la esclavitud? Si mal no recuerdo, la esclavitud fue abolida en Cuba en el año 1886.

FREI BETTO. En la misma década que en Brasil.

FIDEL CASTRO. En Estados Unidos se abolió en el siglo pasado, en mil ochocientos sesenta y tanto, a raíz de la guerra civil; y hubo países en que se mantuvo la esclavitud, en que incluso por deudas esclavizaban a la gente. En Roma y en Grecia, por ejemplo, cuando no se podía pagar la deuda, el individuo pasaba a ser esclavo. Todos estos hechos han ocurrido.

Ni Marx ni el marxismo inventaron la existencia de clases, ni inventaron la lucha de clases; simplemente analizaron, estudiaron y demostraron la existencia de las clases de una manera muy clara, y profundizaron en esta cuestión, en esta realidad histórica. Descubrieron las leyes que rigen precisamente estas luchas y las que rigen la evolución de la sociedad humana. No inventaron ni las clases ni la lucha de clases, luego no se le puede atribuir eso al marxismo; en todo caso, habría que acusar de eso a la historia, que es la que carga la gran responsabilidad del problema.

Bien, sobre el odio de clases, lo que engendra el odio no es el marxismo-leninismo, que no predica propiamente el odio de clases, simplemente dice: existen las clases, la lucha de clases, y las luchas generan odios. Lo que genera el odio y lo que predica el odio no es precisamente el marxismo-leninismo, sino la existencia de las clases y la lucha de clases.

¿Qué es lo que genera el odio realmente? Lo que genera el odio es la explotación del hombre, la opresión del hombre, la marginación del hombre, la injusticia social, es lo que objetivamente genera el odio, no el marxismo; el marxismo ha dicho: bueno, existen las clases, existe la lucha de clases y esto genera odios. No se trata de que se predique un odio de clases, sino se explica una realidad social, se explica algo que ha ocurrido a lo largo de la historia. No es una exhortación al odio, sino una explicación del odio existente, cuando la gente toma conciencia de que es explotado. Yo te conté mi propia historia personal, y te dije, incluso, que no albergaba odio por aquella gente, por aquellas cosas que sufrí, de una forma o de otra, incluso cuando de niño pasé hambre. Digo, hasta me alegro porque, en definitiva, me enseñó y me preparó para la vida. Yo de verdad no guardo odio.

Si tú analizas, por ejemplo, el pensamiento revolucionario de Cuba, de nuestra propia Revolución, nunca la palabra odio se expresó. Algo más, nosotros tuvimos un pensador de un gran calibre, de un extraordinario calibre, que fue Martí. Y ya Martí, desde los 17 años, en un documento llamado *El presidio político en Cuba*, una narración que hace de sus sufrimientos, y en sus alegatos a la República española, una república que surgió en España y planteaba derechos para el pueblo español pero negaba derechos para el pueblo de Cuba, que postulaba libertad y democracia en España pero negaba la libertad y la democracia en Cuba, como ocurrió siempre, tiene frases fabulosas, como aquella cuando afirma: ni al golpe del látigo, ni a la voz del insulto, ni al rumor de mis cadenas, he aprendido todavía a odiar; dejadme que os desprecie, ya que no puedo odiar a nadie. A lo largo de su vida, Martí predicó la lucha por la independencia, por la liberación, pero no predicó el odio al español.

La experiencia martiana demuestra cómo es posible predicar el espíritu de lucha y la lucha por conquistar la independencia, sin predicar el odio a los que llamaba sus padres españoles; y te aseguro que nuestra Revolución está muy permeada por las ideas martianas. Nosotros, que somos revolucionarios, somos socialistas, somos marxista-leninistas, no predicamos el odio, así como una filosofía, la del odio. No quiere decir esto que sintamos simpatía alguna hacia el sistema opresor y no hayamos luchado con el máximo ardor contra él; pero yo creo que nosotros tenemos una prueba suprema, y es la siguiente: nosotros libramos una tremenda lucha contra el imperialismo, hemos recibido agresiones y agravios de todo tipo del imperialismo; sin embargo, cuando un ciudadano norteamericano visita este país, todo el mundo lo trata con mucho respeto, todo el mundo lo trata con mucha consideración; porque, realmente, nosotros no podemos odiar al ciudadano norteamericano, nosotros sentimos repudio hacia el sistema, odiamos al sistema. Y en mi interpretación, y pienso que en la interpretación de los revolucionarios marxistas, no se trata de un odio a los individuos, sino de odio a un sistema inicuo de explotación, no un odio a los hombres.

Martí odiaba el sistema español, por ejemplo, y alentaba al pueblo a la lucha contra el sistema colonial español. Sin embargo, no hablaba de odio al español, y lucharon y murieron muchos cubanos en el campo de batalla con un gran valor y una gran fiereza.

Entonces, realmente, lo que nosotros predicamos es la repulsa, el rechazo, el odio al sistema, el odio a la injusticia; no estamos predicando el odio entre los hombres, porque, en definitiva, los hombres son víctimas del sistema. Si hay que combatir al sistema, se combate al sistema; si hay que combatir a los hombres que representan aquel sistema al que se odia, hay que combatir a los hombres que representan al sistema que se odia.

Y realmente creo que no existe en esto ninguna contradicción con la prédica cristiana, porque también si alguien dice: odio el crimen, no creo que estaría prohibido por la prédica cristiana; odio la injusticia, odio el abuso, odio la explotación. Condenar y combatir el crimen, la injusticia, la explotación, el abuso, la desigualdad entre los hombres, no creo que esté contra la prédica cristiana, ni esté en contradicción con la religión, y, bueno, luchar por los derechos no estaría tampoco contra la religión, no lo pienso; defender una causa justa, dentro de la lógica que yo conozco de la religión, no estaría en conflicto con ella. Pero, además, hablábamos días atrás de la historia sagrada, y nos dijeron que hubo luchas incluso en el Cielo entre los ángeles, y si hubo luchas en el Cielo cómo no van a explicarse las luchas en la Tierra.

FREI BETTO. Jesús hizo denuncias muy fuertes contra los fariseos, y calificó a Herodes de zorra. Y más, Jesús dice que nosotros debemos amar a los enemigos; no dice que no debemos tener enemigos. Y no hay más amor a un opresor que quitarle la posibilidad de oprimir a alguien.

FIDEL CASTRO. Puedes imaginarte que no voy a estar en absoluto en oposición con esa interpretación que tú das al problema. Se nos enseñó que entre la idea del bien y del mal existe una lucha constante. Había que sancionar el mal. Bueno, no voy a decir que comparta la creencia, pero se nos enseñó que existía un castigo en el infierno para los responsables del crimen, de la injusticia, del mal y de todas aquellas cosas que, precisamente, nosotros combatimos. ¿Podrá interpretarse eso como una manifestación de odio? Yo te digo lo que pienso: yo no he sentido nunca odio personal contra los hombres. No es que ame a los enemigos; realmente no los amo, no he llegado tan lejos. Puedo llegar a explicarme por qué son enemigos, y cuánto se debe a la historia, a las leyes de la historia, a la ubicación social del individuo, cuántos factores predeterminaron su condición de enemigo; puede haber hasta explicaciones genéticas, si tú quieres, biológicas, el individuo que nace con taras, esa es una realidad también, o determinadas enfermedades. Creo que muchos de estos criminales son tipos psicopáticos totalmente; me imagino que Hitler era un enfermo, no lo puedo concebir como una persona sana; me imagino que toda aquella gente que llevaron a millones de personas a los crematorios, eran enfermos mentales.

Y yo diría: bueno, sí, odio el fascismo, odio el nazismo, odio aquellos métodos repudiables. Incluso puedo decir: aquellos responsables tienen que ser sancionados, y tenían que ser sancionados, de alguna forma o de otra había que encarcelarlos o hasta fusilarlos, puesto que estaban ocasionando un terrible daño al hombre. Pero lo que yo he dicho otras veces: cuando nosotros castigamos a una persona que ha cometido un grave hecho de sangre, o, incluso, a un contrarrevolucionario, o a un traidor a la Revolución, no lo hacemos por espíritu de venganza –eso lo he dicho muchas veces–, no tiene sentido la venganza. ¿De quién te estás vengando: de la historia, de la sociedad que creó aquellos monstruos, de las enfermedades que pueden haber conducido a aquellos individuos a hacer cosas terribles? ¿De qué te vas a estar vengando? Entonces no nos estamos vengando de nadie. Nosotros hemos luchado y hemos combatido mucho en estos años y, sin embargo, no podemos decir que aquí hay un sentimiento de odio o de venganza contra los individuos, porque vemos que el individuo muchas veces es producto, desgraciadamente, de un conjunto de situaciones y de circunstancias, y que hay un considerable grado de predeterminación en su conducta.

Recuerdo ahora cuando empezaron a darnos en el Bachillerato las primeras nociones de Filosofía, que una de las cosas que se discutía era que si el individuo estaba predeterminado a hacer ciertas cosas, o actuaba de modo absolutamente consciente de la gravedad y el daño que hacía, y los hechos eran de su absoluta responsabilidad. Eso se discutió mucho, acerca de la responsabilidad de los individuos. Creo que un poco se inclinaban a la teoría, en aquella época, los que nos enseñaron en la escuela de los jesuitas, de que en el individuo no había nada de predeterminación y todo era responsabilidad personal. Yo creo que muchas veces hay una mezcla de las dos cosas: hay un importante factor que predetermina la conducta de los hombres, y hay también factores de responsabilidad y de culpabilidad en los hombres, si exceptuamos ya los casos netamente de enfermedad mental. Porque hay individuos que son enfermos mentales y como enfermos mentales matan; es muy difícil achacarle a ese individuo una responsabilidad. Hay individuos que recibieron una educación, una ideología determinada, que los lleva a determinados hechos. Realmente en esos casos la actitud del individuo fue en cierto grado predeterminada.

Pero, bien, para nosotros —o por lo menos para mí personalmente—, cualquier caso de actividad contrarrevolucionaria, reaccionaria, de individuos que están en su pleno juicio, o que suponemos que están en su pleno juicio, y cuando ha sido necesario sancionar a un saboteador, un traidor, un asesino, no lo hemos hecho con espíritu de odio ni de venganza, sino como una necesidad de defensa de la sociedad, y de supervivencia de la Revolución y lo que ella significa de justicia, bienestar y beneficios para el pueblo. Es como vemos el problema.

Luego, si tú te remites a esas concepciones, si tú te remites a las concepciones de Martí, por ejemplo, a todas sus prédicas, a toda su historia —y era un luchador, un gran luchador, un brillante y noble luchador—, no habló de odio. Nunca dijo: vamos a odiar al español que nos oprime. Siempre dijo: vamos a combatirlo con todas nuestras fuerzas, pero no debemos odiar al español. La lucha no es contra el español, es una lucha contra el sistema. Y creo que eso está en la esencia de nuestro pensamiento político, creo que tampoco Marx odiaba a ningún hombre, ni creo que Lenin odiaba a ningún hombre, ni siquiera al Zar. Pienso que Lenin odiaba el sistema imperial, zarista, el sistema de explotación de los terratenientes y burgueses; creo que Engels odiaba el sistema. No predicaron odio contra los hombres, predicaron el odio contra el sistema. Eso es lo que pueden significar los criterios y los principios de la lucha de clases, y también el llamado odio de clases, que no es odio de unos hombres contra otros, sino odio a un sistema de clases, que no es lo mismo.

FREI BETTO. Comandante, en algunos ambientes cristianos sienten admiración por los logros sociales, económicos, en la educación, en la salud, de la Revolución Cubana, mas dicen que en Cuba no hay democracia como en Estados Unidos, en Europa Occidental, donde la gente va a las elecciones, cambia su gobierno. ¿Qué usted diría sobre eso: hay o no hay democracia en Cuba?

Fidel Castro. Mira, Frei Betto, sobre esto pudiéramos estar hablando largo tiempo, y creo que nuestra entrevista ha sido ya bastante larga. Yo no debo abusar de tu tiempo, y ni siquiera de la paciencia de los lectores que van a leer esta entrevista. Yo realmente pienso que toda esa supuesta democracia es un inmenso y gigantesco fraude, así, literalmente.

Un periodista recientemente me hizo esa pregunta.

Frei Betto. ¿Periodista de qué país?

Fidel Castro. Norteamericano, más bien dos entrevistadores que se proponían publicar varios artículos y un libro, un legislador y un académico. Decía: "hay gente que piensa que usted es un dictador cruel", y dijo más que eso.

¡Figúrate! ¿Cómo tú respondes? Tuve que acudir a la lógica, sencillamente a la lógica, y entonces pregunté qué era un dictador. En primer lugar, dije: es alguien que toma decisiones unipersonales, que gobierna por decreto. Y añadí: bueno, entonces pudieran acusar a Reagan de dictador. Dije algo más, con todo el respeto: incluso pudieran acusar al Papa de dictador, porque el Papa gobierna por decreto, toma decisiones en la designación de embajadores, cardenales, obispos, todas son decisiones unipersonales del Papa, y a nadie se le ha ocurrido decir que el Papa es un dictador. He oído críticas, desde luego, sobre el sistema interno de la Iglesia, el funcionamiento interno, pero no he oído a nadie que diga que el Papa es un dictador.

Yo explicaba incluso el caso de Cuba, cómo yo no nombraba ministros, embajadores, yo no nombraba a nadie, ni al más modesto empleado de este país; en primer lugar, cómo yo no tomaba decisiones unilaterales, unipersonales, no gobernaba por decreto; cómo teníamos una dirección colectiva –de eso te hablé anteriormente–, todos los problemas fundamentales los discutimos en esa dirección colectiva, siempre, desde el principio, desde que se fundó nuestro Movimiento. Decía algo más: yo a lo que tengo derecho es a hablar y a argumentar en el Comité Central, en el Buró Político, en el Comité Ejecutivo del Consejo de Ministros, en la

Asamblea Nacional, y no quiero más derechos realmente. No negaba que tenía autoridad y tenía prestigio, como otros muchos compañeros tienen autoridad y prestigio en el Partido y el pueblo, y son escuchados en nuestro país, los escuchan los demás, y el primero que los escucha soy yo. Digo: realmente me gusta escuchar a los demás y tomar en cuenta sus puntos de vista.

Después de explicar todo esto, incluso dije: bueno, ¿y qué es la crueldad? Les decía que los hombres que han dedicado toda su vida a luchar contra la injusticia, contra el crimen, contra el abuso, contra la desigualdad, contra el hambre, contra la miseria, contra la pobreza, a luchar por salvar vidas de niños, de enfermos, por buscar empleos para todos los trabajadores, por asegurar alimentos para todas las familias, que han dedicado su vida a eso, no pueden ser crueles. Y digo: ¿qué es cruel? Cruel es realmente el sistema capitalista, responsable de la existencia de tanta miseria, tanta calamidad, el egoísmo capitalista, la explotación capitalista.

El imperialismo es cruel, es el que ha llevado a la muerte a millones de personas. ¿Cuántas murieron en la Primera Guerra Mundial? No sé si alguien dijo que 14, 18 ó 20 millones. ¿Y cuántos murieron en la Segunda Guerra Mundial? Murieron más de 50 millones de personas. ¿Y quiénes promovieron esas muertes y esas catástrofes? Porque además de los muertos están los que quedaron mutilados, los que quedaron ciegos, los que quedaron inválidos, otro montón de decenas de millones de personas. ¿Y cuántos quedaron huérfanos, cuántos bienes destruidos, cuánto trabajo humano arrasado de la faz de la Tierra, quiénes tuvieron la culpa de eso? El sistema imperialista, el sistema capitalista, la lucha por repartirse los mercados, la lucha por repartirse las colonias en la Primera Guerra Mundial y en la Segunda Guerra Mundial. Ellos fueron los responsables de esas decenas de millones de muertos.

¿Quiénes son crueles realmente: los que luchan por la paz, los que luchan por ponerle fin a tanta miseria, a tanta pobreza, a tanta explotación, los que luchan contra el sistema, o el sistema y los que lo apoyan y sostienen? ¿Quiénes son los crueles? Los yankis en Viet Nam mataron millones de seres humanos, y lanzaron contra ese pequeño país que luchaba por su independencia –como ya dije anteriormente– más bombas que todas las utilizadas en la Segunda Guerra Mundial. ¿Eso no es realmente cruel? ¿Acaso se puede llamar democrático a ese sistema?

Yo explicaba, además, cómo, por ejemplo, a Reagan lo eligen por una votación donde votan apenas la mitad de los norteamericanos, sale electo con un 30 por ciento de los votos en esa supuesta democracia, y Reagan tiene facultades que no tuvieron ni los emperadores romanos, porque el emperador romano, un loco como Nerón, podía inducir a incendiar Roma. No sé si será verdad o mentira de Suetonio, si será histórico, o será una fábula de un historiador, que dice que incendió a Roma y se puso a tocar la lira. Parece cierto que todos los emperadores participaban de aquellos juegos en los circos donde –todo eso de que hablan los historiadores– ponían a los luchadores a matarse entre sí, o ponían a los cristianos a ser devorados por leones. Estos emperadores de ahora tienen más poderes que aquellos, porque Reagan puede desatar una hoguera nuclear, mucho peor de lo que pudo haber ocurrido en Roma con Nerón.

En una hoguera nuclear, se puede incinerar a los católicos, los budistas, los musulmanes, los hindúes, los partidarios de Confucio en China, y también los de Deng Xiaoping y los de Mao Tsetung; cristianos, protestantes y católicos, ricos y pobres, pordioseros y multimillonarios, jóvenes y viejos, niños y ancianos, mujeres y hombres, campesinos y terratenientes, obreros e industriales, empresarios y proletarios, intelectuales, profesionales, todo el mundo puede desaparecer en esa hoguera nuclear. No creo que en este caso, Reagan tuviera tiempo de ponerse realmente a tocar la lira mientras arde el mundo en una hoguera nuclear, porque los científicos han determinado ya que, o en cuestión de minutos, o en cuestión de horas, o en cuestión de días, o en cuesción de meses, desaparece la vida de la Tierra, salvo, quizás, algunos insectos más capacitados para resistir las radiaciones nucleares; dicen que las cucarachas tienen una gran resistencia. Así que Reagan puede convertir este mundo en un mundo de cucarachas; tiene una maletica con unas llaves, con las claves nucleares, y se sabe que si da una orden a través de esas claves se desata una guerra nuclear. Es decir, estos emperadores de ahora tienen mucho más poder que el que tenían los de antes, y a eso le llaman democracia, y aparentemente no tiene nada de cruel. Todos esos países que tú has mencionado –Inglaterra, RFA, Italia, España y todos los demás–, en los cuales se hace tanta apología de la democracia, están, además, en la OTAN y participan de ese fenómeno inconcebible, y a eso le llaman democracia. Es una democracia que se caracteriza por el desempleo: 3 millones de desempleados en España, otros 3 millones en Francia, 3 en Inglaterra, 2,5 en Alemania, tú ves que en todos esos países existe el desempleo.

Pero no quiero entrar en muchos detalles, admito que ha habido progreso y admito que la Europa actual no es la Europa de la Edad Media, no es la Europa de las conquistas, no es la Europa que quemaba vivos a los disidentes religiosos, no es ya la Europa de las colonias. Es la Europa, desde luego, del neocolonialismo, es la Europa del sistema imperialista. Pero estoy dispuesto a admitir que ha habido algunos progresos; no sé de qué se enorgullecen tanto, no sé si se enorgullecen de los progresos alcanzados hace algunos años, cuando salieron del fascismo y de las matanzas de las últimas dos guerras mundiales desatadas por ellos. Todavía lo que no he visto en forma clara y decidida es el reconocimiento y la crítica histórica a los siglos de esclavitud, de explotación y de atrocidades a que sometieron al mundo, y veo que todavía someten a una gran explotación al mundo. Empezando porque su desarrollo lo financió el Tercer Mundo; con el oro que les arrebataron a las antiguas colonias financiaron todo aquello, además de la sangre y del sudor de hombres, mujeres y niños con que fundaron la sociedad capitalista, que nació al mundo –como dijo Marx– chorreando sangre por todas partes.

No sé de qué se pueden enorgullecer tanto, y no sé cómo se pueden considerar más demócratas que nosotros, los esclavos de ayer, los colonizados de ayer, los explotados de ayer, los sobrevivientes de los exterminados de ayer, los que vivimos en estas tierras de las que se habían apoderado las grandes empresas de Estados Unidos y otras potencias imperiales, así como de las minas y demás recursos de vida de nuestros países; los que como en Cuba hemos luchado contra eso, realmente, y nos hemos liberado de eso, y somos hoy dueños de nuestras riquezas y del fruto de nuestro trabajo, que no solo disfrutamos, sino que también somos capaces de compartir con otros países, que no somos ya esclavos, ni colonizados, ni neocolonizados, ni explotados, ni somos los analfabetos de ayer, ni los enfermos de ayer, ni los pordioseros de ayer; los que a través de una verdadera revolución social hemos unido al pueblo, a todo el pueblo: obreros, campesinos, trabajadores manuales e intelectuales, estudiantes, a viejos y jóvenes, hombres y mujeres; los que por haber consagrado nuestras vidas a los intereses del pueblo, hemos contado siempre con el apoyo resuelto y la confianza de la inmensa mayoría de nuestros compatriotas.

Lo que no se puede decir de esos gobiernos occidentales, tan panegirizados, es que tengan por lo general la mayoría del pueblo; la tienen a veces unos días después de las elecciones; generalmente ganan con una minoría. Digamos, el ejemplo de Reagan: en su primera elección, votó alrededor de un 50 por ciento de los electores y, como había tres candidatos, Reagan obtuvo los votos de menos del 30 por ciento de los electores totales de Estados Unidos, que fueron los que le dieron el triunfo. Porque, incluso, la mitad no votó. Es que ni creen en eso. La mitad de los norteamericanos no votaron. Ahora puede haber sacado un poquito más de votos, pero Reagan no contó, para ser Presidente en su segunda elección, con mucho más del 30 por ciento de los que en Estados Unidos tienen derecho a votar.

Otros obtienen una mayoría de 50 por ciento más uno de los que votan, que está lejos de ser todos los que tienen derecho a votar. Y eso dura, como norma, unos cuantos meses, todo lo más uno o dos años. Inmediatamente empieza a disminuir el respaldo popular. Bien sea la Primera Ministra de Inglaterra, el Presidente de Francia, el Primer Ministro de Italia, el Primer Ministro de la RFA, el Primer Ministro de España, de cualquier país occidental, modelo de los que hablan todos los días, a los pocos meses ya están gobernando con una minoría del pueblo.

¡Una elección cada cuatro años! Los que eligieron a Reagan hace cuatro años no pudieron ya intervenir más en la política de Estados Unidos, sencillamente porque Reagan podía hacer el presupuesto de guerra, fraguar guerras de las galaxias, fabricar cohetes de todo tipo, armas de todo tipo, crear complicaciones de todo tipo, intervenir en un país, invadir países, mandar los marines a cualquier parte, y no tenía que consultarle nada absolutamente a nadie; podía llevar el mundo a la guerra sin pedir la más mínima opinión a sus electores, con decisiones unipersonales.

Yo te digo que en este país no se toman jamás, sobre cuestiones importantes, fundamentales, decisiones unipersonales, porque tenemos una dirección colectiva que es donde se analizan y discuten esas cuestiones. En nuestras elecciones participa más del 95 por ciento de los electores. Los candidatos que se postulan en la base, los delegados de circunscripción, donde cada 1 500 ciudadanos aproximadamente en las grandes ciudades, en algunos casos mil o menos de mil si es en el campo o en circunscripciones especiales, según el territorio, eligen un delegado, son postulados por los propios vecinos. En nuestro país hay en total alrededor de 11 mil circunscripciones; prácticamente por cada 910 ciudadanos hay un delegado en este país. A esos delegados no los postula el Partido; a esos delegados los postulan las asambleas de vecinos directamente. Pueden postular hasta ocho por cada circunscripción y como mínimo dos; si alguien no obtiene la mitad más uno, entonces debe ir a una segunda elección. Y ellos son los que eligen los poderes del Estado en Cuba, son los que eligen el poder municipal, el poder provincial, son los que eligen la Asamblea Nacional, y más de la mitad de la Asamblea Nacional de nuestro país está integrada por esos delegados elegidos en la base y postulados por el pueblo. Yo, por ejemplo, no soy un delegado de base; pertenezco a la Asamblea Nacional, soy postulado y electo por los delegados de base de un municipio, el de Santiago de Cuba, donde iniciamos precisamente nuestra lucha revolucionaria.

Esos delegados de base son esclavos del pueblo, porque tienen que trabajar arduamente en horas extras, sin cobro alguno, excepto el que reciben como salario de su ocupación habitual. Cada seis meses deben dar explicación a los electores de su trabajo, a la asamblea de electores, y pueden ser removidos; cualquier funcionario de este país puede ser removido por los que lo eligieron en cualquier momento. Esto supone la mayoría del pueblo; si no tuviéramos la mayoría del pueblo, si la Revolución no tuviera la mayoría del pueblo, no podía sostenerse el poder revolucionario.

Todo nuestro sistema electoral supone una mayoría del pueblo, pero también nuestras concepciones revolucionarias parten de la premisa de que los que luchan y trabajan por el pueblo, los que hacen y llevan a cabo la labor de una revolución, tendrán siempre el apoyo inmensamente mayoritario del pueblo, porque, a pesar de lo que digan, no hay nadie más agradecido que el pueblo, no hay nadie que reconozca más el esfuerzo que se haga que el pueblo. Si el pueblo vota en muchos países incluso por un montón de gente que no se merece que voten por ella, cuando hay una revolución que se identifica con el pueblo, un poder que se identifica con el pueblo, que es su poder, le presta siempre su más absoluto respaldo. Como te expliqué ya, en Cuba el ciudadano puede decir: "El Estado soy yo", porque él es el que tiene la responsabilidad, él es la autoridad, él es el ejército, él es el que tiene las armas, él es el que tiene el poder. Cuando se crea esa situación, es imposible que una revolución no tenga la mayoría del pueblo, cualesquiera que sean los errores que puedan cometer los revolucionarios, siempre que sepan rectificarlos rápida y oportunamente, si se trata de hombres y mujeres íntegros y de una revolución verdadera.

Por eso yo te digo que todo eso que se habla es una inmensa y gigantesca mentira, porque no puede haber democracia ni puede haber libertad, sin igualdad y sin fraternidad; todo lo demás es una ficción, todo lo demás es metafísico, como muchos de los supuestos derechos democráticos. Porque, por ejemplo, lo que existe más que una libertad de prensa, verdaderamente, es la libertad de propiedad de los medios de difusión, y entonces en el más insigne periódico de Estados Unidos, llámese el *Washington Post*, el *New York Times*, no puede escribir un verdadero disidente del sistema. Tú puedes analizar cualquiera de los dos partidos que gobiernan en Estados Unidos alternativamente, que monopolizan y postulan todos los cargos, y no verás entre ellos un solo comunista ni lo encontrarás escribiendo en el *Washington Post*, en el *New York Times*, en ninguno de los periódicos y las revistas importantes de Estados Unidos; tú no lo oirás hablando por radio, tú no lo verás hablando por televisión, ni en programas de costa a costa, jamás verás que tengan acceso a esos medios de divulgación aquellos que realmente disienten del sistema capitalista. Esa es una libertad para los que están de acuerdo con el sistema y dentro del sistema capitalista; son los que hacen la opinión, fabrican la opinión y fabrican, incluso, las creencias y las convicciones políticas de la población. Sin embargo, se llaman democracias.

Nosotros somos un poco más honestos. Aquí no existe la propiedad privada de los medios de difusión. Los estudiantes, los obreros, los campesinos, las mujeres y las demás organizaciones de masa, el Partido, el Estado, tienen sus órganos de difusión. Desarrollamos la democracia a través de nuestros métodos de elección del poder, y, sobre todo, a través de la crítica y la autocrítica constante, a través de la dirección colectiva y la más amplia y constante participación y apoyo del pueblo.

Yo quiero que tú sepas, como te expliqué, que yo no designo aquí ni a un embajador –aunque pueda opinar cuando lo proponen–, ni a un empleado, porque existe todo un sistema de promoción a los cargos y responsabilidades sobre la base de la capacidad y el mérito. Realmente yo no nombro a nadie, unipersonalmente no tomo, ni puedo, ni quiero, ni necesito realmente tomar una decisión unipersonal para designar un modesto empleado del Estado.

Es decir que yo considero realmente –te lo digo con toda franqueza– mil veces más democrático nuestro sistema que ese sistema capitalista, imperialista de los países capitalistas desarrollados, incluidos los de la OTAN, que saquean a nuestro mundo, que nos explotan de la manera más despiadada. Yo considero que nuestro sistema es realmente mucho más justo y mucho más democrático. Es lo que te puedo decir sobre esto, y lamento si he ofendido a alguien, pero tú me obligas a hablar con claridad y con sinceridad.

Frei Betto. Eso es muy bueno, son virtudes cristianas, Comandante.

Fidel Castro. Magnífico, las comparto plenamente y las suscribo.

Frei Betto. Comandante, otra pregunta: ¿Cuba exporta revolución?

Fidel Castro. Ya de esto he hablado muchas veces, Frei Betto. Lo que he dicho lo voy a sintetizar mucho.

Las condiciones que propician una revolución no es posible exportarlas. ¿Cómo se puede exportar una deuda externa de 360 mil millones de dólares? ¿Cómo se puede exportar un dólar sobrevaluado entre un 30 y un 50 por ciento? ¿Cómo se pueden exportar sobretasas de interés equivalentes a más de 10 mil millones de dólares? ¿Cómo se pueden exportar las medidas del Fondo Monetario Internacional? ¿Cómo se puede exportar el proteccionismo?

¿Cómo se puede exportar el dumping? ¿Cómo se puede exportar el intercambio desigual? ¿Cómo se puede exportar la miseria, la pobreza que existe en los países del Tercer Mundo? Y estos son precisamente los factores que determinan las revoluciones. No pueden ser exportados en realidad, al menos por un país revolucionario.

Yo digo que la política de Estados Unidos, Reagan, el Fondo Monetario Internacional, el injusto sistema de relaciones económicas internacionales existente, son factores fundamentales de la subversión en América Latina y en el Tercer Mundo.

Yo creo que es simplista, es superficial, es idealista, hablar de la exportación de la revolución. Tú puedes generar ideas, criterios, opiniones, y puedes extenderlos por el mundo. Casi todas las ideas que existen en el mundo, se han generado en un lugar y se han extendido a muchas partes.

Tú hablabas de las democracias. Ese concepto de la democracia burguesa nació en Europa con los enciclopedistas franceses y más tarde se extendió por todo el mundo; éstas no eran las ideas de los aztecas ni de los incas, ni de los siboneyes de Cuba. Bueno, el propio cristianismo no era la religión de los aztecas, ni de los incas ni de los siboneyes, y hoy es la religión de mucha gente en este hemisferio. El idioma, ni siquiera el idioma que nosotros usamos era nuestro idioma, y hasta yo diría: vaya, caramba, qué lástima, de la riqueza de los idiomas indios puede uno lamentar su casi total pérdida, y sería justo; pero una de las pocas cosas buenas de la colonización, fue dotarnos de un idioma mediante el cual podamos hablar desde México hasta la Patagonia, e incluso, entre brasileños, cubanos, argentinos, venezolanos, porque aunque podemos tener algunas pequeñas confusiones, más o menos nos entendemos perfectamente bien entre brasileños y cubanos, mexicanos y los demás latinoamericanos. Bien, pero, ¿fue nuestro, es autóctono el idioma español, el portugués, o el inglés que hablan, por ejemplo, en las islas del Caribe? No, es importado. Así todas las ideas se han regado por el mundo: ideas filosóficas, ideas políticas, ideas religiosas, ideas literarias. No solo las ideas, hasta el café, que es de otro hemisferio, se regó por este, y el cacao, que es de este hemisferio, el tomate, el maíz, y un veneno: el tabaco, se regaron por el resto del mundo. Los caballos que existen en América Latina, las vacas, los cerdos y otros de los que hoy constituyen importantes renglones de su alimentación, vinieron de otros continentes.

Admito que las ideas se esparcen y se riegan, eso es histórico, no lo puede negar nadie; pero es infantil, ridículo, que se hable de la propagación de ideas exóticas. Te advierto que los reaccionarios padecen un miedo enorme por las ideas. Si no les tuvieran tanto terror, no harían tantas campañas antisocialistas, antimarxistas, anticomunistas. Tú puedes expandir las ideas, pero no puedes exportar revoluciones. Las crisis generan ideas, pero las ideas no generan crisis. Entonces, es imposible exportar la revolución, es infantil, es ridículo, es una muestra de incultura afirmar eso.

Tú puedes expresar sentimientos de simpatía, de solidaridad, de apoyo político, de apoyo moral hacia una revolución; algunas veces brindar ayuda económica, como Cuba recibió ayuda económica cuando triunfó la Revolución. Pero, ¿acaso alguien exportó la revolución a Cuba? ¡Nadie! Nadie nos envió desde el exterior ni un centavo para hacer la revolución; nadie nos envió ni un arma para hacerla, como no fuesen algunos pocos fusiles en la fase final, procedentes de un gobierno democrático de América Latina recién instaurado, cuando ya estaba ganada la guerra; la hicimos nosotros enteramente solos, lo cual demuestra que realmente la revolución solo se puede hacer desde un punto de vista autóctono, que no puede ser exportada, y que, en todo caso, puede ocurrir el fenómeno de la extensión y expansión de las ideas revolucionarias, que no son madres de las crisis –repito–, sino hijas de las crisis.

Esto es lo que nosotros hemos planteado, y venimos planteando. Realmente nos reímos cuando oímos a alguien hablar de la tesis de la exportación de la revolución.

FREI BETTO. Comandante, en relación con la primera parte de este libro, lo que se refiere a sus conversaciones con Joelmir Beting sobre la cuestión de la deuda externa del Tercer Mundo, yo le pediría que hiciera una explicación breve sobre sus propuestas para ese problema de la deuda externa.

FIDEL CASTRO. Realmente, tú eres testigo de las conversaciones con Joelmir, hablamos mucho, cambiamos impresiones, puntos de vista.

Como tú conoces, yo lo invité, porque tuve información de que Joelmir era uno de los periodistas y analistas más eminentes de Brasil en cuestiones económicas. En general, no me gusta emitir opiniones si no tengo información de los problemas y del proceso, soy muy cuidadoso en eso. Incluso, las cifras que yo cito siempre son las más conservadoras, porque cuando hay varias cifras, siempre me gusta partir de las más modestas, de las más conservadoras; y no hace falta más, porque las más modestas demuestran que estamos ante una catástrofe increíble.

Me reuní con Joelmir; pudo venir –no creo que sea un problema para él ahora– después de la apertura democrática, y estuvimos cambiando impresiones sobre estos problemas. Le prestamos importancia a Brasil, porque Brasil tiene un peso enorme en este hemisferio: por su producción, por sus recursos naturales, por su desarrollo económico, toda una serie de circunstancias. Yo no tenía tanta información de Brasil, como he explicado en otras entrevistas; desde lejos percibía que los militares brasileños no habían hecho exactamente igual que los militares chilenos, los militares argentinos y los militares uruguayos. Realmente éstos entregaron al país: suprimieron barreras arancelarias, aplicaron las doctrinas de la escuela de Chicago y, realmente arruinaron al país, además de contraer una enorme deuda. Yo percibía que los militares brasileños, en cambio, trataron de proteger su industria de la competencia exterior. Lo que hicieron fue abrir las puertas de par en par a las inversiones de las grandes transnacionales, que no es exactamente lo mismo. Joelmir me explicó algunas concepciones aplicadas en el desarrollo de Brasil que dieron lugar, realmente, al endeudamiento. En un cierto período, hubo grandes inversiones en distintas áreas, como la energética. Incluso, muchas de esas inversiones se hicieron a través de empresas estatales, creo que –según me dijo él– alrededor del 70 por ciento de las grandes inversiones, si entendí bien. Pero fue en las grandes hidroeléctricas, en las grandes empresas energéticas, donde se generó inicialmente el gran endeudamiento.

También me explicó que esto estuvo muy influido por el síndrome de la elevación de los precios del petróleo, bajo la creencia de que el petróleo subiría a mediano plazo hasta 80 dólares el barril. Por ahí surgieron algunas teorías del Pentágono y de ciertos especialistas norteamericanos, que fueron creídas por los gobiernos militares en Brasil. En fin, él explicaba los factores que originaron líneas de inversión, las cuales ocasionaron endeudamientos muy grandes. Dice que en cierto momento se invertía hasta el 30 por ciento del producto bruto, del cual un 20 por ciento aproximadamente salía del producto interno bruto y un 10 por ciento del resto se dividía por mitades: alrededor de un 5 por ciento de préstamos exteriores y otro 5 por ciento con emisión de billetes. Me explicó los mecanismos mediante los cuales se hacía. Fueron creando la inflación y los distintos problemas.

Hicimos el análisis de los factores internacionales que han estado influyendo en esto, sobre todo el deterioro de los precios de exportación, el intercambio desigual, las medidas proteccionistas y el dumping. Así que hicimos un análisis de los problemas, más que como cubanos y brasileños, como hombres del Tercer Mundo que deseábamos precisar cuáles son nuestros problemas, en qué situaciones estamos y cuáles pueden ser las posibles soluciones.

Fue muy interesante para nosotros. Como tú conoces, realmente reuní a un grupo de los principales dirigentes del Gobierno, para que Joelmir hiciera una conferencia, y discutimos sobre estos temas ampliamente.

Esta es una cuestión fundamental en la actualidad para América Latina. Pienso que realmente estamos ante una situación trágica, dramática; como te decía antes, esta crisis es peor que la de 1930. Los precios de nuestras exportaciones en 1930, con todo lo que se deprimieron, eran superiores, tenían más poder adquisitivo que el que tienen ahora. La población era la cuarta parte de la que es en la actualidad; hoy son cuatro veces más habitantes. Hoy tenemos, además, que los problemas acumulados se han multiplicado.

Tenemos fenómenos como las enormes urbes, digamos Ciudad México, 18 millones de habitantes; los problemas son increíbles para Ciudad México. Eso nos lo explican los ecologistas mexicanos. Ellos hablan, por ejemplo, de que la ciudad tiene 2 millones de desempleados, medio millón de delincuentes; que de 600 a 700 personas procedentes del campo ingresan diariamente en la capital. Ellos, que son mexicanos y son patriotas mexicanos, plantean estos problemas. Dicen que los bosques han desaparecido, que el aire se contamina cada vez más, que 500 toneladas por hora de partículas químicas salen al aire, de los automóviles, de los ómnibus, de fábricas; que a la altura de 2 200 metros hay mucho menos oxígeno; que dentro de catorce años y medio habrá 34 millones de habitantes y no habrá ni oxígeno para respirar en la capital de México. Incluso explicaban recientemente que 6 millones, de los 18 millones de habitantes de esa ciudad, excretan en el patio; han calculado hasta las cantidades de estiércol humano que hay en los patios de México –20 mil toneladas, según sus análisis–, y que los vientos que soplan del norte y el nordeste lo llevan en verano sobre la ciudad, con todos los problemas de irritación que implica para la vista, para las mucosas respiratorias. En fin, ellos han hecho estudios detallados sobre eso. En todas partes se presenta el mismo problema: en Sao Paulo, en Río de Janeiro, en Bogotá, en Caracas; en fin, esa macrocefalia insostenible se ha seguido desarrollando.

Eso no existía en los años 30. Sobre todo, en los años 30 no debíamos 360 mil millones de dólares.

Yo he explicado cómo cuando la Alianza para el Progreso, en el intento de promover algunos cambios que impidieran los estallidos, las revoluciones, Kennedy habló de un programa de inversiones de 20 mil millones de dólares en un período de 10 a 15 años. Sin embargo, hoy que tenemos el doble de población, tres o cuatro veces más problemas sociales que los que teníamos entonces, nos encontramos con que cada año estamos entregando sumas enormes. Solamente en intereses tendremos que entregar en los próximos 10 años 40 mil millones de dólares cada año, más 10 mil millones que se pierden por fuga de capitales: 50 mil millones.

A esto hay que añadirle lo que nos cuesta la sobrevaloración del dólar, hay que añadirle también lo que significa el deterioro de nuestros precios, la tendencia, el fenómeno, la ley del intercambio desigual, que fueron más de 20 mil millones en 1984, de donde se puede apreciar, de manera aritmética, matemática, que este continente subdesarrollado, con casi 400 millones de habitantes, con tantos problemas acumulados, está entregando 70 mil millones de dólares a los países industrializados ricos, mientras están ingresando por inversiones y créditos sólo alrededor de 10 mil. El neto que estamos perdiendo equivale a 60 mil millones de dólares.

Esto es totalmente insostenible: es insostenible materialmente, es insostenible políticamente y es insostenible moralmente. Entonces nosotros planteamos, y lo hemos demostrado matemáticamente, que la deuda es impagable, no puede ser pagada; es absolutamente impagable. Decimos que es un imposible económico, un imposible político y un imposible moral. Y soy, por tanto, partidario de la anulación total de la deuda: capital e intereses.

Analizo también las causas históricas, y considero muy importante también el factor moral, porque todo lo que han estado haciendo con los países del Tercer Mundo durante siglos, es moralmente insostenible. Nos han saqueado y nos continúan saqueando. Cientos de millones de personas murieron aquí trabajando en las minas para financiar el desarrollo del mundo industrializado, de ese mismo mundo que nos saquea hoy día, y lo que nos han arrebatado es mucho más que la deuda.

Hay, pues, un aspecto moral; pero si nos apartamos del aspecto moral, solo considerando el aspecto económico es imposible matemáticamente; considerando el aspecto político es igualmente imposible, porque habría que llevar los ejércitos, la policía, a disparar contra el pueblo, a asesinar a la gente. ¡No se sabe los ríos de sangre que costaría esta deuda! Y yo creo que moralmente es también insostenible la idea de matar al pueblo y derramar la sangre del pueblo para pagar las deudas a los grandes explotadores.

¿Esas deudas cómo fueron contraídas, a quiénes beneficiaron? Una gran parte de ese dinero se fugó otra vez para los países industrializados, o se invirtió en armas, o se despilfarró, o se malversó, o se robó, aunque admito que algo fue empleado en algunos desarrollos, en algunas obras de infraestructura. Es la tesis que realmente venimos sosteniendo sobre esta situación.

Entonces decimos: este es el momento de luchar, no solo por la cancelación de la deuda, sino por resolver los problemas que originan esta deuda y que el sistema injusto de relaciones económicas internacionales, como intercambio desigual, política proteccionista, dumping, sobretasas de interés, manipulación monetaria, todo eso, muy conocido por todos los políticos, estadistas y economistas latinoamericanos, sea erradicado. Entonces, es el momento de luchar por el Nuevo Orden Económico Internacional, aprobado de forma casi unánime por las Naciones Unidas hace 10 años. Esa es la tesis que estamos defendiendo.

Las matemáticas demuestran que no puede pagarse. Hemos conversado con muchas personas y hemos dicho que es impagable. No he visto a nadie que no esté convencido de eso.

¿Cómo se plantea esto? Hay algunos que plantean que la fórmula podría ser una moratoria, digamos una moratoria por 10 años, incluidos los intereses. La forma que adquiera el planteamiento, más o menos diplomática, más o menos amable, más o menos elegante, eso no es lo esencial. Pienso que si realmente se logra una moratoria de 10 años, incluidos los intereses, en la práctica es la cancelación de la deuda. La cifra que se acumularía después sería más astronómica, más impagable. De modo que está por definir qué forma adquiere eso.

Pero planteamos la necesidad de unión. Esto es muy importante, ya que hemos estado hablando de lucha de clases, ya que hemos estado hablando de una serie de problemas. Nosotros hemos planteado la necesidad de unión dentro de los países y de unión entre los países para librar esta lucha. Claro, esto es como principio general; después hay que ver cómo se aplica en cada caso concreto. Yo veo realmente en Chile imposible promover una unión interna, excluyo a Chile. Hay algunos países que están fuera, digamos, del principio de la posibilidad de una unidad interna. Pero pienso que en esos casos los partidos de oposición, las distintas fuerzas, pueden luchar por el objetivo de cancelar, es decir, declarar nula la deuda.

Creo que aun cuando se cancelara la deuda el régimen de Pinochet no se salva, está demasiado aislado, ha acumulado demasiado odio, tiene demasiada responsabilidad en este problema para que pueda salvarse. Y sería imposible, absolutamente imposible, que en el proceso democrático ulterior el pueblo de Chile pagara la enorme deuda contraída por Pinochet.

Pero estamos planteando la unión dentro de los países como regla para librar esta batalla, me parece que en este momento es la cuestión fundamental, y la unión entre los países latinoamericanos, la unión entre los países del Tercer Mundo, pues todos están gravemente afectados por el mismo problema.

Estamos planteando fórmulas unitarias: la unión dentro para poseer las fuerzas que se necesitan para librar la batalla; la unión para plantear los problemas económicos en términos correctos, para plantear, incluso, sacrificios para el desarrollo del país y crear las riquezas necesarias para resolver los abismales problemas sociales de nuestros países.

Pero planteamos sacrificios para el desarrollo y no sacrificios para el subdesarrollo; planteamos sacrificios para hacer inversiones dentro del país y no sacrificios para pagar la deuda, sacrificios estériles para pagar la impagable deuda, y la unión entre todos los países de América Latina y del Tercer Mundo para librar la lucha por la cancelación de la deuda externa y por el Nuevo Orden Económico Internacional aprobado por Naciones Unidas, sin el cual la simple cancelación de la deuda daría solo un respiro, pero no resolvería la causa fundamental del problema.

No te voy a hacer una exposición completa. Todo esto está concebido; habría que remitirse a otros materiales ya publicados. Planteamos en esencia la unión dentro de los países, la unión entre los países latinoamericanos para enfrentar este problema, para cancelar la deuda o el equivalente a la cancelación de la deuda, para luchar por el Nuevo Orden Económico Internacional, para crear las condiciones del desarrollo de nuestros países y, además, no estamos planteando que quiebren los bancos acreedores ni el sistema financiero internacional. Una cuestión esencial en nuestra tesis es que los Estados acreedores, los ricos y poderosos Estados industriales acreedores, asuman la responsabilidad de la deuda ante sus propios bancos, empleando para ello alrededor de un 12 por ciento de los gastos militares, que hoy ascienden a un millón de millones de dólares por año. Con una cosa tan insignificante como el 12 por ciento se podrían afrontar los problemas de la deuda. Creo que si logramos ganar la batalla –y hay que ganarla porque es una cuestión de supervivencia–, y si alcanzamos el Nuevo Orden Económico Internacional, tal vez entonces habría que afectar los gastos militares en un 30 por ciento para resolver la deuda y el Nuevo Orden Económico. Todavía les quedarían a estos ricos y poderosos Estados unos 700 mil millones de dólares, que invertidos en armas, desgraciadamente, son suficientes para liquidar varias veces la población de la Tierra.

Ahora bien, nosotros planteamos que esta es la forma de resolver estos problemas económicos, sin que implique nuevos impuestos para los contribuyentes de los Estados acreedores, sin que signifique la pérdida del dinero de los depositantes en los bancos de esos países. Y algo más: planteamos que esto ayudaría al mundo a salir de la grave crisis económica que padece, ya que si el Tercer Mundo, por ejemplo, tuviera un poder adquisitivo de 300 mil millones de dólares adicionales a los que puede gastar hoy cada año, en virtud de la anulación de la deuda externa y un sistema de relaciones económicas internacionales justas, esto incrementaría el empleo en los países industrializados, porque el problema de los países industrializados, hoy por hoy, no es esencialmente un problema financiero, sino el desempleo. Una fórmula de este tipo incrementaría el empleo, es decir, reduciría el número de desempleados, incrementaría las capacidades industriales de los países capitalistas desarrollados, incrementaría las ganancias de los exportadores, incrementaría las ganancias de las industrias que producen para la exportación, incrementaría las ganancias de las industrias que producen, incluso, para el consumo interno al existir un mayor empleo, puesto que originaría también un mayor consumo interno, incrementaría hasta las ganancias de los inversionistas en el exterior de esos países. Los bancos no quebrarían, el sistema de las finanzas mundiales no quebraría.

Le doy vueltas a este problema, ¡muchas vueltas!, hago muchos cálculos y no le veo ninguna otra solución. Si no se alcanza esta solución, entonces la crisis económica continuará agravándose, el mundo industrializado no saldrá de su crisis y se van a producir explosiones sociales incontroladas en América Latina, que adquirirán, de una forma o de otra, un carácter revolucionario. Es decir, se producirán explosiones sociales, se liquidarían los procesos de apertura democrática que han tenido lugar en Argentina, en Uruguay, en Brasil y en otros países. De esas convulsiones nadie sabe lo que va a salir, pero las tendencias serán hacia convulsiones sociales revolucionarias de civiles, de militares, o de militares y civiles, puesto que, en definitiva, este es un problema que tiene que resolverse de alguna forma. Alguien tiene que ser partero en esta situación preñada de problemas insolubles, y serán los civiles o serán los militares, o serán los civiles y los militares, pero algunos serán parteros del inevitable parto, puesto que esto no depende de interpretaciones, no se resuelve con fórmulas técnicas, sino con remedios reales que requieren un cauce y una solución. Es lo que venimos planteando.

Alguien me ha preguntado, como revolucionario, qué prefiero. Digo: prefiero una salida ordenada de esta crisis, un parto lo menos traumático posible; prefiero que esta reacción en cadena, en una situación en que nos acercamos a la masa crítica, se produzca, y que sea como la de un reactor atómico, una reacción controlada y no una explosión incontrolable. He dicho: bueno, más importante que una, dos, tres, cuatro o cinco revoluciones es, en este momento, salir de esta crisis, establecer el Nuevo Orden Económico Internacional y crear las condiciones para el desarrollo, que es lo que permitiría, en el futuro, disponer de los recursos para resolver los problemas sociales y para disponer de una independencia que nos permita los profundos cambios sociales necesarios y también inevitables a corto o mediano plazo.

Planteamos que cada país deberá decidir lo que considere conveniente. No hablamos de medidas de tipo interno, no queremos inmiscuirnos sobre el tipo de medidas de carácter interno que deba aplicarse para resolver esta crisis. Decimos: bueno, eso será tarea de cada país, que cada cual decida las medidas internas; pero, en esencia, nosotros estamos planteando la unidad. Es decir, es todo lo contrario a lo que se pudiera considerar como la subversión, porque la subversión la está promoviendo aceleradamente Estados Unidos, la administración de Reagan con su política económica egoísta y absurda, el Fondo Monetario Internacional, y el saqueo de que estamos siendo víctimas, que va a producir la reacción en cadena y una posible explosión desordenada. Nosotros planteamos la conveniencia de una reacción en cadena ordenada. Es lo que estamos planteando. Creo que este es el problema clave de nuestro tiempo y no creo que hoy se justifique ni siquiera que alguien se califique de político, en ningún sentido de la palabra, si no comprende esta situación, si no toma en cuenta estas realidades y si no tiene conciencia de que deben ser enfrentadas inevitablemente.

Nosotros estamos tranquilos; creo que nuestra posición es meditada, es consciente, es constructiva, y ahora esperaremos los acontecimientos. La opción en este momento la tienen los dirigentes; si adoptan el camino más inteligente, más sensato, entonces se podrá avanzar. Y, te digo, realmente, lo preferiría; de lo contrario, se van a producir explosiones de consecuencias imprevisibles. El problema se resolverá, de una forma o de otra, pero nadie está en condiciones de apreciar cuáles serán las consecuencias de ese estallido social incontrolado de las sociedades latinoamericanas. Es lo que puedo decirte sobre esto.

No sé si tienes alguna pregunta más.

FREI BETTO. Comandante, he abusado de su precioso tiempo, pero si usted me permite, le haría dos preguntas más: la primera, si el Gobierno cubano desea restablecer relaciones con el Gobierno brasileño.

FIDEL CASTRO. Bueno, nosotros no fuimos los que rompimos las relaciones con Brasil. Eso ocurrió tan pronto se produjo el golpe de Estado militar. Hemos estado conscientes de que, pese a la diversidad del sistema económico, político y social, entre Brasil y Cuba, y entre los más variados países del Tercer Mundo, existen muchas cuestiones en común. En América Latina, en realidad, nuestras relaciones con los países latinoamericanos estuvieron determinadas por la política, la influencia y las presiones de Estados Unidos. Digamos que, de una forma u otra, Estados Unidos obligó a todos los países latinoamericanos, con excepción de México, a romper relaciones con nosotros.

Podemos sentirnos orgullosos de cómo hemos soportado esa prueba, cómo solos, aislados en este hemisferio, resistimos; creo que dimos una lección insuperable de unidad de nuestro pueblo, de firmeza, de valentía, hemos sobrevivido a esa prueba, hemos marchado adelante, nos hemos desarrollado y nos estamos desarrollando sobre bases sólidas económica y socialmente. No pueden decir lo mismo otros países latinoamericanos.

Nosotros, en nuestras relaciones con los países socialistas, al menos hemos logrado lo que podemos calificar como el Nuevo Orden Económico Internacional. Prácticamente estamos planteando la misma fórmula para los países del Tercer Mundo, en sus relaciones con el mundo industrializado, las mismas relaciones que nosotros tenemos con los países socialistas: créditos a largo plazo, bajos intereses, refinanciación de la deuda por 10, 15, 20 años, sin intereses; precios justos para nuestros productos, lo que ha hecho posible los éxitos económicos y sociales que estamos alcanzando.

Tú mencionaste algunos de ellos, de algunos hemos hablado también en esta entrevista. Nosotros somos el primer país, sin discusión, entre todos los países del Tercer Mundo, en cuestiones de salud, y por encima de muchos países industrializados. Somos el primer país en educación, entre todos los países subdesarrollados y por encima de muchos industrializados. Estamos en educación por encima de Estados Unidos. Estados Unidos tiene 26 millones de analfabetos, y creo que tiene 47 millones de semianalfabetos, es decir, gente que no pueden leer de corrido ni escribir; Estados Unidos ocupa el lugar número 48 en el mundo en cuestiones de educación, y nosotros estamos muy por encima de ellos en esto; en salud estamos más o menos iguales, ya tenemos las mismas perspectivas de vida que Estados Unidos, y estamos a tres puntos de la mortalidad infantil de Estados Unidos –nosotros, en 15 por cada mil nacidos vivos en el primer año de vida; ellos, en 12–, y no tenemos ninguna duda de que lo alcanzaremos y lo sobrepasaremos. De eso estamos seguros, a pesar de que no tenemos la riqueza, la productividad y el producto interno bruto por habitante que tiene Estados Unidos, muy superior al nuestro.

Tenemos muchas cosas comunes con los países del Tercer Mundo, entre ellos Brasil. Yo decía que los gobiernos latinoamericanos como norma están muy acostumbrados a la sumisión, a obedecer las órdenes de Estados Unidos, pero hay muchos países en Asia y en África que mantienen excelentes relaciones con Cuba, cuyos regímenes sociales son muy diferentes al nuestro. Por ejemplo, Indonesia mantiene relaciones normales con Cuba, las mantiene Paquistán, con sistemas políticos e ideologías muy diferentes. El problema de la diferencia de sistema social o político entre Brasil y Cuba no sería dificultad para las relaciones; hay muchos intereses comunes entre los dos países, a pesar de las diferencias del sistema.

Y creo que el porvenir de Brasil está en las relaciones con los países del Tercer Mundo fundamentalmente. Pienso que ha sido en realidad una política contraria a los intereses nacionales de Brasil la no existencia de relaciones y ese aislamiento con relación a Cuba, porque, realmente, Cuba no es un país que tenga los recursos de Brasil, ni el tamaño, ni la dimensión de ese país, pero es un país con experiencia en muchos campos y de una activa vida internacional en la lucha por la defensa de los intereses de los países del Tercer Mundo, factores estos que no pueden ser subestimados.

Desde este punto de vista, no te voy a decir que simpatizáramos en absoluto con el gobierno que había en Brasil, no podíamos simpatizar, pero no era un obstáculo insalvable para las relaciones. Ahora se produce una apertura democrática; ahora hay un mayor interés común, ahora estamos frente a una gigantesca crisis, y en su solución debemos luchar unidos. Seremos solidarios con Brasil en sus esfuerzos por vencer las dificultades. Pienso que Brasil necesita la unidad con el resto de América Latina y el resto de América Latina necesita la unidad con Brasil en esta lucha. Brasil debe más de 100 mil millones de dólares; no habrá forma de pagarlos. No importa lo que se diga y lo que se argumente, no podrán pagarse. Tendría que pagar 12 mil millones de dólares solo por intereses cada año. Si se cuenta dólar a dólar la deuda externa de Brasil, a un dólar por segundo, se necesitarían aproximadamente 3 343 años para contarla, y se necesitarían alrededor de 3 858 años para contar lo que debe pagar de intereses en solo 10 años. Si pusieran cien personas a contar esa misma cifra, durante las

24 horas del día, tardarían 38 años y medio. Brasil, el país más grande de América Latina y uno de los mayores del mundo, con 8 millones 512 mil kilómetros cuadrados, debe 12 218 dólares por kilómetro cuadrado, es decir, 122 dólares 18 centavos por hectárea de superficie total, y deberá pagar solo de intereses, en 10 años, 14 098 dólares por kilómetro cuadrado, 140 dólares 98 centavos por hectárea. Aunque se bajaran los intereses, aunque se devaluara en cierta medida el dólar, un país en desarrollo como Brasil no podría soportar semejante carga, como no puede el resto de América Latina pagar la deuda restante de 260 mil millones de dólares. Ya se sabe que este año el saldo comercial de Brasil será menor que el del año pasado: el superávit, que en 1984 fue de 12 mil millones, este año se calcula será inferior a 10 mil millones. Lo mismo ocurre con México y Argentina, los dos mayores deudores después de Brasil.

No se puede pedir a un pueblo enormes sacrificios solo para pagar intereses. Tancredo planteó con mucha claridad y mucha valentía que no estaba dispuesto a sacrificar al pueblo para pagar la deuda, ni a sacrificar el desarrollo, ni a adoptar políticas recesivas. Eso lo han planteado todos, lo planteó el Presidente de Uruguay, el Presidente de Argentina, y lo ha planteado también el actual Presidente de Brasil. Y yo veo con claridad –claridad matemática, porque en esto me remito a las matemáticas– que hace falta una fórmula, y creo que la fórmula más racional, más coherente, más consecuente, más justa y más moral, la estamos planteando nosotros, que es la cancelación total de la deuda de los países del Tercer Mundo.

¿Cómo empezará esa cancelación? Posiblemente empiece por no pagarse los intereses un año, o pedir préstamos para pagar los intereses, después 2 años, después 3, después 5, después 10, en largas y agónicas negociaciones. Esto puede ocurrir por acuerdo con los acreedores, o puede ocurrir también porque los deudores lo impongan. Puede ocurrir porque los países latinoamericanos lleguen a un consenso previo sobre lo que debe hacerse, o puede ocurrir, que es lo más probable, que un país o grupo de países en situación desesperada decidan unilateralmente la suspensión de pago, y los demás los secunden.

Pero la sola cancelación de la deuda no resolvería los problemas del Tercer Mundo. En circunstancias como esta en que no estamos pidiendo, sino que estamos dando, en que no tenemos las manos extendidas para pedir dinero, sino las manos en el bolsillo para sacar dinero y entregárselo a los países industrializados, en que podemos realmente tomar la iniciativa, en que tenemos necesidad imperiosa de unirnos, me parece que lo correcto, lo estratégico, es unirse, tomar la iniciativa y plantear no solo la solución del problema de la deuda, sino los problemas del proteccionismo, del dumping, del intercambio desigual; plantear, en dos palabras, el establecimiento del Nuevo Orden Económico Internacional, aprobado ya por Naciones Unidas. Es una oportunidad única en la historia; los dirigentes políticos que no vean eso, contraerán con la historia una enorme responsabilidad. Yo tengo esperanza de que lo vean, lo comprendan, planteen el problema en términos correctos y luchen por las dos cosas. Debemos preferir las soluciones concretas, reales y definitivas al camino de la agonía; la solución clara del problema, inteligente, eficiente, al calvario.

Yo creo que ya hemos caminado cuesta arriba durante mucho tiempo; no solo hemos sufrido el tormento del Calvario, sino el de Sísifo, el de aquel hombre que iba siempre cuesta arriba con una piedra y cuando estaba llegando la piedra volvía hacia atrás. Entonces es peor que un calvario, porque en el Calvario en poco tiempo se llegó arriba, y nosotros llevamos mucho tiempo cuesta arriba, y siempre retrocedemos y bajamos de nuevo. Es preferible el calvario al tormento de Sísifo; y si ya hemos tenido el calvario, debemos tener también una resurrección.

Encontrar una solución verdadera al problema es lo que nosotros estamos planteando. Pero va a ocurrir lo que te digo: el imperialismo y los países capitalistas industrializados tratarán de evitar soluciones, dividir a la gente, repartir un poco por aquí y por allá, que cada uno tenga su gran calvario y ni siquiera un calvario, el gran tormento de la piedra cuesta arriba que nunca llega. Y los pueblos un día, lógicamente, preguntarán: bueno, ¿hasta cuándo vamos a seguir en estas condiciones?, y buscarán soluciones. Pero, repito, prefiero la solución ordenada, la unidad interna, la unidad externa, la solución real y definitiva, a los problemas de la dependencia y el subdesarrollo. Por eso pienso que entre Brasil y nosotros hay grandes intereses comunes. Sin embargo, nosotros no presionamos por las relaciones diplomáticas. Nosotros a los brasileños les decimos, como les hemos dicho a los uruguayos y a otros, que en lo que se refiere a las relaciones formales hagan lo que más convenga a sus intereses económicos inmediatos. Sabemos que están envueltos en negociaciones y renegociaciones de sus deudas, y los yankis, que son los grandes acreedores, se ponen frenéticos al pensar en esas posibles relaciones. No queremos que por causa de Cuba puedan verse envueltos en dificultades. Cuba no tiene esos problemas, y Estados Unidos no tiene ya forma de crearnos mayores dificultades. Podemos esperar sin ansiedad ni apuro que esos países escojan el momento más oportuno para restablecer las relaciones. Creo que así se demuestra verdaderamente la política sincera y desinteresada de nuestro país. A nosotros no nos perjudica esperar; ellos deben manejar sus relaciones con Cuba de la forma que realmente resulte más conveniente a los procesos democráticos y a la solución de sus problemas económicos más urgentes. Esa es nuestra posición

FREI BETTO. Gracias, Comandante. La última pregunta yo la hago pensando en la juventud brasileña. Brasil, de sus 133 millones de habitantes, cerca de 80 millones tienen menos de 25 años. Hay en gran parte de esta gente una fuerte admiración por dos compañeros hermanos suyos, que son Camilo Cienfuegos y Ernesto Che Guevara. Yo le pediría sus impresiones personales sobre estos revolucionarios.

FIDEL CASTRO. Es difícil sintetizar, pero puedo decirte en dos palabras que el Che era un hombre de una gran integridad personal y política, de una gran integridad moral.

Frei Betto. Cuando lo conoció, ¿cuántos años tenía usted?

Fidel Castro. Yo conocí al Che cuando salí de la prisión y marché a México; eso fue en el año 1955. Ya él había trabado contacto con algunos compañeros que estaban allá. Venía de Guatemala donde había vivido el drama de la intervención de la CIA y de Estados Unidos, el derrocamiento de Árbenz, los crímenes que se cometieron allí; no sé si fue a través de una embajada, pero de alguna forma pudo salir. Él era recién graduado de médico y había salido de Argentina una vez o dos veces; recorrió Bolivia, distintos países. Incluso vive en Cuba un compañero argentino que salió con él, se llama Granado, es investigador científico, trabaja aquí con nosotros. Fue quien le hizo compañía en uno de los viajes. Llegaron hasta el Amazonas, estuvieron en un leprosorio, algo así como un par de misioneros, ya graduados de Medicina.

Frei Betto. ¿Y era más joven que usted?

Fidel Castro. Yo creo que el Che era más joven que yo, tal vez dos años. Creo que nació en 1928.

Se había graduado en Medicina. Era estudioso del marxismo-leninismo, autodidacta, muy estudioso, era un convencido. Y la vida lo fue enseñando, la experiencia de lo que veía por todas partes, así que cuando nosotros nos encontramos con el Che, ya era un revolucionario formado; además, un gran talento, una gran inteligencia, una gran capacidad teórica. Es verdaderamene triste que haya muerto joven y sin que hubiese podido concretar en obras y en libros su pensamiento revolucionario. Él escribía muy bien, redactaba muy bien, de una forma realista y expresiva, digamos un Hemingway escribiendo, con pocas palabras, la palabra precisa, exacta. A todo eso se unían también condiciones humanas excepcionales, de compañerismo, desinterés, altruismo, valentía personal. Claro, eso no lo sabíamos cuando lo conocimos. Nos caía bien aquella persona, el argentino –por eso le decían el Che–, que hablaba de las cosas de Guatemala. Como él mismo cuenta, hablamos poco tiempo y nos pusimos rápidamente de acuerdo para que formara parte de nuestra expedición.

FREI BETTO. ¿Ustedes le pusieron a él Che, o él se llamaba así?

FIDEL CASTRO. Los cubanos que estaban allí le llamaban Che, si hubiera sido otro argentino le hubieran llamado Che también, como suelen decirles a los argentinos. Lo que pasa es que el Che adquirió tal renombre y tal prestigio, que se hizo propietario de ese seudónimo. Así se le llamó por los compañeros, y así lo conocí yo.

Él era médico, y vino como médico en nuestra expedición; no venía como soldado. Claro, recibió el entrenamiento, algunas instrucciones para la lucha de guerrillas. Era disciplinado, buen tirador; eso le agradaba a él, como le agradaba el deporte. Casi todas las semanas trataba de subir el Popocatépetl; nunca lo alcanzaba pero lo volvía a intentar siempre. Él padecía de asma, tiene mucho mérito en los esfuerzos y proezas físicas que realizó, porque sufría del asma.

FREI BETTO. ¿Era también buen cocinero como usted?

FIDEL CASTRO. Bueno, creo que yo soy mejor cocinero que lo que él lo era. No voy a decir que soy mejor revolucionario, pero mejor cocinero que el Che, sí.

FREI BETTO. En México él preparaba buenas carnes.

FIDEL CASTRO. Él sabía algo de asados tipo argentino; eso solo se puede hacer en pleno campo. En las prisiones de México, donde estuvimos juntos por nuestras actividades revolucionarias, los arroces, los frijoles, los espaguetis preparados de distintas formas eran asunto mío. Yo realmente era el especialista en cuestiones de cocina, aunque él sabía algunas de esas cosas. Tengo que defender mi orgullo profesional como lo defenderías tú y lo defendería tu madre, que sí es una verdadera científica de la cocina.

Pero, bueno, el Che por todas aquellas características empieza a descollar: características humanas, intelectuales, pero más tarde en la guerra también militares, su capacidad de jefe, su valentía. A veces era temerario, de forma que yo mismo tenía que ejercer cierto control sobre él. Algunas operaciones que quería hacer se las controlaba, o las prohibía incluso, porque cuando empezaban los combates se enardecía mucho; era además tenaz, persistente en las acciones. Comprendiendo su valor y su capacidad, hice lo que con otros cuadros también: a medida que ellos adquirían experiencia, buscaba cuadros nuevos para misiones tácticas y reservaba los más aguerridos para operaciones estratégicas; es decir, había un momento en que el tipo de operaciones sencillas, aunque peligrosas, las asignaba a nuevos combatientes destacados para que adquirieran experiencia al mando de pequeñas unidades, y reservaba para misiones estratégicas a los más experimentados.

Che poseía, además, una gran integridad moral. Se demostró que era un hombre de ideas profundas, trabajador infatigable, cumplidor riguroso y metódico de sus deberes y, sobre todo, predicaba con el ejemplo, muy importante. Él era el primero en todo, se ajustaba estrictamente a las normas que predicaba, y tenía un gran prestigio, una gran influencia sobre los compañeros. Es una de las grandes figuras que ha dado esta generación de América Latina, y nadie sabe lo que habría llegado a realizar de haber sobrevivido.

Desde que estábamos en México y se incorporó a nuestro movimiento, me hizo prometerle que después de la victoria de la revolución en Cuba, se le autorizaría a volver a luchar en su patria o por América Latina. Así estuvo varios años trabajando aquí en importantes responsabilidades, pero siempre pendiente de eso. Al final, lo que nosotros hicimos fue cumplir el compromiso contraído con él, no retenerlo, no obstaculizar su regreso. Incluso ayudarlo; lo ayudamos a hacer lo que él consideraba que era su deber. En ese momento no nos detuvimos a considerar si podía perjudicarnos. Cumplimos fielmente la promesa que le hicimos, y cuando él dijo: "bueno, yo quiero ya partir a cumplir una misión revolucionaria", "correcto, cumpliremos la promesa", le respondí.

En estrecha armonía con nosotros se hizo todo. Las cosas que se dijeron sobre supuestas discrepancias con la Revolución Cubana fueron infames calumnias. Él tenía su personalidad, sus criterios, discutíamos fraternalmente sobre diversos temas, pero siempre hubo una armonía, una comunicación, una unidad completa en todo, y excelentes relaciones, porque, además, era un hombre de gran espíritu de disciplina.

Cuando salió, durante mucho tiempo circulaban los rumores de que había problemas con el Che y que el Che estaba desaparecido. Realmente el Che estaba en África, estaba cumpliendo una misión internacionalista en África, luchando allí en compañía de un grupo de internacionalistas cubanos, junto a los seguidores de Lumumba después de la muerte de este prestigioso dirigente africano, en el antiguo Congo Belga, más tarde conocido como Zaire. Allí estuvo el Che varios meses. Trataba de ayudar en lo posible, porque él sentía una gran simpatía y solidaridad por los países africanos, donde adquiría, además, experiencia adicional para sus luchas futuras. Después de aquella misión internacionalista, en espera de que se crearan el mínimo de condiciones en Suramérica, estuvo una parte del tiempo en Tanzania y después en Cuba.

Cuando se marchó, me escribió la conocida carta de despedida, y yo no quise publicarla durante meses por la sencilla razón de que el Che tenía que salir de África. Y, efectivamente, salió de África, regresó a Cuba, estuvo un tiempo, solicitó un grupo voluntario de combatientes de la Sierra Maestra, que nosotros autorizamos, se entrenó duramente junto a sus compañeros, y después partió a Suramérica. Tenía ideas de luchar no solo en Bolivia, sino también en otros países y en su propio país. Esa es la explicación por la cual escogió aquel punto. Desde luego, se hizo mucha campaña de insidias contra Cuba en todo aquel período, pero nosotros soportamos la campaña y no publicamos la carta; solo lo hicimos cuando ya el Che tenía asegurada la llegada a la zona escogida por él en Bolivia. Fue entonces cuando la publicamos. Se hizo mucha campaña calumniosa con relación a todo eso.

Si quieres que resuma, diría que si el Che fuera católico, si el Che perteneciera a la Iglesia, tenía todas las virtudes para que hubieran hecho de él un santo.

Me hablas también de otro compañero, de Camilo. Camilo también fue un hombre del pueblo, un cubano típico, inteligente, entusiasta, valiente, que comenzó muy joven su misión revolucionaria. En los primeros años de la lucha contra Batista, había tenido contactos con los estudiantes universitarios. Participa en algunas manifestaciones, lo hieren, y estando nosotros en México organizando la expedición, él hace contacto con nuestro Movimiento, se une a nosotros y viene como soldado. Es de los que sobrevive y también inmediatamente se empieza a destacar como combatiente, por su valentía, su iniciativa. Ya desde el primer combate –nuestro primer combate victorioso, el 17 de enero de 1957, en que nosotros con 22 hombres atacamos una unidad combinada de soldados y marinos, que resistieron duramente hasta que todos fueron muertos o heridos– se destaca Camilo. También en aquella ocasión, a los adversarios heridos les dimos nuestros medicamentos, los atendimos, los curamos.

Ya Camilo empieza a destacarse desde ese primer combate como un gran soldado. Tiene un carácter distinto al del Che, digamos más familiar, más alegre, más criollo, menos intelectual que el Che, un hombre de acción; sin embargo, muy inteligente, muy político y aunque menos rigurosamente asceta que el Che, también predicaba con su ejemplo. Como jefe que se distinguió por su iniciativa, capacidad y valentía en muchos combates, en la fase final de la guerra lo empleamos en una misión estratégica, que fue la invasión a la provincia de Las Villas.

Camilo tenía, además, un especial carisma. Si tú miras la estampa de Camilo, su rostro y su barba, es la imagen que suele verse en las estampas de un apóstol; era a la vez muy criollo, muy comunicativo, muy valiente. No podría decir, sin embargo, que era temerario. Es decir, era capaz de cualquier proeza, muy audaz, pero no temerario. Quizás el Che tenía más predestinación a la muerte, cierto fatalismo. Camilo no tenía esa predestinación hacia la muerte, sino que hacía cualquier cosa por audaz y riesgosa que fuera, y no le ofrecía ningún chance al enemigo. Era un guerrillero excelente, nato. Fue el primero que salió a los llanos, con una pequeña guerrilla, desde la Sierra Maestra.

En los primeros meses de la Revolución, hacía Camilo lo que hacíamos todos nosotros: nos montábamos en cualquier carro, en cualquier avión, en cualquier avioneta, en cualquier helicóptero, sin ninguna seguridad. Camilo había viajado conmigo a Camagüey a raíz de la traición de Hubert Matos, que entró en contubernio con el imperialismo, se dejó envolver por las clases reaccionarias y trató de promover una conspiración contrarrevolucionaria que resolvimos sin disparar un tiro, con el pueblo. Camilo fue conmigo. Yo iba por la calle hacia el cuartel de Camagüey, sin armas, seguido de todo el pueblo, para desarmar a los conspiradores, y Camilo, por cierto sin decirme nada, tomó una iniciativa con la idea de evitarme riesgos, aunque yo estaba seguro de que los conspiradores, desmoralizados, no dispararían un tiro: se me adelantó con su escolta, llegó al cuartel donde estaba el regimiento, donde estaba Hubert Matos, desarmó a los jefes y tomó el mando. Cuando llegué, ya él estaba allí. Como Camilo era jefe del Ejército, con motivo de aquellos hechos originados por la traición de Hubert Matos hizo un viaje ulterior a Camagüey en una avioneta, y regresaba de tarde nada menos que a fines del verano, en una época de muchas tormentas, cuando incluso en aviones adecuados no debe viajarse en aquellas condiciones meteorológicas.

FREI BETTO. ¿En qué año?

FIDEL CASTRO. Eso fue en el mes de octubre de 1959, el primer año de la Revolución.

Frei Betto. ¿Qué edad tenía él?

Fidel Castro. Era más joven que yo. Tenía 27 años en la fecha de su muerte. Hoy día nosotros tenemos aviones ejecutivos, con radares, una organización eficiente y seguridad en los vuelos; van viendo por dónde están los cúmulos; se sigue desde tierra cada vuelo ejecutivo. En una avioneta, Camilo regresaba por el norte de la isla al anochecer. Se supo al otro día que Camilo había salido y no había llegado. Aquí todos tuvimos accidentes en avión o en helicópteros en los primeros años de la Revolución. Yo los tuve, Raúl los tuvo, varios dirigentes los tuvieron. En aquel momento no existía la organización, las medidas, la seguridad que hay hoy para todos esos viajes. La noticia de la desaparición de Camilo llegó solo al otro día. Esto fue motivo de una gran consternación, un gran dolor, una gran amargura para todos nosotros y para todo el pueblo. Yo mismo, personalmente, en avión recorrí hasta los islotes por los alrededores de Cuba, lo buscamos por aire, por mar y por tierra; nunca apareció. Este hecho también fue motivo de infames calumnias y de intrigas contra la Revolución. Se decía que por rivalidades, por celos, habíamos asesinado a Camilo; todo eso ocurrió. El pueblo sabe; al pueblo sí que no lo engañó nunca nadie, porque nos conoce a todos nosotros, y conoce cuál es nuestra ética, nuestras normas, nuestra vida, nuestros principios.

Ahora, si te dije qué habría sido del Che si hubiera pertenecido a la Iglesia, puedo decirte de Camilo lo que expresé en ocasión de su muerte al referirme a su origen humilde, a su descollante actividad en los breves años de su vida revolucionaria, demostrando las inmensas, las infinitas posibilidades potenciales del pueblo. Como mensaje de aliento y de consuelo al pueblo, dije: En el pueblo hay muchos Camilo. Creo que la historia de esta Revolución y estos 26 años, han demostrado que en el pueblo hay muchos Camilo. Me reafirmo cada vez más en la idea de que en el pueblo hay muchos Camilo, como pienso que en el pueblo argentino hay muchos Che, y en toda América Latina hay decenas de miles, y tal vez cientos de miles, de hombres como Camilo y el Che.

En definitiva, de nuestra expedición de 82 hombres que arribamos a Cuba el 2 de diciembre de 1956, después de los primeros y difíciles reveses nos volvimos a reagrupar unos 14, 15 o 16 hombres, y en esos 14, 15 o 16 hombres había jefes brillantes, en esos 14, 15 o 16 hombres estaban Camilo y el Che. Donde tú reúnas cien hombres, mil hombres, detrás de una idea noble y justa, puedes estar seguro de que hay muchos Camilo y muchos Che.

FREI BETTO. Antes de terminar esta entrevista, quiero agradecer su enorme generosidad al dispensar tanto espacio de su tiempo precioso, con todas las tareas que tiene. Y quiero hacer una manifestación personal: estoy convencido de que sus palabras, sus opiniones, sus ideas y su experiencia van a ser, sobre todo para los lectores cristianos, no solamente un aliento para su esperanza política, sino también una fuerza para su vida cristiana.

Gracias, Comandante.

FIDEL CASTRO. Muchas gracias.

Cuando terminamos la larga entrevista ya ha comenzado el siguiente día. La seguridad de tener en las manos un material inusitado y de gran interés internacional e histórico, me hace sentir pequeño, como si cargara un peso muy superior a mis fuerzas. Me inunda una fraternal admiración por Fidel y una silenciosa oración de alabanza al Padre.

# INDICE DE TEMAS PRINCIPALES TOCADOS POR EL COMANDANTE EN JEFE FIDEL CASTRO EN LA CONVERSACION CON FREI BETTO

*Páginas*

- Su infancia. La casa natal. La religiosidad de su familia.     88-106

- Su bautizo. Por qué el nombre de Fidel. Los primeros años en Santiago de Cuba.     106-117

- La estancia en colegios católicos en Santiago de Cuba y La Habana. La enseñanza religiosa.     118-152

- El surgimiento de los primeros valores éticos. El contacto con la literatura marxista.     153-161

- El proyecto revolucionario desde antes del golpe del 10 de marzo de 1952. La preparación del Moncada.     162-172

- El asalto al Moncada. Las circunstancias de su captura posterior.     173-188

- La prisión y la guerra. El padre Guillermo Sardiñas.     188-194

- Las relaciones con la Iglesia Católica después del triunfo de la Revolución. El surgimiento de las tensiones iniciales y sus causas.     194-226

- El Partido Comunista de Cuba y los creyentes.     227-250

- Conversaciones con obispos católicos norteamericanos. Coincidencias entre las doctrinas de la Iglesia y la Revolución.     254-271

- Papel actual de las Iglesias y los creyentes.     273-282

- El movimiento revolucionario y la Iglesia Católica en América Latina: historia y presente. 284-294
- La Teología de la Liberación. La reflexión en el seno de la Iglesia Católica sobre los problemas de hoy. 296-311
- Sobre el Papa Juan Pablo II y la posibilidad de su visita a Cuba. 314-321
- Sobre Jesucristo. Cristianos y comunistas. Los comunistas y la religión. 322-333
- El amor como exigencia revolucionaria. La lucha de clases y el odio entre las clases. 334-345
- La democracia en Cuba. La democracia burguesa. La "exportación de la revolución". 346-356
- Sobre la deuda externa de América Latina. 357-366
- Sobre las relaciones con Brasil. 366-371
- Sobre Che y Camilo. 371-379

EDICIÓN
Pedro Álvarez Tabio

DISEÑO
Tomás Borbonet

MARCACIÓN TIPOGRÁFICA
María Elena Gil

EMPLANE
Mercedes Pazos

COMPOSICIÓN Y FOTOMECÁNICA
Editorial Pueblo y Educación

*Impreso por el Combinado Poligráfico de Guantánamo
"Juan Marinello" en el mes de Enero de 1986
"Año del XXX Aniversario del Desembarco del Granma"*